PARA ESTAR EN EL MUNDO

Los 7 secretos del Dr. Perricone para la belleza, la salud y la longevidad

¡El Milagro del Rejuvenecimiento Celular!

Para estar bien

Los 7 secretos del Dr. Perricone para la belleza, la salud y la longevidad

¡El Milagro del Rejuvenecimiento Celular!

Nicholas Perricone

OCEANO

LOS 7 SECRETOS DEL DR. PERRICONE PARA LA BELLEZA, LA SALUD Y LA LONGEVIDAD
¡El Milagro del Rejuvenecimiento Celular!

Título original: DR. PERRICONE'S 7 SECRETS TO BEAVTY, HEALTH, AND LONGEVITY

Tradujo MÓNICA VILLA QUIRÓS de la edición en inglés
        de Ballantine Books, New York

Esta traducción se publica según convenio con Ballantine Books,
un sello editorial de Random House Publishing Group, división de Random House, Inc.

© 2006, Nicholas V. Perricone, M. D.

Publicado originalmente en inglés en 2006
por Ballantine Books, New York

D. R. © 2008, EDITORIAL OCÉANO DE MÉXICO, S.A. de C.V.
            Boulevard Manuel Ávila Camacho 76, 10º piso,
            Colonia Lomas de Chapultepec, Miguel Hidalgo,
            Código Postal 11000, México, D.F.
            ☎ (55) 9178 5100   📠 (55) 9178 5101
            ✉ info@oceano.com.mx

PRIMERA EDICIÓN

ISBN 978-970-777-460-5

IMPRESO EN MÉXICO / PRINTED IN MEXICO

Agradecimientos

Anne Sallaro, nuevamente, ocupa el lugar estelar en estos agradecimientos. El entusiasmo incansable, el trabajo, la creatividad y la visión como amiga, agente, productora y colaboradora de Anne son una motivación para compartir mi mensaje y misión con millones de personas de todo el mundo.

También quiero dar un cálido agradecimiento a mis muchos amigos y colegas que me han ofrecido su generosa ayuda incluyendo:

Caroline Sutton, Gina Centrello, Libby McGuire, Tom Perry, Kim Hovey, Brian McClendon, Rachel Bernstein, Cindy Murray, Lisa Barnes, Christina Duffy y todo el equipo que conforma Ballentine incluyendo al extraordinario grupo de ventas.

David Vigliano y el equipo de trabajo de Vigliano Asociados.

Tony Tiano, Lennlee Keep, Eli Brown y el equipo de trabajo de Santa Fe Productions.

Public Broadcasting Service (PBS-TV).

Dr. Henry G. Preuss, M.A.C.N., C.N.S.

Dr. Stephen Sinatra, F.A.C.N., F.A.C.C.

Colegio de Medicina Humana de la Universidad del Estado de Michigan

Departamento de Dermatología del Hospital Henry Ford

Ciencias de la Salud Fuji, Inc.

Dr. Cass Ingram

Chris Kilham

Ehud Sperling y el equipo de Inner/Traditions/Healing Arts Press

El equipo de Flagship Store del Dr. N.V. Perricone, Ltd.

El equipo del Dr. N.V. Perricone, Ltd

Edward Magnotti

Terence Sellaro

Craig Weatherby

Sharyn Kolberg

Chim Potini

Lori Bush

Dr. Peter Pugliese

Steven Pugliese

Mahnaz Badamchian

Randy Hartnell y el equipo de Vital Choice

Nuestros socios en ventas al menudeo:

Sephora, Nordstrom, Neiman Marcus, Bloomingdale's, Saks Fifth Avenue, Henri Bendel, Paisian y Belk.

Mis padres

Mis hijos: Jeffrey, Nicholas y Caitie

Mi hermano y hermanas: Jimmy, Laura, Barbara y June.

Índice

Introducción

Desde la publicación en 2000 de mi primer libro, *The Wrinkle Cure* (El remedio para las arrugas), se han realizado grandes avances en el campo de la medicina antienvejecimiento. En ese libro presenté, por primera vez, mi teoría de la inflamación-envejecimiento, en la que las inflamaciones invisibles crónicas de bajo grado son las causantes principales del envejecimiento y sus consiguientes enfermedades, además de todo un conjunto de padecimientos degenerativos.

Esta teoría fue objeto de burla o escepticismo; sin embargo, la ciencia ya la reconoció como válida, y actualmente se sabe que la inflamación es una amenaza grave para la salud y la longevidad.

Como explicaré en este libro, no necesitamos medicamentos elaborados, costosos, y posiblemente dañinos, para detener la reacción inflamatoria y sus efectos adversos. Para ello sólo se necesitan *Los 7 secretos de belleza, salud y longevidad del doctor Perricone* y las herramientas que les ofrezco, comenzando por la más importante: los alimentos que comemos.

Día con día se publica toda una variedad de estudios que confirman que existe una conexión entre dieta y enfermedad. Un estudio reciente informó que las dietas que tienen un elevado contenido de grasas saturadas aumentan el riesgo de padecer Alzheimer, que es una enfermedad inflamatoria. Por el contrario, una dieta antinflamatoria reduce el riesgo de padecer esta debilitante y creciente epidemia. Así, es tan importante elegir los alimentos adecuados como saber la forma en la que fueron sembrados y cultivados. Un estudio reciente ha identificado una fuerte conexión entre los pesticidas y la enfermedad de Parkinson. Como siempre lo he sostenido, compren productos orgánicos y protejan a su familia y a sí mismos del riesgo de entrar en contacto con sustancias tóxicas.

Pero se trata de mucho más que alimentos antinflamatorios. También hemos realizado grandes avances tecnológicos en el desarrollo de novedosos suplementos nutricionales para complementar la alimentación y restituir los eslabones que faltan en la salud y el bienestar. Por primera vez, como lo destaco en este libro, contamos con metodologías comprobadas para revitalizar nuestros cuerpos cansados y desgastados *a nivel celular* y reforzarlos con energía, mejorar el humor y acrecentar la sensación de bienestar y el gusto por la vida.

Estos suplementos especiales se encuentran a velocidad luz de distancia de las vitaminas que usaron las generaciones pasadas. Ahora, podemos concentrarnos en partes clave, como la mitocondria, para restaurarle energía a la célula. A medida que envejecemos, disminuyen los niveles de energía de las células: de hecho, con el tiempo éstas pierden la capacidad de regenerarse. Mediante el uso de una recién descubierta clase de rejuvenecedores de mitocondrias podemos recargar las células de nuestros sistemas orgánicos, incluyendo la piel, para obtener un rejuvenecimiento total del cuerpo. Como dermatólogo encuentro esto particularmente emocionante. Aprender a restablecer la estructura ósea y la masa muscular del rostro envejecido es una de las grandes estrategias que hay para conservar un rostro juvenil.

Sin embargo, todavía hay más buenas noticias. La ciencia descubrió hace poco que también es posible rejuvenecer las células del cerebro. Durante mucho tiempo se pensó que nacíamos con un cerebro genéticamente determinado en cuanto a tamaño y potencial, para bien o para mal. Esto no puede ser más falso. Ahora sabemos que el cerebro es un órgano que crece y cambia. Como veremos en este libro, contamos con muchas estrategias para aprovechar al máximo su desarrollo, incluyendo el *ácido graso esencial fosfatidilserina que es un poderoso medio para prevenir la pérdida de la memoria, el Alzheimer y la demencia.* Otros ácidos grasos como el omega-3 y los aceites de pescado mejoran dramáticamente la salud del cerebro, el humor, la capacidad de concentración y muchas cosas más.

También aprenderemos sobre el ejercicio que no sólo proporciona poderosos beneficios antienvejecimiento para el cuerpo, sino que también fortalece nuestra capacidad de concentración y nos permite recobrar el equilibrio físico y mental.

Como verán, en *Los 7 secretos de belleza, salud y longevidad del doctor Perricone,* nuestro cuerpo, mente y espíritu tiene el potencial de alcanzar un gran desarrollo; de renacer, de regenerarse, siempre y cuando posean los instrumentos adecuados. Les agradezco que me acompañen por este emocionante recorrido.

NICHOLAS PERRICONE
Madison, Connecticut
julio de 2006

DR. PERRICONE

7 Secretos de Belleza, Salud y Longevidad

1

Rejuvenecimiento Celular

Este libro es la culminación del trabajo y las investigaciones que he realizado a lo largo de mi vida en busca del porqué y el cómo envejecemos. En mis libros anteriores, identifiqué la inflamación subclínica crónica como responsable de todo: desde las arrugas y la obesidad hasta las enfermedades degenerativas crónicas como las del corazón, el Alzheimer, algunos ciertos tipos de cáncer, la artritis y muchas más. Aunque este concepto no fue aceptado universalmente por los médicos y científicos (en realidad, fue ridiculizado en diversas ocasiones), en la actualidad la inflamación forma parte de la lista de factores, causantes del envejecimiento y las enfermedades. Un rápido vistazo al sitio de Internet de la National Library of Medicine (Biblioteca Nacional de Medicina) permite el acceso a cientos de estudios que lo verifican, incluyendo un estudio reciente publicado por el Departamento de Medicina de la Universidad de Texas que dice: "la activación de los genes inflamatorios actúa como un puente que conecta el envejecimiento normal con los procesos patológicos". Otro estudio reciente, en este caso de la Columbia University, concluyó que "en la mayoría de enfermedades relacionadas con el envejecimiento, los individuos manifiestan un estado de inflamación crónica".

En cada uno de mis libros he propuesto estrategias para combatir esta inflamación. A medida que se reconocen y se aceptan los efectos destructivos de la inflamación, muchos científicos de primera línea están convirtiéndola en objeto de sus investigaciones.

Ahora, mi objetivo es, además de aprender cómo prevenir y revertir la inflamación en nuestra vida cotidiana, construir sobre los cimientos de mi trabajo anterior y profundizar aún más en ellos. Hay toda una serie de emocionantes descubrimientos científicos que nos muestran que es mucho lo que podemos hacer: realmente podemos *reconstruir* nuestros cuerpos a nivel celular. El cerebro, los huesos, los músculos y la piel se benefician de un proceso conocido como *rejuvenecimiento celular*.

El campo del antienvejecimiento, que antes era reino exclusivo de los vendedores de suplementos y pociones de dudoso contenido, ahora está a la cabeza de la investigación científica legítima. Todos los días aparecen nuevos estudios publicados que indican que la ciencia está a un paso de saber cómo detonar los mecanismos de autorrecuperación de las células que, se cree, son la fuerza central para extender la vida.

En este libro exploraremos múltiples disciplinas accesibles para todos. Aprenderemos cómo funciona el rejuvenecimiento celular: se trata de una nueva y emocionante ciencia que permitirá al cuerpo recuperar la salud mental y física, tanto en el interior como en el exterior. Por primera vez tenemos a la mano los medios y los métodos para detener la debilitación de nuestros órganos producida por el envejecimiento. Algunas de nuestras herramientas tienen miles de años de antigüedad, las hemos olvidado y es el momento de recuperarlas, mientras que otras son descubrimientos recientes. Juntas proporcionan estrategias detalladas para retrasar y revertir los efectos negativos del envejecimiento.

Durante la investigación y escritura de este libro descubrí una serie de medidas que podemos seguir para fortalecer la capacidad de retrasar (y prevenir) la aparición de los efectos indeseables del envejecimiento. Existen alimentos probados, suplementos botánicos y nutricionales, que ofrecen genuinos beneficios reconstituyentes tanto físicos como mentales. Y aunque no podemos hacer que las manecillas del reloj giren en dirección contraria, podemos retrasar su avance: un beneficio invaluable para nosotros y las personas que amamos, para nuestra comunidad y para nuestro planeta. Una población enferma y envejecida es la mayor amenaza que tenemos en cuanto a la desestabilización de nuestro futuro. Los siete secretos antienvejecimiento que aquí encontrarán son sus herramientas para sortear un desastre de tal dimensión y asegurar años saludables, felices y activos durante décadas.

Lo que nos lleva al *secreto 1: arranca tu metabolismo celular*.

La Poderosa Mitocondria

La razón por la que comienzo este libro con la mitocondria es que se trata de la parte de la célula encargada de producir energía, la verdadera base del rejuvenecimiento celular. Una característica de las células jóvenes es el alto nivel de producción de energía. En el momento en que disminuye esa producción, comienza el proceso de envejecimiento. El propósito, por lo tanto, es acelerar el metabolismo celular: el proceso químico y fisiológico mediante el cual el cuerpo se construye, se conserva y que le sirve para descomponer la comida y los nutrientes para producir energía.

Para comprender los conceptos de metabolismo celular y rejuvenecimiento, necesitamos entender el funcionamiento interno de la célula, en especial de las mitocondrias, a veces llamadas "centrales eléctricas celulares" debido a que metabolizan los químicos derivados de los alimentos para producir energía. Las mitocondrias son las responsables de convertir nutrientes y oxígeno en la molécula productora de energía trifosfato de adenosina (ATP) y generar así combustible para la realización de las actividades celulares. Sin energía, la célula no puede repararse a sí misma y la consecuencia es un derrumbe celular.

Una de las características que hace de las mitocondrias algo único es que poseen su propio conjunto de moléculas de ADN (ácido desoxirribonucleico). Todos hemos oído del ADN y sabemos que es el material dentro del núcleo de las células que contiene la información genética. Pero lo que muchos ignoran es que las mitocondrias también contienen ADN, más allá del ADN que posee el núcleo de la célula. Desafortunadamente, la parte de la célula que sufre mayor daño es el ADN de las mitocondrias, el cual está expuesto a grandes peligros debido a los radicales libres producidos en este diminuto horno durante la generación de energía. Aunque la célula automáticamente arregla gran parte del daño provocado al ADN nuclear, el de la mitocondria no puede repararse tan fácilmente. Por tanto, el daño al ADN se acumula con el tiempo y, como consecuencia, la mitocondria deja de funcionar, causando la muerte de las células y el envejecimiento del organismo.

Existen muchas teorías en torno al envejecimiento y una de las más relevantes es la teoría de radicales libres propuesta por el doctor Denham Harman. Un radical libre es una molécula a la que le falta un electrón en la órbita externa. El doctor Harman fue el primero en sugerir que los radicales libres alteran la estructura molecular de la célula, causándole un daño importante. Esto sucede porque les roban a otras moléculas el electrón que les falta y así logran completar su órbita externa. En otras palabras, los radicales libres son moléculas que quieren unirse con otras moléculas y al hacerlo causan un gran perjuicio celular.

Como suele ser el caso cuando se trata de investigaciones pioneras dentro del mundo de las ciencias, las teorías del doctor Harman fueron ignoradas durante décadas. Sin embargo, actualmente los científicos reconocen la importancia de los radicales libres en el proceso de envejecimiento. También ha quedado firmemente establecido que los radicales libres tienen una función activa en diversas enfermedades relacionadas con el envejecimiento. En mi primer libro, *The Wrinkle Cure* (La cura de las arrugas), di a conocer la teoría del envejecimiento por los radicales libres del doctor Harman, proponiendo que los radicales libres son los responsables de iniciar el proceso inflamatorio que desencadena el envejecimiento y las enfermedades relacionadas.

La Teoría Inflamatoria del Envejecimiento

Gran parte de los radicales libres se derivan del oxígeno. Por tanto, el daño que provocan estos radicales libres se conoce como *daño oxidativo*. Hablamos de *estrés oxidativo* cuando una célula tiene un alto nivel de radicales libres, y este estrés oxidativo produce químicos que causan inflamaciones dentro de las células. El proceso se convierte en un círculo vicioso en el que los radicales libres dan lugar a la inflamación y la inflamación da lugar a la producción de radicales libres.

Los científicos que sostenemos la teoría del envejecimiento por radicales libres tenemos que ir más allá de esta premisa si deseamos detener y revertir la degeneración celular. Los radicales libres existen durante sólo un nanosegundo y, por lo tanto, el daño *directo* que causan a las moléculas celulares es mínimo. Sin embargo, lo que sí logran hacer en ese lapso tan breve de vida es iniciar una *cascada inflamatoria* que puede prolongarse por horas o incluso días. La larga duración de la cascada inflamatoria daña las células y lleva al envejecimiento y a las enfermedades relacionadas con el mismo.

Afortunadamente, nuestros cuerpos cuentan con ciertas defensas en contra de los radicales libres y la inflamación. Nuestros cuerpos pueden, de hecho, crear una variedad de enzimas antioxidantes que nulifican o alteran a los radicales libres. (Una enzima es una proteína que acelera el ritmo de las reacciones químicas.) Se conocen como antioxidantes *endógenos* porque se crean en el interior del cuerpo. Otra manera de obtener antioxidantes es mediante la dieta o por medio de suplementos nutricionales. Llamamos a estos antioxidantes *exógenos* porque provienen del exterior de nuestro cuerpo. Todos conocemos algunos de estos antioxidantes como las vitaminas C y E, al igual que una variedad de fitonutrientes que podemos obtener de las frutas y verduras frescas.

Los antioxidantes son fundamentales para la medicina en contra del envejecimiento porque actúan como antinflamatorios naturales que nos protegen de la inflamación iniciada por los radicales libres, que son los causantes de daño celular. Cuando este daño ocurre internamente en los órganos vitales como el cerebro, genera problemas como las enfermedades de Parkinson, Alzheimer y demencia. También pueden dañar los pulmones lo que resulta en una función disminuida del aparato respiratorio, del corazón y los riñones.

Pero nuestros órganos internos no son los únicos que sufren. El daño que causan los radicales libres y la inflamación puede observarse en nuestra apariencia año con año. Se manifiesta fundamentalmente como daño a la piel en forma de adelgazamiento de la misma, líneas profundas, arrugas, flacidez y pérdida de tono, textura y brillo. Otros efectos negativos en la masa muscular son los cambios conocidos como sarcopenia, aunados a la pérdida de masa ósea (osteopenia y osteoporosis). Todos estos cambios, ya sean externos o internos, son el resultado de un daño inicial a nivel molecular y celular.

Recargando las Baterías de la Mitocondria

Ahora que sabemos cuál es la causa del envejecimiento de nuestras células podemos concentrarnos en: *1)* lo que tenemos que hacer para protegerlas del daño inflamatorio y *2)* recargar las "baterías" de la mitocondrias para que sigan funcionando con energía de sobra. Hay dos maneras de hacer esto: por medio de la dieta y con suplementos nutricionales. Empecemos con la dieta.

Los alimentos que comemos son de fundamental importancia porque son tanto creadores como neutralizadores de los radicales libres y la inflamación que tanta injerencia tienen en el envejecimiento y las enfermedades. Es decir, nuestra dieta puede ser proinflamatoria o antinflamatoria. Resulta muy emocionante saber que los descubrimientos científicos más recientes pueden rejuvenecernos y revitalizar nuestro cuerpo a nivel celular. Pero si nuestra dieta es proinflamatoria, ni los más poderosos remedios podrán contrarrestar sus efectos. Así, el primer paso en el camino del rejuvenecimiento celular es cimentar una base firme, comenzando por los alimentos que comemos, y de esta manera garantizar el éxito de los rejuvenecedores de las mitocondrias y las células.

Como ahora se sabe, los consejos dietéticos que incluí en mis libros anteriores dieron en el blanco, no sólo evitan la inflamación sino que ayudan a la rehabilitación de las células del cuerpo. Las siguientes categorías de alimentos, como lo saben mis fieles lectores, tienen propiedades importantes y específicas para conservar y mejorar el metabolismo de la célula.

Categoría 1: Proteína (para el Rejuvenecimiento Celular)

La proteína desempeña una función muy importante en cualquier programa de salud, belleza y antienvejecimiento. Es la materia básica de la vida. De hecho, la palabra *proteína* viene de una antigua raíz griega que significa "preeminente, de primera calidad". El cuerpo no se desarrolla ni funciona sin ella.

A medida que la digerimos, la proteína se descompone en aminoácidos que posteriormente son utilizados por las células para rehabilitarse. Dado que el cuerpo humano sólo puede fabricar once de los veinte aminoácidos esenciales para la vida, los nueve restantes tienen que ser ingeridos mediante proteínas en la dieta.

Sin la proteína adecuada, nuestros cuerpos entran en un proceso acelerado de envejecimiento. Los músculos, órganos, huesos, cartílagos, piel y anticuerpos que nos protegen de las enfermedades están formados por proteína. Incluso, las enzimas que tienen como objetivo facilitar las reacciones químicas esenciales en el cuerpo, desde la digestión hasta la construcción de células, están formadas por proteínas. Si sus células no tienen acceso total a los aminoácidos esenciales, la recuperación celular no sólo es incompleta sino mucho más lenta.

Es importante entender que no se puede almacenar proteína en el cuerpo, por tanto, necesitamos una fuente confiable de calidad en cada comida para tener una salud óptima y lograr la recuperación celular.

En lo que se refiere al lugar que ocupa la proteína en la "escala inflamatoria" descubriremos que, en términos generales, es neutra. Sin embargo, algunas fuentes de proteína como el salmón salvaje proporcionan poderosos beneficios antinflamatorios porque tienen un alto contenido de ácidos grasos esenciales omega-3 (EFA por sus siglas en inglés) y astaxantina, un poderosísimo carotenoide antioxidante que posee potentes propiedades antinflamatorias.

Las proteínas que tienen un alto contenido de grasas saturadas pueden, por el contrario, tener un efecto proinflamatorio en el cuerpo. Hay que reducir el consumo de carne roja, elegir cortes magros y, mejor aún, sustituirlos por otras opciones como pechuga de pollo sin piel, carne de pavo sin grasa, o incluso de bisonte y avestruz. Aumentar el consumo de todo tipo de productos del mar, excepto los que se sabe que contienen un alto nivel de mercurio o pesticidas (el sitio www.vitalchoice.com ofrece varias listas de los peces recomendados incluyendo sus excelentes perfiles de confiabilidad).

CATEGORÍA 2: CARBOHIDRATOS (PARA LA ENERGÍA CELULAR)

Los carbohidratos son azúcares y almidones que constituyen la fuente más efectiva de energía alimenticia. Se almacenan en forma de glicógeno en los músculos y en el hígado, y en forma de glucosa, en la sangre. Sin embargo, para hacer un buen uso de esta energía almacenada, el azúcar tiene que consumirse en forma de carbohidratos complejos, como los que contienen las frutas enteras (de preferencia orgánicas para poder comer la piel que tiene un alto contenido de nutrientes y fibra), y en forma de almidones que deben ingerirse como las alubias, leguminosas y algunos granos enteros que se descomponen de manera lenta y no provocan incrementos repentinos en el azúcar, en la sangre ni en la insulina. Si los carbohidratos que ingerimos provienen de frutas, verduras, alubias y leguminosas, además de algunos granos enteros como la avena entera, los beneficios antienvejecimiento que proporcionen serán enormes: nos protegerán de las arrugas y hasta nos harán bajar de peso.

Astaxantina, el Antioxidante Multicional

La astaxantina es un antioxidante único y de múltiples beneficios. También es una de las razones por las que el salmón silvestre ocupa un estatus preponderante en el reino de los alimentos antienvejecimiento. Sin embargo, también es importante ingerir astaxantina en forma de suplemento nutricional para obtener todos sus beneficios.

La astaxantina tiene la capacidad de proteger la membrana celular de los radicales libres conocidos como especies de oxígeno reactivo (EOR) incluyendo el más dañino de todos: el oxígeno singlete. Los *carotenoides*, en general, y la astaxantina, en particular, absorben eficazmente la energía de los radicales libres y del oxígeno singlete.

La astaxantina protege la bicapa de lípidos que rodea nuestras células así como a las mitocondrias y al núcleo en el interior de las células. Esta función de protección dual es una característica única de la astaxantina y una de las razones por las que desempeña un papel tan importante en la protección celular. Debido a que la astaxantina puede penetrar en diferentes partes de la célula, protege todos los órganos y sistemas del cuerpo. Esta protección de amplio espectro es la base para respaldar los múltiples beneficios y propiedades antienvejecimiento atribuidos a la astaxantina. Las áreas de la salud en donde sus beneficios han sido estudiados son:

- *Cardiovascular*. Estudios recientes indican que la astaxantina tiende a disminuir la presión sanguínea. Este mecanismo antihipertensivo puede explicarse, en parte, por la tendencia de la astaxantina a aumentar el flujo sanguíneo. La hipótesis postulada por los científicos es que es una consecuencia del relajamiento y la dilatación de los vasos sanguíneos. Asimismo, en uno de los estudios mencionados se observó un descenso de 50% en la incidencia de derrames cerebrales en un grupo que recibía tratamiento con astaxantina.

- *Diabetes tipo 2.* Un estudio preliminar indica que los suplementos de astaxantina pueden mejorar el control de la diabetes tipo 2 e inhibir el daño progresivo que inflige al riñón. Este estudio también respalda los hallazgos de un estudio anterior que indicaba que la astaxantina podía ayudar a conservar la función pancreática así como la sensibilidad a la insulina.

Otros de sus beneficios son:

- Fortalecimiento de la elasticidad de la piel y reducción en la aparición de líneas finas.
- Menor fatiga ocular (astenopia).
- Fortalecimiento de la resistencia muscular y rápida recuperación después de un intenso ejercicio.
- Disminución de la inflamación gástrica y la dispepsia.

Es importante resaltar que todos estos estudios se realizaron con la marca AstaREAL de astaxantina natural producida a partir de la microalga *Haematococcus pluvialis*, un pigmento carotenoide natural y antioxidante biológico que se cree es la fuente más importante de astaxantina en biosistemas totalmente cerrados y protegidos tanto en Suecia como en la isla de Maui en Hawai. Como suele suceder con muchos suplementos nutricionales es importante saber que estamos ingiriendo una fórmula de la más alta calidad posible y que ha sido sometida a pruebas tanto de seguridad en su empleo como eficacia. AstaREAL es una marca registrada de Fuji Chemical Industry.

Además de elegir carbohidratos antinflamatorios, también debemos aprender a evitar los carbohidratos proinflamatorios que obstaculizan el funcionamiento celular son los azúcares "simples" y los almidones, en contraposición a los carbohidratos complejos descritos anteriormente.

Hecho por la Naturaleza

Una regla sencilla a recordar es la siguiente: si el alimento fue fabricado por la naturaleza, y usted lo come en su forma natural, es una buena elección, exceptuando el consumo de la papa. El jugo, por ejemplo, no existe en la naturaleza, sino que debe extraerse de la fruta por algún medio físico, lo que lo convierte en una fuente menos deseable de carbohidratos. Si el alimento se procesa por cualquier medio (otro que no sea cocinado) es más probable que no sea una buena elección.

Casi todo el mundo está al tanto de que el azúcar y todos los tipos de edulcorantes, harinas, alimentos procesados, refrescos, jugos, bebidas energéticas, productos horneados, pastas y refrigerios (papas fritas, pretzels, etcétera) son considerados como carbohidratos de "alto índice glucémico" y, por lo tanto, pertenecen a la sección de alimentos de "no tan buena elección". Esto significa que rápidamente convierten la azúcar ingerida y producen inflamación a nivel celular por todo el cuerpo. Estos alimentos hacen que el páncreas libere insulina en un intento por controlar el nivel de azúcar en la sangre. Y al final, la obesidad será la consecuencia aunque nuestro consumo de calorías no sea del todo excesivo. Asimismo, dichos alimentos producen arrugas y flacidez en el rostro. No hay lado bueno en este proceso, a no ser por la momentánea sensación de "bienestar" que provoca el incremento de serotonina, el neurotransmisor encargado de hacernos sentir bien. Desafortunadamente, los niveles de serotonina decaen rápidamente y, entonces, empieza ese recorrido por la montaña rusa de desear antojos de alimentos, cambios de humor, piel arrugada, fatiga y subida de peso. Además, casi todos los investigadores del antienvejecimiento reconocen que una de las mejores herramientas que tenemos para controlar el envejecimiento es el control del nivel de azúcar en la sangre.

CATEGORÍA 3: ÁCIDOS GRASOS ESENCIALES OMEGA-3
(PARA LA ESTABILIZACIÓN CELULAR)

También debemos incluir en nuestras dietas fuentes de grasa antinflamatorias, un tema sobre el que he trabajado extensamente a lo largo de los años. De hecho, debido a que también provocan mayor inflamación del cerebro, sostengo que las dietas bajas en grasas, o libres de grasas, son las responsables de la epidemia de depresión que ha azotado a Estados Unidos desde 1980. Lo ideal es que nuestras dietas no contengan grasas saturadas en exceso ni ácidos transgrasos (conocidos como ácidos grasos trans), una razón más para evitar todos los alimentos procesados y preparados.

Los EFA de los peces (como el salmón, las anchoas, las sardinas, el bacalao negro, la trucha, etcétera), las nueces, semillas y el aguacate son antinflamatorios. También tienen la cualidad única de estabilizar el plasma de la membrana celular, es decir, la parte exterior de la célula. Cuando estabilizamos el plasma de la membrana celular reducimos el riesgo de padecer estrés oxidativo y la cascada de químicos inflamatorios que provoca un gran daño en toda la célula, en especial en las mitocondrias.

El fin de seguir una dieta antinflamatoria es evitar la inflamación producida por los radicales libres. El beneficio será evidente en nuestra apariencia física, en la reducción de arrugas y flacidez de la piel, en el aumento de los niveles de energía, en un mejor humor y funcionamiento cerebral, en reducción de la grasa corporal, en una mayor masa muscular, y fortalecimiento de los huesos y del sistema inmunológico.

CATEGORÍA 4: CAROTENOIDES
(PARA EL CRECIMIENTO Y LA REPARACIÓN CELULAR)

Los carotenoides son pigmentos solubles en grasa causantes del color rojo-anaranjado-amarillo de frutas, verduras, la yema de huevo, salmón silvestre, trucha arco iris, mariscos (como camarones y langostas) y plumas de las aves, en especial, la de los flamencos rosa brillante. Tanto los peces como las aves de corral deben su color a que ingieren grandes cantidades de plantas acuáticas ricas en carotenoides como algas y plancton.

Los colores profundos y vibrantes que vemos en las frutas, verduras, alubias, leguminosas, nueces, aceite de olivo extravirgen y alimentos del mar como el salmón silvestre, indican la presencia de antioxidantes, lo que los convierte en parte esencial de este programa. La familia de antioxidantes carotenoides tiene propiedades especiales y específicas para el rejuvenecimiento celular. Como se verá, desempeñan una función importante en el crecimiento y la recuperación celular.

Las hojas verdes oscuro como las de la espinaca, la col rizada, la acelga y las coles en general también tienen un rico contenido de carotenoides, pero la clorofila oculta el color rojo-anaranjado-amarillo y lo sustituye por un color verde profundo, el pigmento dominante.

Los carotenoides, debido a que son solubles en grasa, pueden introducirse tanto en el plasma de la membrana celular como en las mitocondrias, donde protegen a estas partes de la célula del estrés oxidativo y del daño causado por los radicales libres y los químicos proinflamatorios. Esto es de gran importancia para proteger nuestro sistema inmunológico porque, como es bien sabido, las células inmunes son especialmente sensibles al estrés oxidativo.

Los tonos intensos de los alimentos coloreados por estos pigmentos antioxidantes naturales nos dan más que placer a la vista (y protección y regeneración ocular). Algunos de los beneficios más importantes que podemos disfrutar al ingerir alimentos ricos en carotenoides son:

- El cuerpo convierte los carotenoides de la espinaca en vitamina A (retinol) según sea necesario.
- Los carotenoides pueden reducir el riesgo de padecer enfermedades cardiovasculares debidas, en parte, a sus propiedades antioxidantes y antinflamatorias. (*Nota:* a diferencia de los alimentos, los suplementos de carotenoides como el alfa y betacarotenoide no producen de forma consiste ante efectos positivos en contra de las enfermedades cardiovasculares.)

- Los carotenoides neutralizan los radicales libres causantes del estrés oxidativo en general y que tanto perjuicio causa a la célula, además de ser la razón principal de la inflamación "subclínica crónica" (que no muestra síntomas) que acelera el proceso interno de envejecimiento y cuya manifestación exterior son las arrugas.
- Los carotenoides pueden reducir el riesgo de padecer cáncer, especialmente cáncer de pulmón, de la vejiga, de mama, de esófago y del estómago.
- Los carotenoides sirven como bloqueadores de los rayos solares que son los que generan inflamaciones y que, a su vez, son la causa de arrugas e incluso de cáncer de piel.
- La espinaca, la col rizada y las coles en general tienen un alto contenido de luteína y capsantina que protegen la retina y, por lo tanto, pueden ayudar a evitar las cataratas y la degeneración macular. También nos protegen de alteraciones de la próstata.

De hecho, la espinaca y las verduras de hojas verde oscuro proporcionan extraordinarias cantidades de nutrientes y antioxidantes antienvejecimiento, mucho más que la mayoría de los otros alimentos. Además de ser poderosos antioxidantes y de poseer pigmentos antienvejecimiento, estos elementos metabólicos básicos son esenciales en cuanto a la prevención de la salud y también:

- son una excelente fuente de vitaminas C y K que son esenciales para la salud de los huesos;
- son excelentes fuentes de magnesio que ayuda a reducir la presión alta y protege contra las enfermedades del corazón;
- son una buena fuente de calcio aunque también tienen un alto contenido de ácido oxálico que obstaculiza su absorción. Es por esta razón que la espinaca no es tan buena fuente de calcio como lo indica su contenido. Agregue alimentos ricos en calcio como queso cottage y yogur a sus alimentos para compensar este efecto obstaculizador;

• Son una excelente fuente de ácido fólico, vitamina del complejo B, esencial para el crecimiento celular, la reproducción y el desarrollo adecuado del feto. (La espinaca cocida contiene 146 microgramos de ácido fólico por ración de 3.5 o aproximadamente 37% del consumo diario recomendado.) El ácido fólico también ayuda al cuerpo a neutralizar un químico sanguíneo llamado homocisteína que puede provocar infartos y derrames cerebrales. También se ha asociado el bajo consumo de ácido fólico con un mayor riesgo de padecer diversos tipos de cáncer. La combinación de un elevado nivel de ácido fólico y carotenoides en estos vegetales los convierten en excelentes protectores contra el cáncer.

Un estudio realizado por investigadores de Tufts University reportó que los hombres que consumieron durante tres años alimentos con alto contenido de ácido fólico (como la espinaca) mostraron un notable enriquecimiento de sus capacidades cognoscitivas al final del periodo de investigación. Se pusieron a prueba dos capacidades mentales que suelen deteriorarse con la edad: la destreza verbal y la habilidad para copiar figuras complejas. Katherine Tucker, nutricionista y epidemióloga de Tufts, explicó los desafíos que representa para el cerebro copiar una figura compleja: "Hay que visualizarla espacialmente, ubicarla en el cerebro y después decirle a la mano que la dibuje".

Otro estudio, en este caso con mujeres jóvenes, dio como resultado que aquellas que consumían por lo menos mil microgramos de ácido fólico al día tenían 46% menos de probabilidad de sufrir presión alta que las que consumían menos de doscientos microgramos. Como la presión alta es un factor de riesgo importante en los padecimientos cardiovasculares, se trata de un descubrimiento muy emocionante. Los expertos recomiendan que los adultos consuman por lo menos cuatrocientos microgramos al día, que es la cantidad considerada esencial para las mujeres que quieren evitar defectos de nacimiento en el feto. (*Nota:* una dieta con alto contenido de ácido fólico también puede provocar convulsiones en los que toman medicamentos antiepilépticos.)

Pero no son sólo los carotenoides propios de las plantas los que protegen y rejuvenecen las células. La astaxantina pertenece a la clase de carotenoide contenida en el salmón silvestre y a la que le debe su característica tonalidad rosada o roja profunda. Se suele decir que la astaxantina es el "oro rojo del mar" porque es el líder de los antioxidantes entre todos los carotenoides: es diez veces más potente que el betacaroteno y cien veces más fuerte que la vitamina E. La trucha arco iris, los camarones, las langostas, los cangrejos y el caviar rojo también deben su color a la astaxantina. El salmón silvestre de Alaska proporciona una sorprendente cantidad de 4.5 miligramos por cada porción de 113 gramos. En términos de capacidad antioxidante, 4.5 gramos de astaxantina equivalen a 450 miligramos de vitamina E, la cantidad universalmente recomendada para tener una buena salud.

Y como si todo esto no fuera suficiente, los investigadores de la University of Hawai han encontrado evidencia adicional para mostrar que los carotenoides mejoran la salud celular, motivan la comunicación intercelular y previenen el cáncer.

El doctor e investigador John Bertram, informó que los carotenoides en la dieta aumentaban la actividad de una molécula llamada conexima 43 (grupo de proteínas que permiten a los iones y moléculas pasar libremente entre las células). Esta molécula forma pequeños canales entre las células y conecta casi todas las células del cuerpo. Las células intercambian nutrientes y toda una serie de signos vitales por estos canales, garantizando el desarrollo normal de las células. Si pensamos que la palabra cáncer es el nombre genérico que se le da a casi cien enfermedades caracterizadas por el crecimiento descontrolado y anormal de las células, podemos comprender lo importante que es el desarrollo celular en la prevención de esta enfermedad.

COMER BRÓCOLI PREVIENE EL CÁNCER

Los alimentos desempeñan un papel fundamental, para bien o para mal, en nuestra sociedad y siguen publicándose investigaciones que nos develan secretos del efecto que los alimentos (y los suplementos nutricionales) tienen en nuestro bienestar físico o mental. Un ejemplo rápido es el siguiente: todos hemos escuchado que el brócoli y las verduras crucíferas ayudan a prevenir el cáncer, pero hasta ahora no sabíamos cómo ni por qué.

Un estudio realizado en la Georgetown University proporciona un ejemplo sobresaliente de rejuvenecimiento celular. El estudio apareció en la publicación *British Journal of Cancer* e indicaba que el indole-3-carbinol, un compuesto químico presente en vegetales como el brócoli, la coliflor y la col, realmente acelera el proceso de recuperación del ADN en las células y puede evitar que se conviertan en cancerosas. Se trata de un hallazgo de gran importancia porque el ADN es el material dentro del núcleo de las células que contienen la información genética. Pero ¿si tenemos una predisposición genética al cáncer, esto significaría que podríamos reparar nuestras células y evitar el cáncer con el mero consumo de grandes cantidades de brócoli? Debido a lo fascinante que resulta la premisa, actualmente existen científicos que se dedican estudiar sus posibilidades.

El profesor Eliot Rosen, encargado de investigaciones en este campo, comentó: "queda claro que el funcionamiento de ciertos genes cancerígenos cruciales puede verse afectado por lo que comemos; existen investigaciones que, después de estudiar la dieta y la salud de las personas, han hallado fuertes conexiones entre ciertos tipos de alimentos y el riesgo de padecer cáncer. Nuestros hallazgos indican la presencia de un proceso molecular que explicaría la relación entre la dieta y la prevención del cáncer". Como ya sabemos, los carotenoides también han demostrado que tienen poderosas propiedades quimioprotectoras. Sin embargo, es importante comprar alimentos orgánicos: los pesticidas y fertilizantes químicos que se usan en las verduras que no se cultivan orgánicamente pueden neutralizar los efectos benéficos de estos alimentos.

La Nueva Estrella de Hollywood:

la Cereza Goji

Hollywood realizó finalmente un verdadero descubrimiento: resulta que muchas superestrellas conocen esta antigua cereza tibetana que es uno de los alimentos con mayor contenido nutritivo de la tierra y cuyo sabor dulce es similar al del arándano.

Las cerezas goji contienen quinientas veces más vitamina C por peso que las naranjas y que la mayoría de las fuentes de carotenoides del planeta. (Tienen más betacaroteno que las zanahorias.) Contienen dieciocho aminoácidos y más hierro que la espinaca, además de vitaminas y minerales como el calcio, magnesio, zinc, selenio y las vitaminas B_1, B_2, B_3 y E.

Esta pequeña cereza (también se puede conseguir en forma deshidratada o en jugo) es un poderoso antioxidante, ocupa la posición 18,500 en la escala estándar que usa el Departamento de Agricultura de Estados Unidos para medir la capacidad de absorción de radicales de oxígeno (ORAC por sus siglas en inglés). En comparación, los arándanos tienen 2,400 unidades ORAC y las fresas 1,540. Además, resulta que la cereza goji ocupa un lugar muy bajo en el índice glicémico, lo que significa que no tiene un efecto acelerador del azúcar ni de la insulina en la sangre.

Éstos son apenas algunos beneficios de consumir cerezas goji:

- Estimula la glándula pituitaria para que libere la hormona de crecimiento humana (HCH) que ayuda a reducir la grasa corporal, a conciliar el sueño, mejorar la memoria y nos proporciona una apariencia más juvenil.
- Mantiene abiertas y en funcionamiento las arterias coronarias además de conservar su fuerza e integridad. En consumo de las cerezas goji también aumenta el nivel de una importante enzima de la sangre que lucha contra los pegajosos peróxidos lípidos que pueden provocar enfermedades cardiovasculares, infartos, arterioesclerosis y derrame cerebral.

- Aumenta el nivel de testosterona en la sangre, lo que significa una mayor libido tanto en los hombres como en las mujeres. De acuerdo con un antiguo proverbio chino "¡aquel que viaja mil kilómetros desde su casa no debe comer cerezas goji!".
- Fortalecen las reacciones inmunológicas. Las investigaciones han demostrado que los polisacáridos de la cereza goji fortalecen y equilibran la actividad de las células inmunológicas incluyendo las células T, las células T-citotóxicas y la inmonuglobulina IgG y IgA.

Se piensa que una manera de detener el crecimiento de tumores y evitar desde la raíz el desarrollo del cáncer es restaurar la comunicación entre células. Existen estudios que demuestran que casi 70% del cáncer humano se puede prevenir y que 40% puede atribuirse a la dieta. Esto tiene una importancia fundamental cuando tomamos en cuenta que el envejecimiento es también un potente cancerígeno. La Sociedad Norteamericana de Cáncer afirma que casi 80% de los tipos de cáncer se diagnostican en personas que tiene más de 55 años. Cuando un hombre llega a la década de los cuarenta hay 50% de probabilidades de que desarrolle cáncer, en el caso de las mujeres es de 35 por ciento. Nadie sabe por qué el cáncer suele aparecer en los años avanzados de la vida, aunque hay toda una serie de teorías científicas al respecto. Puede deberse a que después de años de llevar un estilo de vida proinflamatorio y de consumir alimentos proinflamatorios las células estén gravemente maltratadas. Por fortuna, podemos detener este daño cambiando nuestros alimentos y consumiendo suplementos nutricionales específicos.

CATEGORÍA 5: FLAVONOIDES
(PARA PROTEGER LA MEMBRANA CELULAR)

Otra fuente importante de protección celular son los flavonoides. Casi siempre que una fruta o verdura no contiene un carotenoide que funciona como antioxidante, seguramente tendrá un flavonoide. Hasta ahora los científicos han clasificado más de cinco mil flavonoides naturales.

Los flavonoides pertenecen a la categoría de los polifenoles, un grupo importante de fotoquímicos que se encuentran en muchas plantas y que son la causa del color de diversas flores, frutas y verduras. Desde la década de los noventa se han realizado investigaciones que han demostrado que los antioxidantes polifenoles solubles en agua, que contienen ciertos alimentos y hierbas, también protegen de manera importante del daño que provocan los radicales libres a las membranas celulares (lo que rodea a las células). Esto es muy importante porque significa que cualquier disminución en la cantidad de radicales libres que hay en la membrana celular tendrá como resultado inevitable la disminución de la cantidad de radicales libres disponibles para dañar la membrana que protege nuestras mitocondrias.

Sin embargo, la capacidad de los polifenoles para proteger la membrana celular es muy variable y depende de la estructura química de cada compuesto. Uno de los polifenoles del grupo de los flavonoides más abundante y que mayor protección ofrece es la quercetina porque posee una estructura química adecuada para acabar con los radicales libres.

Los resultados de algunas investigaciones indican que casi todos los polifenoles que poseen las frutas y los vegetales ofrecen alguna clase de protección a las membranas celulares y, por lo tanto, fortalecen el frente de defensa del cuerpo contra el daño que causan los radicales libres en las mitocondrias de las células.

A continuación presento una lista de las principales clases de polifenoles (esto es, flavonoides) y los alimentos en los que se encuentran:

- *Flavonoles (quercetina, miricetina, rutina)*: cebollas, manzanas, cáscara de manzana, moras, té, vino tinto, frutas, verduras, hierbas, trigo sarraceno.

- *Flavanonas (hesperetina, naringenina, fisetina)*: cítricos (en especial la cáscara blanca), verduras, frutas, vino tinto.
- *Flavanoles (epigalocatequina, galatos, epicatequina, (+)-catequin, galato epicatquin)*: té, cocoa, moras.
- *Antocianinas*: uvas, moras.
- *Procianidinas*: cocoa, moras, uvas, manzanas rojas, berenjena, col morada, vino tinto, arándanos.
- *Proantocianidinas*: uvas, vino tinto, extracto de las semillas de las uvas.
- *Curcuminoides*: cúrcuma entera, suplementos curcuminoides.

EL COLOR DEL CURRY

La cúrcuma es un pigmento polifenol antioxidante, anticancerígeno, antinflamatorio, de profundo color amarillo, que le da su color característico del curry y que, además, protege a las células de dos maneras:

- Todo indica que protege de la oxidación de los lípidos de la membrana tanto en el exterior como el interior de las células.
- Al parecer protege en contra de la disfunción de las mitocondrias, probablemente porque es un potente inhibidor del compuesto inflamatorio que contienen nuestras células y que se conoce como factor nuclear kappa B (NFkB).

Debo resaltar que ciertos antioxidantes dietéticos de las plantas, incluyendo muchos carotenoides y polifenoles, no traspasan fácilmente la protección intestinal y, por tanto, su actividad ocurre a nivel gastrointestinal. Sin embargo, su acción antioxidante en el intestino puede ser importante porque el intestino está especialmente expuesto a los agentes oxidantes y sufre de inflamaciones y numerosos tipos de cáncer. Junto con algunos compuestos carotenoides, los polifenoles conforman los únicos antioxidantes presentes en el colón, debido a que las vitaminas C y E son absorbidas en la parte superior del intestino.

CATEGORÍA 6: GERMINADOS VERDES
(REJUVENECEDORES CELULARES INSUPERABLES)

Germinados es un término popular que se usa para describir ciertos brotes de cereales como la cebada, el trigo, el centeno y la avena antes de que se conviertan en granos. Estas hierbas se cultivan desde hace mucho tiempo por el grano repleto de energía que contienen; sin embargo, a medida que crecen, los nutrientes de las plantas de los cereales se transforman rápidamente. Conforme la planta se desarrolla, disminuye rápidamente el contenido de clorofila, proteínas y vitaminas de las hierbas y aumenta el nivel de celulosa (fibra no digerible). Después de unos cuantos meses, las hojas verdes de las hierbas se transforman en tiras de grano color ámbar que llevan los granos que cultivamos para hacer harina, un alimento muy poco saludable y proinflamatorio.

Pero esto no significa que debemos eliminar estos alimentos de nuestra dieta. La parte más nutritiva de estas plantas radica en las hojas jóvenes de las hierbas, que ofrecen grandes beneficios a la salud y al antienvejecimiento. Sin embargo, las delicadas perecen rápidamente, y antes de que existieran las técnicas modernas de procesamiento no estaban disponibles para todos. Por fortuna, ahora ya podemos guardar y proteger los nutrientes que abundan en los germinados jóvenes, lo que las coloca al alcance de la mano de todos.

De los verdes, el germinado del trigo y de la cebada son las que contienen el perfil nutritivo más equilibrado. La cebada, en especial, tiene un alto contenido de micronutrientes que son fundamentales para el rejuvenecimiento celular. A continuación hago una lista de algunos de los beneficios más importantes:

- *Metabolismo reforzado.* Un metabolismo eficaz de grasas y carbohidratos inhibe la concentración de grasa y colesterol en los tejidos, condición que se cree que está asociada con el riesgo de padecer tanto enfermedades del corazón como diabetes. El doctor Kazuhiko Kubota de la Science University of Tokio descubrió que el jugo de germinado de cebada administrado a un grupo de ratas alimentadas con una dieta alta en colesterol, redujo el colesterol en la sangre de esas ratas. Un metabolismo celular enriquecido por una mayor actividad también puede ayudar a controlar la cantidad de grasa corporal. El doctor Kubota descubrió que los ratones alimentados con jugo de germinado de cebada eran 150% más activos que los que recibieron una dieta controlada. (Para mayor información sobre el germinado de cebada y la pérdida de peso vaya al capítulo dos: "El peso de la vida".)
- *Acción antinflamatoria.* El germinado de cebada contiene importantes sustancias antinflamatorias como superóxido dismutasa (SOD) y clorofila, así que no es de sorprender que el doctor Kubota y otros investigadores hayan descubierto que reduce la inflamación tanto en animales como en humanos. Además del SOD y la clorofila, el doctor Kubota aisló otras dos glicoproteínas antinflamatorias del jugo de germinado de cebada.
- *Protección antioxidante.* El jugo de germinado de cebada contiene una mezcla sinergética de antioxidantes como los vitalmente importantes carotenoides, la vitamina C, vitamina E, SOD, catalasa, clorofila y 2"-0-glicosilisovitexina (2"-0-GIV), un potente antioxidante que hace poco tiempo logró aislarse y fue estudiado por el doctor Takayuki Shibamoto, el doctor Yoshihide Hagiwara y sus colegas de la University of California, campo Davis. Ellos descubrieron la eficacia de 2"-0-GIV en la prevención de la oxidación de lípidos sanguíneos a causa de los radicales libres y la formación de dos productos tóxicos derivados de la oxidación: acetaldehído y malonaldehído.

  Para las personas que acostumbran consumir cerveza pueden ser interesantes las últimas investigaciones realizadas por el doctor

Shibamoto sobre las propiedades antioxidativas de la 2"-0-GIV del germinado de cebada. Hace poco, el doctor Shibamoto y sus colegas descubrieron que la 2"-0-GIV evita la oxidación de la cerveza e inhibe la formación de acetaldehído, un compuesto que bien puede ser el responsable de los efectos destructivos del alcohol en el hígado, así como de esa sensación tan desagradable conocida como resaca que nos da a la mañana siguiente de una noche de bebidas alcohólicas.

- *Desintoxicación efectiva.* En la actualidad, los consumidores están conscientes de la importancia de la salud y buscan alimentos sanos y nutritivos para cuidar su bienestar; también quieren protegerse del número cada vez mayor de toxinas que hay en el medio ambiente. Mientras el uso periódico de programas de limpieza y desintoxicación interna ayudan a eliminar la sobrecarga tóxica del cuerpo, un método más eficaz sería desintoxicar nuestros cuerpos diariamente mediante la dieta. Por tanto, para que nuestra nutrición sea la mejor posible debemos incluir alimentos que no sólo nos den todos los nutrientes necesarios para el metabolismo celular, sino aquellos que también ayuden a eliminar toxinas.

- *Longevidad y fortalecimiento inmunológico.* Cuando nos exponemos en exceso a los rayos ultravioleta (UV) se puede producir la oxidación de grasas, lo que resulta dañino para los tejidos. Esta oxidación se conoce como "peroxidación de lípidos" y produce radicales libres que son los responsables de causar un daño extenso a los tejidos. Este proceso puede darse en los alimentos incluso antes de ser ingeridos. En el caso de las nueces, por ejemplo, que tienen un alto contenido de grasas insaturadas, ocurre cuando se dice que están rancias. Las grasas rancias son responsables del aumento en las enfermedades del corazón y la arterioesclerosis y también pueden ser cancerígenas (causantes de cáncer), por lo que hay que evitarlas a toda costa.

Este proceso también puede darse dentro del cuerpo. Esto ocurre cuando la escualena, un lípido importante de la piel, se

combina con la peroxidación, lo que da como resultado el envejecimiento de la piel, y también puede ser responsable de mutaciones en el ADN que llevan al cáncer.

Los flavonoides del germinado de la cebada pueden prevenir
estas mutaciones y proteger al cuerpo del cáncer, incluyendo el
cáncer de la piel, y de las condiciones de envejecimiento prematuro asociado con los radicales libres.

Con añadir un poco de polvo de jugo de germinado de cebada a la dieta se puede asegurar de manera eficaz los beneficios de
la hierba verde que nos regala la naturaleza proporcionándonos
esos fitonutrientes y fitoquímicos necesarios para estar sanos.

- *Beneficios cardiovasculares.* El buen funcionamiento cardiovascular y flujo sanguíneo son prerrequisitos esenciales de la buena
salud. Cualquier restricción en la capacidad del corazón y los
vasos sanguíneos para transportar nutrientes a las células del
cuerpo obviamente lo debilitará y disminuirá su capacidad para
defenderse de enfermedades. Las personas que sufren problemas
crónicos de salud, especialmente los relacionados con el envejecimiento, suelen padecer de arteriosclerosis o "arterias tapadas"
que afectan el flujo sanguíneo, lo que incrementa los latidos del
corazón y da como resultado una elevada presión sanguínea
debido al estrechamiento de las arterias. Se sabe que la oxidación
de lípidos sanguíneos, especialmente de la lipoproteína de baja
densidad que transporta al llamado colesterol malo (LDL-C), desempeña una función importante en el desarrollo de la arteriosclerosis. Debido a que la dieta, el estilo de vida y los factores
genéticos tienen que ver con el funcionamiento cardiovascular,
cambios sencillos en la dieta, incluyendo el uso de suplementos
alimenticios, pueden ayudarle a tener un corazón sano.

- *Reducción del colesterol y prevención de la oxidación de LDL en la
diabetes tipo 2.* Las personas que tienen diabetes tipo 2 también tienen mayor riesgo de padecer arteriosclerosis. El doctor Ya-Mei-
Yu y sus colegas descubrieron que una dieta suplementada con
germinado de cebada actuaba de forma sinérgica con las vita-

minas C y E, disminuyendo la oxidación de LDL. Los investigadores concluyeron que el germinado de cebada "actúa como un destructor de los radicales libres y puede proteger a los pacientes con diabetes tipo 2 de las enfermedades vasculares".

- *Regeneración celular.* La rehabilitación y regeneración celular dependen del consumo adecuado de nutrientes, de una disminución en la reacción inflamatoria y de la protección en contra de estímulos nocivos. Cada una de estas acciones depende de la existencia de un abastecimiento adecuado de nutrientes, sustancias antinflamatorias y antioxidantes en el sistema cardiovascular. Como lo demuestran las investigaciones, el germinado de cebada no sólo respalda la actividad cardiovascular sino que contiene una variedad de nutrientes esenciales, antioxidantes y sustancias antinflamatorias (clorofila, SOD, glicoproteínas P4-D1 y D1-G1) que ayudan a la recuperación y el rejuvenecimiento celular. La capacidad para restaurar el funcionamiento celular, que ha demostrado la marca Green Magma de germinado de cebada (que es la forma de hierba de cebada usada en estos estudios), se relaciona con las propiedades antienvejecimiento al oponerse a la actividad de los radicales libres, reduciendo la inflamación, conservando un flujo sanguíneo sano, y también con una posible habilidad para prevenir y revertir el daño generado en el material genético.

La Historia de Sarah

Cansada y Alicaída

Sarah es una de esas personas talentosas. Como cantante y compositora había logrado participar en diversos géneros musicales. Sus álbumes ocupaban continuamente los primeros lugares de las listas de música country y popular. Sin embargo, por mucho que sus seguidores la quisieran, y así era, quizá su fama se notaba más en la reverencia que le tenían sus colegas músicos. Sarah recibía solicitudes para grabar y aparecer en conciertos con las estrellas más importantes del mundo, algo que confirma la cantidad de premios Grammy que recibió.

Como era de esperarse, el itinerario de trabajo de Sarah era muy exigente y ajetreado. Tenía que cuidar su cuerpo para poder cumplir con las exigencias tanto de tiempo como de energía. Cuando Sarah estaba por comenzar una nueva gira, me contó que por primera vez tenía miedo de salir. "Doctor Perricone —me dijo— no sé si padezco de fatiga crónica o qué, pero estoy cansada y alicaída. No puedo entusiasmarme con esta gira y no hay manera de cancelarla." El médico personal de Sarah le había aconsejado un examen médico completo y no había salido nada a relucir. Lo que significaba que detrás de su fatiga no había ninguna enfermedad. Mi primera tarea fue hacer el perfil de nutrición de Sarah porque muchas veces la dieta es la causa principal de muchos síntomas mentales y físicos.

"Me encanta la ensalada —confesó Sarah. Y como suelo cuidar mi peso siempre uso aderezos sin grasa." Aunque se recomienda ampliamente consumir ensaladas, no es así con los aderezos sin grasas. A menos de que incluyamos una cierta cantidad de grasa como aceite de olivo extravirgen, nuestros cuerpos no pueden absorber todos los nutrientes de la ensalada. También me enteré, y esto me preocupó, que Sarah dependía en gran medida de las llamadas bebidas energéticas para conservar su energía. Estas bebidas tan populares tienen un alto nivel de cafeína y de azúcar; se trata de una combinación que nos puede dejar totalmente exhaustos y deshidratados: una peligrosa combinación. Sarah también reconoció que tenía problemas para dormir, otro efecto colateral del consumo excesivo de cafeína.

Igual de alarmante era la falta de proteínas en el organismo de Sarah. Sin las proteínas adecuadas, nuestro cuerpo entra en una modalidad de envejecimiento acelerado. Los músculos, órganos, huesos, cartílagos, piel y anticuerpos, que suelen protegernos de las enfermedades, están conformados por proteínas. Incluso las enzimas que facilitan el funcionamiento de las reacciones químicas esenciales del cuerpo (desde la digestión hasta la construcción de células) están compuestas por proteínas. Si nuestras células no tienen acceso completo a todos los aminoácidos esenciales, la recuperación celular no sólo es incompleta sino mucho más lenta.

Debido a que el cuerpo no puede almacenar proteínas, tenemos que consumir una fuente adecuada de proteínas de calidad en cada comida. Lo ideal es comer tres comidas completas y dos comidas ligeras equitativamente distribuidas al día para proporcionarle a nuestro cuerpo un flujo constante de nutrientes, grasas, proteínas y carbohidratos consiguiendo así el funcionamiento ideal y evitando la fatiga física y mental.

Encaminado a Sarah hacia la Reparación Celular

Le pedí a Sarah que llenara el refrigerador del autobús que la transportaba a lo largo de su gira con yogur natural, huevos duros, nueces crudas y sin sal, aceitunas, galones de agua de manantial, y muchas frutas y verduras. Mi yogur favorito es de leche de cabra, o de oveja, al estilo griego. Se trata de un yogur más completo porque la receta griega elimina el suero líquido del producto final. Asimismo, la leche de cabra o de oveja tiene moléculas más pequeñas que la leche de vaca, lo que la hace más fácil de digerir y la convierte en una mejor opción para aquellos que tienen intolerancia a la lactosa.

(Ver la sección de "Referencias" para indicaciones sobre dónde conseguir este excelente producto.) También le sugerí que llenara sus estantes con latas individuales de salmón. Estos alimentos básicos le darían la estructura de nutrientes que necesitaba para recuperar la energía y disminuir las señales de envejecimiento de su rostro (que eran directamente atribuibles a la deficiencia de proteínas). Como estos alimentos también tienen un alto nivel de antioxidantes antinflamatorios, Sarah pronto vería la transformación en su piel, incluyendo ese brillo saludable que es el signo propio de un rostro joven.

También le pedí que comenzara un régimen de suplementos. Además de un buen multivitamínico, le recomendé carnitina y acetil-L-carnitina, ambas fundamentales porque enriquecen la producción de energía por parte de las células. De igual forma incluí ácido alfalipoico, —el único antioxidante que puede aumentar los niveles celulares de glutation, un antioxidante tripéptido fundamental para la salud y la longevidad, que suelen disminuir con la edad— y también Co-Q_{10}. La coenzima Q_{10} funciona de manera sinérgica junto con el ácido alfa lipoico y la acetil-L-carnitina para la realización del proceso metabólico y ayuda a elevar los niveles de otros antioxidantes como las vitaminas C y E.

Sarah también estaba dispuesta a usar antinflamatorios locales.

Unas ocho semanas después recibí boletos para el concierto de Sarah, que ya estaba agotado, en un lugar importante de la zona metropolitana de Nueva York. Después de que dos bandas legendarias y famosas abrieran el concierto, las luces se apagaron y la concurrencia guardó silencio. Cuando las luces se prendieron de nuevo, la multitud enloqueció cuando Sarah comenzó a cantar una de las canciones ganadoras de un premio Grammy. Pude ver nueva fortaleza en los pasos de Sarah. Irradiaba energía saludable y natural. Su piel estaba reluciente, de hecho toda ella brillaba, algo que no pasó desapercibido para la gran cantidad de seguidores masculinos que aplaudían frenéticamente entre el público.

Fue, en general, una tarde emocionante: el principio perfecto para su gira mundial. Por fortuna, pocos de nosotros nos tenemos que enfrentar a las exigencias físicas que tiene un músico como Sarah. Sin embargo, con cada década que pasa, todos perdemos algo de la chispa de la juventud. Por suerte, con un poco de conocimiento y modificaciones en nuestro estilo de vida, podemos hacer algo al respecto.

Reforzando el Rejuvenecimiento Celular con Suplementos Nutricionales

Otra estrategia importante para reducir la inflamación y proteger la mitocondria es el uso de suplementos nutricionales específicos. Aunque todavía es un tema un tanto controversial entre muchos médicos, yo creo firmemente en los beneficios antienvejecimiento, de salud y de belleza de los suplementos nutricionales. Creo que esta tendencia en contra de los suplementos es perjudicial porque priva a las personas de metodologías seguras y efectivas en contra de la inflamación y que les ayudan a disminuir el riesgo de padecer enfermedades relacionadas con la edad avanzada.

Por fortuna, existen varios compuestos antioxidantes y antinflamatorios muy potentes que protegen a las mitocondrias del daño que producen los radicales libres. Como lo señalé anteriormente, el plasma de la membrana celular, formada por lípidos, es la parte más vulnerable de la célula en términos de producción de radicales libres y efectos inflamatorios.

Al igual que las células, las mitocondrias también están envueltas por una membrana de lípidos. Por tanto, los antioxidantes que proporcionan mayor protección son los *lípidos (grasas) solubles*, una característica química que les permite concentrarse en las membranas de lípidos que envuelven tanto a la célula como a las mitocondrias y el núcleo.

Últimas Noticias sobre el Ácido Alfa Lipoico

La primera acción de defensa la realiza el ácido alfa lipoico (AAL). Los lectores de mis libros anteriores ya están al tanto de la importancia que le otorgo a este suplemento de múltiples funciones y de gran espectro de protección. Y en la actualidad hay estudios que muestran que es aún más potente de lo que se pensaba.

El AAL es un poderoso antioxidante y agente aninflamatorio, pero las cantidades adicionales necesarias sólo se pueden obtener mediante suplementos porque está presente en muy pocos alimentos. El AAL es único entre los antioxidantes porque es soluble tanto en grasa como en agua.

También es especial porque tiene la capacidad de penetrar en las partes lipidosolubles de las células. Debido a que protege tanto las partes grasas como las solubles de la célula, los científicos lo han denominado "antioxidante universal". Como el AAL es parte de en complejo de enzimas de las mitocondrias que convierten los alimentos en energía, también se conoce como "antioxidante metabólico". A continuación una lista de algunas de las sorprendentes propiedades del AAL:

- El AAL es el único antioxidante que puede elevar rápidamente los niveles de glutation en la célula, es un antioxidante de gran importancia para la salud en general y para la longevidad; además, es esencial para el funcionamiento del sistema inmunológico. Las personas que sufren enfermedades crónicas como el síndrome de inmunodeficiencia adquirida (sida), cáncer y enfermedades relacionadas con el sistema inmunológico tienen, por lo general, niveles muy bajos de glutation. Las células blancas son especialmente sensibles a cualquier alteración en los niveles de glutation; hasta los cambios más sutiles pueden tener efectos profundos en la respuesta inmunológica.
- El AAL ayuda a regular el metabolismo de la glucosa. El azúcar puede ser extremadamente dañina para nuestras células si no se controla porque puede reaccionar con moléculas en el interior

de la célula formando un enlace permanente llamada glicación. Una vez formado el enlace entre azúcar y proteína, se convierte en una miniatura dedicada a producir los radicales libres que atacan a nuestras células y sus mitocondrias generando inflamación. El AAL ayuda a evitar el daño que provoca la glicación y al mismo tiempo fortalece la habilidad de la célula para utilizar la glucosa. Cuando se toma en forma oral como suplemento, el AAL se concentra tanto en las células como en las membranas lípidas de las mitocondrias, protegiéndolas del daño que causan los radicales libres y evita que comience una cascada inflamatoria.

- El AAL tiene una importante función de protección en las mitocondrias y células nerviosas, por lo que ayuda a prevenir la degeneración del cerebro propia de la edad y enfermedades relacionadas con el envejecimiento del sistema nervioso central. Además se ha utilizado con éxito para curar a pacientes que sufren de neuropatía diabética (daños en los nervios).

- El AAL funciona de manera sinérgica con otros antioxidantes de la piel para disminuir los efectos inflamatorios de los rayos UV. La capacidad del AAL de regular la producción de óxido nítrico, que es el encargado de controlar el flujo sanguíneo a la piel cuando se aplica localmente, sirve para transformar la piel apagada y pálida en una piel vibrante y brillante. El AAL tópico también reduce la hinchazón del rostro y, en específico, del área de los ojos, además de reducir las arrugas y el tamaño de los poros.

DIVIDE Y CONQUISTARÁS: LAS INVESTIGACIONES MÁS RECIENTES SOBRE EL ÁCIDO ALFA LIPOICO

El AAL existe de manera natural en nuestras células junto con las mitocondrias en un complejo de enzimas responsable de convertir los alimentos en energía. Hasta hace poco los científicos lograron revelar la estructura del AAL y se pudo producir en forma de suplemento.

Resulta interesante saber que cuando el ácido lipoico entra en la célula, forma ácido dihidrolipoico (DHLA por sus siglas en inglés), que proporciona mayores beneficios que el AAL. El tipo de ácido lipoico que el cuerpo aprovecha mejor es uno conocido como R-ácido lipoico (RLA por sus siglas en inglés) que inmediatamente se convierte en R ácido dihidrolipoico (R-DHLA). El AAL es soluble en las grasas mientras que el DHLA es soluble en agua. Gracias a esta conversión automática, el ácido lipoico protege a toda la célula, tanto las partes solubles en grasa como las solubles en agua. El RLA y el DHLA conforman lo que se conoce como "equilibrio redox". Las reacciones redox básicamente consisten en la transferencia de electrones entre dos compuestos químicos. Se dice que el compuesto que pierde un electrón se *oxida*, mientras que el que gana un electrón se *reduce*. En un proceso complejo, el RLA y R-DHLA intercambian electrones constantemente. El RLA le dona un electrón al R-DHLA (que se oxida), y entonces, el R-DHLA obtiene un electrón adicional y se reduce. Cuando el ALA obtiene un electrón extra, se reduce en R-DHLA, y cuando el R-DHLA dona uno de estos, se oxida y forma RLA. Son reacciones que se dan constantemente para satisfacer las necesidades de defensa del metabolismo del cuerpo y en contra de los radicales libres. Por todo esto, los beneficios del AAL a la salud están relacionados con ambas formas: RLA y R-DHLA.

Una vez que lo ingerimos, el AAL se convierte automáticamente en R-DHLA. Éstos son algunos de los beneficios más comunes de ingerir AAL:

- El R-DHLA regenera los antioxidantes de la vitamina C: la tiorredoxina (una pequeña proteína que posee múltiples funciones enzimáticas y regulatorias en la célula) y la glutation (tripéptido construido por tres aminoácidos: glicina, cisteína y ácido glutámico) que, a su vez, puede reciclar la vitamina E.
- El R-DHLA destruye al ácido hipocloruro, los radicales peróxidos y los radicales hidróxidos.
- Se cree que el R-DHLA evita la peroxidación de lípidos porque reduce la glutation oxidada, alterando positivamente la razón glutation-a-disulfide glutation (GSH:GSSG), que se reduce de forma constante en nuestros cuerpos a partir de los 45 años de edad.

- Mientras que tanto el R-DHLA como el RLA tiene la capacidad de quelación con (enlazarse con) metales tóxicos y de destruir radicales libres, sólo el R-DHLA puede rehabilitar los antioxidantes internos del cuerpo y reparar el daño generado por la oxidación.
- Sólo el R-DHLA puede bloquear la formación de células (osteoclastas) que descomponen el hueso cuando hay condiciones inflamatorias.
- El R-DHLA inhibe la actividad de un enzima clave en el proceso de generar inflamación llamada ciclooxigenasa-2 (COX-2).
- El R-DHLA es el más efectivo de todos los antioxidantes dependientes del azufre. El azufre es un elemento constitutivo clave de los aminoácidos y las enzimas de nuestras células.
- El R-DHLA fortalece la transportación de glucosa hacia las células a través del canal señalado por la insulina.
- El R-DHLA, pero no el RLA, puede evitar el daño que causa la carencia de oxígeno en los tejidos del corazón como resultado de una arteria bloqueada.

El redox es una maravillosa combinación que podemos obtener si consumimos AAL y tiene los siguientes efectos:

- Según algunos estudios, el RLA y el R-DHLA atraviesan la barrera entre sangre y cerebro para proteger las células de este último. El cerebro es especialmente vulnerable porque contiene una elevada concentración de ácidos grasos polinstaurados oxidados, utiliza mucho oxígeno y tiene un sistema de defensa antioxidante relativamente débil.
- El RLA más el R-DHLA controlan el nivel de azúcar en la sangre, incrementan los niveles de energía de las mitocondrias (ATP), desintoxican los metales pesados y pueden revertir el daño oxidativo a las enzimas y al ADN.
- El RLA más el R-DHLA actúan como antioxidante directa e indirectamente porque reciclan los otros antioxidantes y aumentan los niveles celulares de la glutation.

- El R-DHLA puede aumentar la capacidad de absorción, los niveles en la sangre y la biodisponibilidad del RLA.
- De acuerdo con estudios recientes, la combinación de RLA y de R-DHLA evita que cualquiera de los dos se conviertan en un factor prooxidante peligroso si se llegan a dar altas concentraciones o si hay metales de transición, y conserva el equilibrio redox en la sangre, que es uno de los medios más efectivos para controlar el aumento del estrés oxidativo relacionado con el envejecimiento.

ACETIL-L-CARNITINA (PARA EL REJUVENECIMIENTO CELULAR)

La acetil-L-carnitina (ALC) es un derivado de la carnitina y es el responsable de llevar los ácidos grasos a las mitocondrias de las células. La ALC también fortalece la producción de energía dentro de las células del cerebro, aumenta la respiración celular y es considerada un agente de protección neuronal debido a su efecto antioxidante y estabilizador de las membranas. La carnitina y la ALC son importantes porque fortalecen la producción de energía: signo fundamental de una célula joven y saludable. La ALC se sintetiza a partir de la carnitina, por tanto, no se encuentra en los alimentos y debe ingerirse como suplemento nutricional. La acetil carnitina es muy superior a la L-carnitina en términos de biodisponibilidad debido a que la absorbe el tracto gastrointestinal, entra a las células y atraviesa la frontera entre sangre y cerebro con mayor facilidad que la carnitina sin acetil. La ALC puede atravesar la membrana de las mitocondrias donde funciona como antiinflamatorio y antioxidante natural. La ALC es un rejuvenecedor indispensable de las mitocondrias en cuanto que las restaura y al mismo tiempo trabaja, de manera sinérgica, con otros potentes antioxidantes como el AAL, la coenzima Q_{10} y la glutation.

Se ha administrado AAL en combinación con ALC a animales y se ha visto un verdadero rejuvenecimiento de las mitocondrias en ratones de edad avanzada, así como una mejora en la memoria y los niveles de energía. Muchos investigadores, entre los cuales me incluyo, creemos que la ALC tiene un enorme potencial en cuanto a mejorar la calidad de vida e, incluso, de extender el promedio de vida de los seres humanos. Al igual que muchos otros nutrientes, la ALC funciona mejor junto con los ácidos grasos esenciales omega-3.

En pocas palabras, entre los beneficios de la ALC puedo destacar:

- Mayor energía en la células del cerebro.
- Mayor respiración celular.
- Menor inflamación.
- Ayuda en la reparación de las mitocondrias.

Coenzima Q_{10} (para la Reparación Celular)

Dado que la producción de energía en la célula disminuye con la edad, sustancias como la coenzima Q_{10} (Co-Q_{10}), también conocida como ubiquinona, resultan críticas para la conservación de la energía en la célula de tal manera que pueda repararse a sí misma. Este antioxidante se encuentra en las mitocondrias de las células donde realiza dos funciones esenciales: transporta los electrones durante la generación de energía y protege las células de los radicales libres que se forman durante el funcionamiento normal del metabolismo. La Co-Q_{10} interrumpe la reacción química en cadena que transforma los ácidos grasos esenciales en radicales libres destructivos. Por tanto, protege a la mitocondria de un alto nivel de radicales libres y es vital para mantener en funcionamiento la capacidad de las células de producir energía.

Hay estudios que indican que la Co-Q_{10} también reduce la pérdida de nucleótidos (que intervienen en la generación y el almacenamiento de energía y en el transporte del ADN) y el calcio, lo que sugiere que nos puede proteger de mutaciones relacionadas con el envejecimiento en las características del ADN de las mitocondrias.

El Co-Q_{10} es soluble en grasa, por lo que protege a las membranas con alto contenido de lípidos de la célula y las mitocondrias, y trabaja de forma sinérgica con el AAL y la ALC para realizar el proceso natural del metabolismo. También eleva los niveles de otros antioxidantes como las vitaminas C y E. La Co-Q_{10} también reduce la cantidad de peróxidos lípidos que hay en la sangre y que son los indicadores principales del nivel general de estrés oxidativo del cuerpo.

Probablemente, la Co-Q_{10} es una de las vitaminas antinflamatorias y antioxidantes más investigadas; se han realizado exhaustivos estudios para demostrar que protege a todos los órganos del cuerpo, especialmente al corazón, el cerebro y los riñones. Son justamente estos órganos vitales los que resultan más afectados por la reducción en los niveles de Co-Q_{10} con el paso del tiempo. Debido a que la Co-Q_{10} es un antinflamatorio tan potente, protege de las enfermedades cardiovasculares manteniendo saludable al músculo del corazón y al mismo tiempo evitando la inflamación de las arterias que provoca la arteriosclerosis.

Con el fin de que la Co-Q_{10} sea absorbida en su totalidad dentro del flujo sanguíneo, lo mejor es consumirla con alimentos que contienen grasas saludables como las nueces y semillas, una ensalada con aderezo de aceite de olivo, una porción de salmón a la plancha y rebanadas de aguacate. Mientras que podemos encontrar Co-Q_{10} en peces como el salmón, es importante consumirla en suplementos con el fin de proteger las mitocondrias, poner a funcionar el rejuvenecimiento y la reparación, y como elemento antienvejecimiento.

En términos generales, la Co-Q_{10}:

- Significa protección en contra de los radicales libres en las mitocondrias.
- Disminuye las mutaciones relacionadas con la edad en el ADN de las mitocondrias.
- Ayuda al proceso metabólico.
- Protege en contra de enfermedades cardiovasculares.

ENLACE DE CROMO Y NIACINA (PARA EXTENDER LA VIDA)

Mi colega de la Escuela de Medicina de Georgetown University, el doctor Harry Preuss, me contó hace poco de unos novedosos y emocionantes hallazgos. Estudios en animales dieron como resultado que el enlace de cromo y niacina (NBC por sus siglas en inglés) aumentaba el promedio de vida en 20% en comparación con un placebo. El NBC permite reducir los niveles de la circulación de glucosa (azúcar) en el cuerpo. Una de las razones por las que propongo eliminar (en cuanto sea posible) el azúcar y los almidones simples de la dieta es porque cuando hay un alto nivel de glucosa circulando en el cuerpo, aumenta la presencia de radicales libres que son la causa principal de desordenes en el metabolismo como la diabetes. Los científicos han demostrado más de una vez que la diabetes representa una forma prematura de envejecimiento causado por un sistema excesivamente perturbado en cuanto a glucosa e insulina. Se trata de una noticia realmente emocionante y también de una de las primeras estrategias (además de privarnos de calorías) que indica un impacto positivo en el promedio de vida. (Para saber más de los beneficios de este asombroso nutriente, vea el capítulo dos "El peso de la vida").

El cromo es un oligoelemento que motiva el funcionamiento normal de la insulina y que es esencial para un metabolismo con un adecuado nivel de proteínas, grasas y carbohidratos. Como bien sabe todo científico especializado en el antienvejecimiento, si hay niveles muy elevados de insulina y azúcar en la sangre, el proceso de envejecimiento celular se acelera significativamente. Las investigaciones indican que el tipo de cromo conocido como NBC tiene un perfil antienvejecimiento y de seguridad muy superior.

Se han realizado investigaciones clínicas exhaustivas con una forma única de NBC (coordinado por oxígeno), conocida popularmente como nicotinato de cromo o polinicato de cromo (nombre genérico de ChromeMate), que indica que el enlace niacina-cromo es de una clase superior. (Algunas clases tienen un perfil curioso; por lo tanto, yo recomiendo usar la marca ChromeMate, tanto por seguridad como por su eficacia.) Esta forma de NBC proporciona importantes beneficios a la salud de todas las personas que padecen diabetes y que tienen algún síndrome metabólico. Es, de hecho, la forma óptima de cromo disponible en forma de suplemento alimenticio.

Algunos de los beneficios principales del NBC son:

- Estimulación al funcionamiento adecuado de la insulina y de los niveles normales de azúcar en la sangre.
- Estimulación de niveles sanos de colesterol en la sangre, de una presión sanguínea normal y de salud cardiovascular.
- Estimulación de un peso corporal y una masa corporal adecuados para la salud.

El Peso de la Vida

L a vida nos tiene reservadas muchas sorpresas. Algunas son positivas y reafirman nuestro gusto por la vida, como poseer más sabiduría y aprecio por los placeres más sencillos. Sin embargo, también nos esperan sorpresas desagradables, una de ellas es el lento pero inexorable exceso de peso en el que, de un día a otro, nos vemos inmersos. De hecho, descubriremos que para cuando tengamos 40 años, pesaremos 10 o 20 libras más que cuando teníamos 20 años. Y se pone peor: las estadísticas nos indican que subimos un promedio de 5 kilogramos de grasa corporal al mismo tiempo que perdemos 3 kilogramos de masa muscular con cada década que pasa.

Una de las principales motivaciones que me llevó a escribir este libro es poder transmitir la información más reciente, y emocionante, sobre la posibilidad de detener o revertir los signos indeseables del envejecimiento. Sin embargo, al igual que el remedio para el resfriado común, la búsqueda de este remedio garantizado, seguro y a largo plazo para la pérdida de peso nos ha eludido. De hecho, como todos escuchamos día con día, el mundo está cada vez más gordo. Estamos inmersos en una obesidad mundial (o como algunos la llaman "glo-boobesidad"), una epidemia que afecta todas las edades, incluyendo niños pequeños.

Además de cumplir con el mantra "come menos, haz más ejerci-cio" no hay estrategias comprobadas o medicamentos seguros que funcionen a largo plazo cuando se trata de perder peso. Ni siquiera "come menos, haz más ejercicio" nos garantiza perder peso. Esto se debe a que una cantidad de alimentos llamados saludables o bajos en calorías pueden sabotear hasta las mejores intenciones. Algunos de estos alimentos interfieren con la capacidad de nuestro cuerpo para quemar grasas y son alimentos que estimulan el apetito, lo que hace que sea imposible comer menos.

En este capítulo no sólo voy a hablar de formas muy sencillas para evitar estos errores comunes, sino también voy a contarles el *secreto 2: no es necesario que contemos obsesivamente los gramos de grasa, carbohidratos o calorías para que conservemos un peso ideal o para perder peso. Todo lo que tenemos que hacer es controlar el nivel de azúcar en la sangre.* Si después de leer este libro sólo recuerdan una idea impor-tante, que sea ésta. Sí es posible el rejuvenecimiento celular de nues-tro cuerpo siempre y cuando lo ayudemos a "reprogramar" el código genético para acabar con el almacenamiento de grasa y la pérdida de masa muscular. Como verán, incluso podemos poner a funcionar los genes que inhiben el apetito y apagar el interruptor que le dice a nues-tro cuerpo que almacene grasa.

Si podemos evitar alteraciones repentinas en el de azúcar en la sangre, podremos evitar reacciones inflamatorias y también que nues-tros niveles de insulina suban o bajen demasiado. Si el nivel es dema-siado bajo, no podremos nutrir adecuadamente los músculos y éstos acabaran por descomponerse. Si los niveles de insulina son demasia-do altos, anulamos la capacidad de nuestro cuerpo para quemar grasa y convertirla en energía; al contrario, el cuerpo almacenará esa grasa.

Podemos aprender a no comer en exceso o a no desear alimentos chatarra siguiendo dos pasos sencillos: *1)* eviten los altos y bajos de insulina espaciando las comidas y los bocadillos en intervalos regulares durante el día, y *2)* reduzcan el azúcar y el almidón que estimulan el apetito y sustitúyanlos por proteínas, grasas buenas, frutas y verduras.

La obesidad: inhibidor del rejuvenecimiento celular

En *The Perricone Weight-Loss Diet* (La dieta para perder peso del doctor Perricone) presenté estrategias novedosas para controlar tres factores primordiales: el azúcar en la sangre, la insulina y la inflamación. Es la formula que nos apoyará de por vida. Resumamos rápidamente la conexión entre inflamación y obesidad: el efecto de comer alimentos que causan que el nivel de azúcar en la sangre suba rápidamente se debe al elevado nivel de la hormona llamada *insulina* que provoca una respuesta inflamatoria. Esto sólo tiene efectos negativos, uno de los cuales es que se bloquea la capacidad del cuerpo para quemar grasa y convertirla en energía. Esta grasa corporal indeseada se almacena y comienza el proceso de envejecimiento causado por falta de energía. Cuando tanto el nivel de azúcar en la sangre como el de insulina disminuyen, el resultado es la descomposición de la masa muscular.

Esta arma de dos filos tiene consecuencias importantes y lo que realmente nos está diciendo es que lo importante no es el peso que indica nuestra báscula. Podemos pesar más si nuestros cuerpos tienen músculos fuertes, porque los músculos pesan más que la grasa. Sin embargo, nuestra apariencia es delgada, fina y compacta porque los músculos son más densos y están más comprimidos que la grasa. Tendremos una imagen más atractiva debido a una buena masa muscular. Un vistazo rápido a todos los hombres que participan en el circuito profesional de tenis verifica todo lo anterior. Sí, puede ser que pesen más que cualquier supermodelo o actriz esquelética, pero ¿quién puede negar que sí tienen fortaleza física, salud y belleza? Los músculos también queman calorías, incluso cuando dormimos o descansamos, así que es más fácil estar delgados. Controlar la inflamación mediante el *control de los niveles de azúcar en la sangre y de insulina* mediante los alimentos que ingerimos es fundamental (y realmente sencillo) si comenzamos a perder grasa corporal y a cuidar nuestros músculos.

Todo está en los Genes

Algunas semanas después de la publicación de *The Perricone Weight-Loss Diet* en el mes de octubre de 2005, un equipo internacional de investigadores descubrió que un gen específico del cromosoma 15 es el encargado de regular la inflamación. Como he enseñado y escrito durante las últimas décadas, la inflamación tiene mucho que ver en toda una serie de padecimientos incluyendo el cáncer, las enfermedades cardiovasculares, la diabetes, las infecciones, la artritis, el Alzheimer y la obesidad.

El doctor en filosofía John Blangero, científico de la Southwest Foundation for Biomedichal Research en San Antonio, Texas, y principal autor de la investigación en torno a este descubrimiento sostiene que: "Prácticamente toda enfermedad común contiene un elemento inflamatorio, por lo tanto, el descubrimiento de este nuevo causante en el camino de la inflamación abre toda una serie de puertas potenciales para la intervención en un amplio rango de asuntos relacionados con la salud".

Este descubrimiento tiene gran importancia para todos los interesados en la prevención de enfermedades, el antienvejecimiento y la pérdida de peso. Pero lo más emocionante para mí es que es una validación científica de mis enseñanzas porque señala que la inflamación está en la raíz de muchos problemas de salud (un concepto que no siempre ha sido bien recibido). De hecho, en más de una ocasión, ¡ha sido el objeto de gran escepticismo!

Pero aún más desafortunado es el hecho de que no todos los doctores, científicos y otros especialistas se preocupan por informarse sobre los últimos estudios científicos antes de expresar sus juicios. Los estudios más recientes y certificados por expertos se publican diariamente en el sitio de internet de la National Library of Medicine, http://www.ncbi.nlm.nih.gov/entrez/query.fcgi. Su acceso es libre, tanto para científicos como profanos, y es una fuente sobresaliente para conocer los estudios más brillantes de las investigaciones que se realizan a nivel internacional. Estos estudios, y otros de carácter similar, señalan que la inflamación es la culpable de muchas de las enfermedades degenerativas mencionadas anteriormente. También hay un gran número de estudios que verifican la función que las vitaminas y los nutrientes desempeñan en forma de suplementos nutricionales para prevenir y revertir muchos signos del envejecimiento, contrariamente a lo que muchos *gurus* de la salud sostienen.

Los científicos buscan actualmente un medicamento que contrarreste este gen inflamatorio. Pero ¿por qué esperar décadas para que salga una medicina cuando la solución la tenemos en nuestra próxima comida? Creo firmemente que estos hallazgos no le dan la importancia suficiente a la necesidad de llevar un estilo de vida cuyo cimiento sea una dieta antinflamatoria y que incluya suplementos nutricionales específicos, cuyos beneficios son la base de todo mi trabajo: optimizar el rejuvenecimiento celular.

En la sección "Cocina antienvejecimiento" incluyo una lista de *alimentos proinflamatorios* formada básicamente por azúcares simples, almidones (pan, pasta, postres, jugo, refrescos y alimentos chatarra, como pasteles de arroz o elote, papas fritas y pretzels), y también una lista de grasas malas (margarina, manteca, productos que contienen ácidos grasos trans y la mayoría de aceites vegetales). Los azúcares simples y los almidones se convierten rápidamente en azúcar dentro de la sangre con los efectos negativos antes mencionados. Los *alimentos antinflamatorios*, también mencionados en el Apéndice A, son aquellos ricos en antioxidantes, ácidos grasos esenciales, fibra y fitonutrientes. Entre los más importantes están las frutas y verduras, los peces de agua fría como el salmón, las leguminosas, las grasas saludables como las del aceite de olivo, etcétera. La comida en su estado más natural, menos procesada, siempre es la mejor opción.

Jarabe de Maíz alto en Fructuosa:

Desequilibrando la Balanza del Apetito

En de la década de los setenta se introdujeron al mercado los jarabes de maíz de alta concentración de fructosa (JMAF) con un alto índice glicémico y que, en mi opinión, es la causa principal del aumento del índice de obesidad tanto en niños como en adultos. Antes de esta década, los refrescos más consumidos como la Coca o Pepsi contenían azúcar pura de caña. La botella promedio de refresco pesaba 170 gramos. En las décadas siguientes, a medida que tanto nosotros como nuestra comidas se han convertido en extragrandes, una lata o botella promedio de refresco pesa 340 gramos y una lata grande puede pesar hasta 907 gramos o más.

En el ejemplar de abril de 2004 la revista *American Journal of Clinical Nutrition* anunció que el consumo de JMAF había aumentado en 1000% entre 1970 y 1990, superando por mucho cualquier incremento en el consumo de algún otro alimento o grupo alimenticio. Los JMAF representan ahora 40% de los edulcorantes calóricos que se agregan a alimentos y bebidas, y es el único edulcorante calórico incluido en los refrescos de Estados Unidos. Las bebidas endulzadas (presentes en todas partes, incluso en las tiendas de alimentos saludables) dieron como resultado un exceso en el consumo de calorías.

Por su parte, en el ejemplar de diciembre de 2005 la publicación *Alternative Medicine Review* afirmó que la fructosa ocasiona la formación de productos finales tóxicos que tienen un elevado índice de glicación (justamente la glicación a la que me refiero y que degrada el colágeno de nuestra piel y genera arrugas profundas, y que también tiene que ver con las complicaciones de la diabetes y el desarrollo de la arteriosclerosis). Además, es probable que el consumo excesivo de fructosa sea responsable, en parte, del aumento en la obesidad, la diabetes mellitus y enfermedades del engrosamiento del hígado por causas no alcohólicas.

Cada vez que consumimos azúcares simples como los JMAF, provocamos un ascenso inmediato en el azúcar de nuestra sangre con potencialidad proinflamatoria. A diferencia de la glucosa, sin embargo, la fructosa *no estimula* la secreción de insulina ni fortalece la producción de leptinas: hormonas clave encargadas de regular el apetito. Debido a que la insulina y las leptinas envían señales al cerebro para regular el consumo de alimentos y el peso corporal, la habilidad de la fructosa de pasar por alto estos mecanismos puede contribuir a comer en exceso. En pocas palabras, la capacidad natural para controlar el equilibrio se pierde totalmente. La fructuosa evita exitosamente los mecanismos naturales que suelen frenar el deseo de comer en exceso y hacen que el cuerpo crea que todavía tiene hambre: incluso después de una comida más que completa.

Esto se debe a que el proceso digestivo es diferente al de absorción de la glucosa y fructosa. Lo que sucede es que cuando consumimos grandes cantidades de fructosa, que básicamente es una fuente no regulada de combustible para el hígado, ésta se convierte tanto en grasa como en colesterol. La fructuosa eleva considerablemente los niveles de triglicéridos. Como saben todos mis lectores, de ninguna manera defiendo el consumo de azúcar, de hecho el *azúcar es tóxica*. Pero los efectos de la fructuosa, específicamente en la forma de los JMAF, son causa de aún más preocupación. (No me refiero, por supuesto, a la fructuosa natural de las frutas frescas.)

Por tanto, el aumento en el consumo de los JMAF está directamente relacionado con la epidemia de obesidad: a medida que ha aumentado el consumo de los JMAF en el mundo, también ha ocurrido lo mismo con la obesidad. Sin embargo, éstos no son los únicos efectos negativos de los JMAF y el jarabe de maíz. Según Michael Pollen, en un artículo publicado en el periódico *The New York Times* el 4 de junio de 2006, 70% de los campos de maíz se riegan con un poderoso herbicida: la atrazina. En su artículo explica que se han encontrado rastros de este químico en los arroyos y pozos de Estados Unidos e incluso en la lluvia; la Administración de Drogas y Alimentos de Estados Unidos (FDA por por sus siglas en inglés) también ha encontrado residuos de atrazina en los alimentos. Hace poco, la Unión Europea prohibió el uso de este herbicida por considerarlo cancerígeno y capaz de alterar el sistema endocrino de los humanos. El uso de este tipo de toxinas significa una amenaza potencialmente devastadora al medio ambiente y a todo lo que contiene, incluyendo los seres humanos.

Alimento para el Pensamiento

Todos los días leemos alguna noticia referente a los beneficios de los alimentos antinflamatorios. Hace poco, por ejemplo, científicos del University College London descubrieron que las alubias, lentejas y nueces contienen inositol pentafosfato, un potente anticancerígeno natural que bloquea la enzima responsable del crecimiento de los tumores. Las alubias y las lentejas también estabilizan el azúcar en la sangre y controlan los efectos antinflamatorios de otros alimentos. De hecho, una comida que incluya leguminosas eleva muy lentamente y de forma moderada el nivel de azúcar en la sangre, incluso controla la respuesta del azúcar sanguínea en la siguiente comida, ya sea que ésta incluya leguminosas o no.

En pocas palabras, si evitamos comer alimentos que provocan un ascenso en el azúcar en la sangre y la insulina, evitaremos la respuesta antinflamatoria y quemaremos grasa en lugar de almacenarla. También podremos detener ese apetito descontrolado y podremos evitar la descomposición de nuestra masa muscular.

SUPRESORES DEL APETITO

Como vimos en el capítulo uno, "Rejuvenecimiento celular", podemos proteger nuestros cuerpos de una enorme variedad de enfermedades, incluyendo el cáncer, por medio de los alimentos que consumimos.

Pero, ¿también podemos alterar nuestra habilidad para perder y evitar la subida de peso que conllevan los alimentos? La respuesta es sí, y hay varias maneras de hacerlo.

La primera manera, y seguramente la más obvia, de perder peso es comer menos. Y la mejor manera de hacerlo es encontrar la forma de suprimir el apetito. Para empezar, lo mejor es comer proteínas.

Todo indica que una dieta rica en proteínas funciona a nivel celular para disminuir el apetito. De acuerdo con la revista *Cell Metabolism*, un interesante estudio realizado en animales del INSERM, el Instituto Nacional de Investigación Médica francés y de la Universidad de Lyon, generó información que explica cómo las dietas ricas en proteínas frenan el apetito. Los resultados de esta investigación indican que hay una conexión entre los macronutrientes incluidos en la dieta y el hambre. (Los macronutrientes son proteínas, grasas y carbohidratos que producen una respuesta hormonal y le dan al cuerpo las bases para funcionar adecuadamente y reparar el tejido dañado.)

El autor del estudio, Gilles Mithieux, dijo: "Es bien sabido que las comidas con proteínas desminuyen la sensación de hambre y el consumo en las comidas siguientes tanto en animales como humanos". Sin embargo, no queda claro en qué consiste el efecto de las proteínas en el apetito. Estudios anteriores demostraron que el consumo de proteínas tiene poco efecto en las principales hormonas encargadas de regular el apetito. Lo que este estudio encontró es sorprendente: las dietas ricas en proteínas provocan la producción de glucosa en el intestino delgado. Este aumento de glucosa, que se percibe en el hígado y es remitido al cerebro, hizo que los animales comieran menos.

Sin entrar en demasiados detalles técnicos, el resultado global del estudio es el siguiente: además de la habilidad de las proteínas para reducir el apetito, la síntesis intestinal de la glucosa activa la parte del cerebro que controla el apetito, generando una disminución en el consumo de alimentos. Es por esta razón que recomiendo que en cada alimento primero comamos las proteínas.

Sin embargo, las proteínas no son lo únicos micronutrientes que ayudan a suprimir el apetito. Una comida con pescado (proteína)

No hay que Olvidar las Hierbas

En parte, el incremento en la obesidad puede atribuirse a cambios en la forma de criar ganado y otros animales. Según Joe Robinson, el autor de un libro excelente titulado Pasture Perfect: "las reses que se alimentan de hierba son más saludables que las que se alimentan con granos y pueden, incluso, ser más sanas que los pollos".

Las reses alimentadas con hierbas tienen más carne sin grasa que las alimentadas con granos y tienen hasta quince calorías menos por cada veintiocho gramos que las reses alimentadas con granos. Las reses alimentadas con hierbas también proporcionan ácidos grasos omega-3 y omega-6, lo que sirve de protección en contra de toda una variedad de padecimientos.

Como el salmón silvestre, las reses alimentadas con hierbas son una fuente excelente de ácido graso esencial omega-3, así como de ácido linoleico conjugado (CLA, por sus siglas en inglés). También se han realizado investigaciones para comparar el contenido de antioxidantes esenciales en la carne de ambos tipos de reses. La carne de la res que se alimentó con hierbas tiene mayor contenido de vitamina C, vitamina E y ácido fólico. Igualmente, mostró un contenido diez veces mayor de betacaroteno. Estos beneficios disminuyen radicalmente después de que la res se alimenta con granos durante tres meses, incluso si los granos son orgánicos.

"Todo lo que no hay en la res alimentada con hierbas pero que sí hay en la res alimentada con granos, también es importante", escribió Robinson en un artículo publicado en la revista Mother Earth News.

Por ejemplo, no han habido casos de reses alimentadas con hierbas que padezcan la enfermedad de las vacas locas, y también se ha visto que tienen menos probabilidad de portar la peligrosa bacteria Escherichia coli (E. coli). La res alimentada con hierbas "no tiene hormonas adicionales ni rastros de antibióticos, además es más higiénica y sana que la res común. El ganado Feedlot puede comer todo tipo de productos además del grano, incluyendo desechos de pollo, plumas de pollo, periódicos, cartones y el desperdicio municipal."

La producción en el mercado estadounidense de la carne de reses alimentadas con hierbas aún enfrenta muchos obstáculos debido, principalmente, a que la mayoría de los estudios en ganado se han concentrado en las reses alimentadas con granos, y la alimentación, la matanza y el manejo de los animales alimentados con hierbas es muy diferente. Robinson dice: "Para que un producto sea de excelente calidad todo en él tiene que ser lo más adecuado, y no hay escuela o agente que enseñe cómo hacerlo." Ella cree que pronto el Departamento de Agricultura estadounidense comenzará a apoyar las investigaciones y las oficinas dedicadas a llevar al consumidor estadunidense res de la mejor calidad. Para leer más sobre las reses alimentadas con hierbas visite www.deliciousorganics.com.

y verduras frescas (carbohidratos con bajo índice glicémico), por ejemplo, con toda seguridad nos dejará saciados sin generar en el cuerpo el deseo de comer más. Esto está en total oposición a los carbohidratos con alto índice glicémico que solemos consumir. Lo que es más, estos alimentos y bebidas crean un círculo vicioso de comer en exceso: entre más comemos, más queremos. La famosa canasta de pan que nos ponen en las mesas de los restaurantes apenas llegamos es un ejemplo perfecto: tan sólo una rebanada y el apetito inmediatamente se ve estimulado y empezamos a comer todo lo que tenemos enfrente. La próxima vez que salgan a comer, ignoren la canasta y pidan salmón ahumado o un coctel de camarones.

CARALLUMA FIMBRIATA: LA SUPERESTRELLA DEL FIRMAMENTO DE LA PÉRDIDA DE PESO

En este capítulo, hasta ahora, hemos aprendido a evitar los errores más comunes en la dieta que nos hacen comer en exceso y subir de peso. Ahora quiero presentar un remedio revolucionario y nuevo (para los estadunidenses), cuyo ingrediente es la planta *Caralluma fimbriata*, un arma sobresaliente en contra de comer en exceso, la acumulación de grasa corporal y la pérdida de masa muscular.

Como muchas plantas milagrosas con poderes curativos, la historia de la *Caralluma* comienza en la India, donde se han usado miles de plantas y verduras medicinales durante milenios. Aunque no aparecen en los libros de texto de medicina, estas plantas son una parte importante de la vida de la población nativa y son altamente valoradas por sus muchas, y comprobadas, propiedades curativas.

Los cactus, comestibles y suculentos, crecen en toda la India y forman parte de la dieta diaria de varias poblaciones nativas. La *Caralluma fimbriata* es la más generalizada de estas especias y florece en gran parte del interior de la India. Crece de manera silvestre en los centros urbanos y también se puede sembrar a los lados de los caminos o como separador entre jardines.

Hay diferentes formas de comer la *Caralluma*. Se puede cocinar como cualquier verdura, con especias y sal, preparar en conserva y como *chutney* (salsas de acompañamiento en la comida hindú) y en encurtidos, incluso se puede comer cruda. Las tribus de la India mastican trozos de *Caralluma* para inhibir el hambre durante los días de cacería.

La *Caralluma* se ha utilizado desde hace siglos en la India. Algunos de sus beneficios son mayor energía, más masa muscular libre de grasa y una notable disminución en la circunferencia del brazo y la cintura, además de pérdida de grasa. La *Caralluma* no sólo inhibe la síntesis de grasa sino que aumenta la quema de grasa, permitiendo que el cuerpo tenga más energía para realizar la reparación celular. Además de toda la información anecdótica e histórica, se ha demostrado clínicamente que la *Caralluma* suprime el apetito y acaba con esos deseos repentinos de comer. De hecho, la FDA ha publicado excelente información sobre la *Caralluma* y sus muchos beneficios.

PERFIL DE SEGURIDAD

Para conocer testimonios de expertos en botánica, reconocidos practicantes del Ayurveda, profesores universitarios y botánicos de todas partes de la India sobre el consumo seguro y la total carencia de tóxicos en la *Caralluma fimbriata*, véase la sección de "Referencias" que corresponde a este capítulo. Estos testimonios ofrecen ejemplos de su empleo en las dietas diarias de las poblaciones locales de la India en las que la *Caralluma fimbriata* crece libremente. La comunidad tribal considera que la *Caralluma fimbriata* es un alimento de consumo diario. Piensan que la *Caralluma* es una hierba única que cura los problemas de salud más comunes y que es un excelente supresor del apetito y la sed. Comen manojos de *Caralluma* durante las cacerías y es suficiente para conservar la salud de todo un grupo, eliminando así la necesitad de cargar alimentos.

CÓMO FUNCIONA LA CARALLUMA

La *Caralluma* funciona:

- *Bloqueando la formación de grasa.* Mediante un complicado proceso químico conocido como el ciclo de Krebs, la glucosa se descompone en un compuesto llamado *ácido pirúvico* que se introduce en la mitocondria. El ácido pirúvico se descompone, a su vez, en ácido acético y finalmente en la coenzima acetil A y ácido cítrico. En este ciclo se forma el ATP (el trifosfato de adenosina) que genera la energía que requiere el cuerpo para realizar las actividades cotidianas. Pero, ¿qué sucede cuando se genera demasiada energía? Se almacena en forma de grasa. El elemento constitutivo de los ácidos grasos es la coenzima acetil A. Sin embargo, para su formación requiere una enzima vital llamada citrato liasa. Cuando esta enzima se bloquea, el cuerpo no puede producir grasa. Es aquí donde aparece la *Caralluma fimbriata*: contiene *glicocidos pregnane*, sustancias vegetales que se cree que bloquean la actividad del citrato liasa. Al bloquear esta enzima, la *Caralluma fimbriata* bloquea la capacidad del cuerpo para formar grasa.

- La *Caralluma fimbriata* también bloquea otra enzima llamada coenzima malonil A. Con el bloqueo de esta enzima y de la consiguiente formación de grasa, el cuerpo se ve obligado a quemar su reserva de grasa acelerando su pérdida en el cuerpo.

- *Suprimiendo del apetito*. Estudios clínicos controlados con extracto de *Caralluma fimbriata* han demostrado claramente su capacidad para suprimir el apetito. Es probable que esto se deba a la actividad que realiza en el mecanismo encargado de controlar el apetito en el cerebro. Cuando comemos, los nervios del estómago envían señales al hipotálamo, la parte del cerebro que controla el apetito. Cuando el estómago está lleno, el hipotálamo le indica al cerebro que deje de comer. Cuando una persona tiene hambre, el hipotálamo le manda una señal al cerebro indicándole que necesita comida.

La *Caralluma fimbriata* interfiere con esta señal o crea una señal propia, engañando al cerebro para que crea que el estómago está lleno aunque la persona no haya ingerido alimento. Se cree que los *glicocidos pregnane* de la *Caralluma fimbriata* inhiben el mecanismo sensorial del hambre dentro del hipotálamo.

Esto es sumamente emocionante porque la búsqueda de sustancias que realmente supriman el apetito ha sido uno de los objetivos centrales en el esfuerzo por controlar el peso. Sin embargo, las medicinas convencionales que funcionan como supresores del apetito conllevan serios riesgos, incluyendo alteraciones cardiacas, aumento de la presión sanguínea, ansiedad, insomnio e hipersensibilidad. Otro defecto es que nuestro apetito regresa furiosamente cuando pasan los efectos del medicamento: lo que hace que comamos más y entonces el medicamento ya no sirvió para nada. Nada de esto sucede con la *Caralluma fimbriata*, cuando pasa su efecto, el apetito regresa a su estado normal.

- *Produce masa muscular libre de grasa.* La razón principal por la que los programas de pérdida de peso no funcionan es que nos sentimos aturdidos y cansados después de perder peso. Esto nos hace regresar a nuestros antiguos hábitos alimenticios y recuperamos el peso que perdimos. Sin embargo, sucede lo contrario cuando consumimos *Caralluma*. Las personas sostienen que se sienten con más energía y que pierden grasa corporal además de fortalecer la masa muscular libre de grasa.

Esto se debe a que la *Caralluma* no sólo *inhibe la síntesis de grasa* como dijimos con anterioridad, sino que *aumenta la quema de grasa.* Es un hecho bien conocido que las células de grasa tienden a almacenar calorías, mientras que las células musculares queman calorías. Por la tanto, entre más energía tenga el cuerpo, las células musculares quemarán más rápido esa energía. El resultado es un encogimiento de las células de grasa y el fortalecimiento de las musculares. Mientras que las células musculares son más pesadas que las células de grasa, también son más densas y compactas. Por lo tanto, ocupan menos espacio y nuestro cuerpo tiene una apariencia delgada y compacta.

Pocas veces me he topado con una planta que me ha causado tanta impresión como la *Caralluma fimbriata*. En occidente, usamos el extracto de *Caralluma* como suplemento. Si lo están tomando en forma de polvo, mezcle un octavo de cucharadita de agua una hora antes de los alimentos. Si se toma en cápsulas, sigan las instrucciones de la etiqueta. (Ver la sección de "Referencias" en la parte que se refiere a la *Caralluma fimbriata*.)

En diversas ocasiones he bromeado durante mis conferencias y apariciones en televisión diciendo que traigo en mi billetera la foto del nutriente AAL junto con las de mis queridos hijos. A pesar de que es una exageración, confieso que respeto profundamente al AAL por sus múltiples e inimitables propiedades antienvejecimiento. Hasta ahora mis experiencias con la *Caralluma* me han convencido de que esta planta maravillosa merece un estatus muy alto.

EN BUSCA DE PISTACHES

Contrario a lo que se cree, la nueces no sabotearán su habilidad de perder peso. De hecho, son un gran ingrediente de la dieta diaria. Las almendras, avellanas, castañas, piñones, nueces, pacanas, nueces de macadamia y otras variedades de nueces de árbol son muy recomendadas, y lo mismo sucede con el pistache que tiene un delicioso sabor mantequilloso. Los pistaches son similares a la almendras y tienen un alto valor nutricional, ya que es rico en proteínas y vitaminas. Los pistaches también tienen un alto nivel de grasas monosaturadas saludables por lo que son un bocadillo perfecto.

Cada vez reconocemos más que los pistaches son las nueces más saludables que hay debido al alto nivel de fitosterol que contienen, un compuesto vegetal que reduce los niveles de colesterol y mejoran la salud del corazón. Según un artículo aparecido en diciembre de 2005 en la publicación *Journal of Agricultural and Food Chemistry* de la American Chemical Society, los pistaches tienen el nivel más alto de fitosteroles entre todas las nueces que más se consumen en Estados Unidos. Los pistaches deben su característico color verde al alto nivel de clorofila, un pigmento vegetal que hace que las plantas sean verdes. Es importante evitar las cáscaras coloreadas y consumir los pistaches que tienen las cáscaras naturales.

Nutrientes que Ayudan a Controlar el Azúcar en la Sangre

Existen muchos suplementos, incluyendo los que comentamos en el capítulo uno, "Rejuvenecimiento celular", para el rejuvenecimiento de las mitocondrias que también ayudan en el control de peso y la reparación celular. A continuación proporcionamos una lista de los mejores:

Ácido Linoleico Conjugado: el Eslabón Perdido en la Cadena de la Obesidad y el Aumento de Peso

El ácido linoleico conjugado (CLA, por sus siglas en inglés) es un ácido graso que se encuentra en muchos alimentos que consumimos. Sin embargo, los cambios en la dieta de hierbas a granos han provocado que los niveles de CLA disminuyan dramáticamente en las carnes y en los productos lácteos. El CLA se suele encontrar en la parte grasa de la leche, por lo tanto, la leche sin nata no nos permite recibir los beneficios del CLA. Pero como los niveles de CLA son tan bajos en los productos de origen animal, no hay diferencias relevantes entre el consumo de leche sin o con grasa. A menos de que consuman carne y productos lácteos de animales alimentados con hierbas, eviten los productos lácteos con grasa y sólo elijan los cortes más magros de carne o, mejor aún, eviten la carne de reses alimentadas con granos y busquen la de las aves orgánicas y los peces silvestres.

Cuando se toman dosis efectivas de CLA la grasa corporal disminuye especialmente en el área abdominal. Son varios los mecanismos de acción del CLA que básicamente hacen lo siguientes:

- El CLA realmente se concentra en la membrana celular, estabilizándola y evitando la descomposición del ácido araquidónico en prostaglandina proinflamatorias. Ayuda a los receptores de insulina a permanecer intactos, aumentando la sensibilidad de ésta, lo que reduce el nivel de azúcar en la sangre y sus niveles de insulina.
- Sorprendentemente, hay estudios que han demostrado que el CLA también sirve para bloquear la absorción de grasa y azúcar por parte de las células grasas (adiposas). Incluso induce la reducción del tamaño real de las células grasas. Una razón por la que las personas aumentan de peso a medida que envejecen es que sus células grasas, literalmente, engordan.
- Aunque un artículo publicado en *Journal of Nutrition* se reportó que la suplementación de CLA durante de un año no evita el aumento de peso o grasa corporal, otro estudio relativamente recien-

te y a gran escala, publicado en esa misma revista, señala que la ingestión de 3.4 gramos de CLA diarios durante dos años tuvo como resultado una disminución pequeña, pero significativa, en la grasa corporal de personas obesas. Lo que es interesante es que parece que el CLA no tiene ningún efecto en personas que no sufren de sobrepeso. Parece que su efecto es mayor en mujeres cuya masa corporal es de un índice de 25 a 30 kilogramos por metro cuadrados. (Para aprender más sobre cómo calcular el índice de masa corporal visite www.americanheart.org.)

Muchos estudios indican que el CLA además de poseer antioxidantes, propiedades antinflamatorias y acción sensibilizadora de la insulina, también ayuda a prevenir la pérdida de masa muscular y la debilidad que conlleva la edad y las enfermedades. Ésta es una razón por la que el CLA es, desde hace tiempo, un suplemento favorito de atletas y fisicoculturistas. ¿Qué podría ser más emocionante o motivador que un suplemento que encoge la grasa corporal al mismo tiempo que aumenta y conserva la masa muscular libre de grasa? (*Nota*: no se debe ingerir CLA en caso de embarazo, de estar amamantando o si se tiene diabetes o cualquier otro padecimiento. Siempre hay que consultar con el médico antes de tomarlo.)

Dosificación: Tomar una cápsula de 500 miligramos en la mañana y otra cápsula de 500 miligramos en la noche.

ENLACE DE CROMO Y NIACINA

Pero el CLA no es el único que nos ayuda a tener masa muscular libre de grasa. Existen otros nutrientes fundamentales que controlan el nivel de azúcar en la sangre, incluyendo el cromo polinicotinato conocido como NBC (por sus siglas en inglés). Mi amigo y colega, el doctor Harry Preuss (a quien mencioné en el capítulo uno: "Rejuvenecimiento celular") actualmente realiza investigaciones en el uso de suplementos dietéticos y nutricionales para alterar de forma positiva, e incluso prevenir, toda una variedad de padecimientos, especialmente los relacionados con la obesidad, resistencia a la insulina, pérdida de masa muscular libre de grasa y perturbaciones cardiovasculares. Hace poco, el doctor Preuss examinó un número de compuestos de cromo y descubrió que el NBC es uno de los más efectivos. Los expertos en nutrición informan que, por lo general, los estadunidenses padecen de deficiencia de cromo; niveles bajos de cromo se relacionan con la diabetes tipo 2 y con enfermedades cardiovasculares.

También se han publicado estudios que subrayan que el aumento en el consumo de azúcar agota la reserva de cromo de nuestro cuerpo poniéndonos en riesgo de padecer hiperglicemia e hiperinsulinemia (exceso de azúcar en la sangre y exceso de insulina). En un estudio controlado acompañado de placebos, el doctor Preuss y un equipo de investigadores del Centro Médico de Georgetown University obtuvieron como resultado que las mujeres afroamericanas con sobrepeso que consumieron 600 microgramos de cromo en forma de NBC (de la marca ChromeMate) durante ocho semanas, perdieron significativamente grasa corporal sin ningún efecto en la masa muscular en comparación con un periodo anterior de la misma duración usando placebos. También se observó un aumento en la pérdida de grasa entre las mujeres que, aleatoriamente, consumieron primero cromo y después un placebo, sugiriendo un efecto remanente debido a la suplementación en la pérdida de grasa. No se observaron efectos adversos.

Dosificación: Tomar una capsula ChromeMate de 200 microgramos al día, de preferencia con los alimentos.

Ácidos Grados Omega-3

Si quieren perder peso vayan a la sección de pescados del supermercado o consigan cápsulas de aceite de pescado. Una estrategia clave que les evitará el engrosamiento de la cintura y que les ayudará a perder grasa corporal es el consumo de ciertas grasas dietéticas, principalmente la larga cadena "marina" de ácidos grasos omega-3 que sólo se encuentran en los peces de agua fría y en el aceite de pescado de alta calidad.

Los omega-3 de origen marino hacen que el cuerpo queme calorías para satisfacer su necesidad inmediata de energía antes de que se conviertan en grasa abdominal proinflamatoria y difícil de perder. Este truco metabólico significa que cargaremos menos peso. Nadie jamás ha estado gordo por comer pescado, mientras no sea el pescado rebosado frito en grasas vegetales omega-6. Desafortunadamente, no podemos decir lo mismo de los cortes como el sirloin de res o las hamburguesas hechas de carne de reses alimentadas con granos y con

EL SALMÓN CULTIVADO NO AYUDA

A LA PÉRDIDA DE PESO

Diversos estudios han mostrado que el consumo de salmón cultivado, alimentados a base de plantas y por ello altos en ácidos grasos omega-6 proinflamatorios, aumenta los niveles de inflamación en los consumidores. Los ácidos grasos omega-6, además de ser inflamatorios, disminuyen el beneficio a la salud de los omega-3 que contiene el salmón cultivado. El salmón cultivado se alimenta con peces, una mezcla de maíz y soya, y casi siempre recibe un colorante sintético para disfrazar su color natural que es poco apetitoso similar al gris pálido. Por el contrario, el salmón salvaje lleva una dieta marina totalmente natural rica en krill y camarón, ambos ricos en astaxantina carotenoide. De hecho, la astaxantina es la que le da al salmón silvestre ese bello color, que varía desde rosado a anaranjado y rojo dependiendo de la especie. El salmón cultivado recibe una dieta de antibióticos para su desarrollo a diferencia del salmón silvestre. Por último, el alimento y los aceites que se dan al salmón cultivado tienen un impacto directo en los niveles de bifenilo policlorado (BFC), producto derivado que ha sido identificado como un probable cancerígeno en humanos.

alto nivel de grasas saturadas. Los peces de agua fría y las cápsulas de aceite de pescado omega-3 estabilizan el azúcar en la sangre y hacen que bajen los niveles de insulina, todos ellos factores clave en la prevención del aumento de peso y para la reducción del mismo.

Dosificación: Como suplemento dietético, tomar una cápsula blanda de aceite de salmón rojo silvestre de 1,000 miligramos, con o después del alimento, o hasta tres cápsulas al día. Para aprovechar aún más los beneficios, las dosis más elevadas deben ser aprobadas por el médico.

ALIMENTOS VERDES Y PÉRDIDA DE PESO

Cuando el germinado de la cebada forma parte de una formula que contiene *Super CitriMax* HCA, CLA en la forma de *Clarinol* CLA y *extracto de té verde*, genera mecanismos fisiológicos específicos involucrados en la pérdida de peso y masa corporal sin grasa. Si esta formula se usa en conjunto con una dieta saludable y ejercicio constante, disminuye el apetito, refuerza la masa corporal sin grasa y ofrece protección desintoxicante y antioxidante.

ÚLTIMO ESTUDIO SOBRE MAGMASLIM Y EL CONTROL DE PESO

Deborah Arneson, nutrióloga certificada y directora del grupo de asesores en nutrición del Healing Quest Center, realizó hace poco un estudio con dos porciones de la fórmula patentada MAGMASLIM en combinación con el germinado de cebada Green Magma. El estudio dio los siguientes resultados: aumento en los niveles de energía, baja general en el peso corporal, dramática reducción en grasa corporal y colesterol total. Fortalecimiento del funcionamiento del hígado.

OTROS SUPLEMENTOS IMPORTANTES PARA ALIVIAR EL PESO DE LA VIDA

- Carnitina y ALC: agudizan la sensibilidad de los receptores de insulina, ayudando a disminuir el nivel de azúcar en la sangre y los niveles de insulina en circulación. *Dosificación*: Carnitina: Una o dos cápsulas de 250 miligramos con los alimentos hasta tres veces al día, o según lo recete el médico. ALC: Una o dos cápsulas de 500 miligramos al día, repartidas en dosis entre comidas.

- Maitake SK Fraction: fortalece la sensibilidad a la insulina y así permite controlar los niveles de azúcar en la sangre. *Dosificación*: Una tableta de 100 miligramos tres veces al día, entre comidas, como suplemento dietético o según lo recomiende el médico.

- Ácido gamma linoleico (AGL), proveniente del aceite de borraja, que mejora la sensibilidad celular a la insulina, disminuyendo la probabilidad de desarrollar diabetes, enfermedades del corazón y grasa corporal en exceso. *Dosificación*: Una cápsula blanda de 1,000 miligramos con el desayuno y una cápsula blanda de 1,000 miligramos con la cena, como suplemento dietético o según lo recomiende el médico.

- AAL: aumenta la sensibilidad a la insulina al incrementar la capacidad del cuerpo para absorber glucosa en las células. *Dosificación*: Una cápsula blanda de 50 miligramos con el desayuno o almuerzo y una cápsula de 50 miligramos en la tarde con la cena como suplemento dietético o según lo recomiende el médico.

- Co-Q_{10}: fortalece el metabolismo proporcionándonos mayor energía y resistencia además de mayor capacidad para perder grasa corporal, al mismo tiempo que evita la reducción de energía que acompaña al envejecimiento de las células. El Co-Q_{10} también funciona de manera sinérgica con otros antioxidantes para elevar los niveles celulares de vitamina C y E y de glutation así como también regula el azúcar en la sangre y fortalece la sensibilidad a la insulina. El Co-Q_{10} también aprovecha al máximo la conversión de los alimentos en energía, ayudando a normalizar el nivel de grasas en nuestra sangre. *Dosificación*: Una a tres cápsulas blandas de 10 miligramos diariamente con o después de los alimentos, como suplemento dietético o según lo recomiende el médico.

Cada uno de estos suplementos tienen muchos otros beneficios y los recomiendo debido a sus propiedades antienvejecimiento y para el control de peso.

Aunque son muchas las señales neuroquímicas y hormonales que controlan el apetito, también existe la influencia de factores psicológicos, sociales, culturales, económicos y del medio ambiente. La comprensión de los mecanismos bioquímicos que se refieren a las razones por las que ganamos peso y perdemos masa muscular es un gran paso hacia la posibilidad de eliminar estos problemas indeseables y las consecuencias que potencialmente amenazan la vida.

Reforzando Nuestra Estructura de Apoyo

Si lo que buscan es un ejemplo indiscutible del rejuvenecimiento celular no hay que ir más lejos que los huesos. Las
últimas investigaciones indican que el rejuvenecimiento celular del tejido óseo y de la masa muscular ya es una realidad.
Tener y conservar un cuerpo fuerte y saludable, y una piel bella a lo
largo de toda nuestra vida depende de múltiples factores incluyendo la
estructura de apoyo que está debajo de la piel y que está formada por
una estructura de huesos y tejidos musculares.

Como veremos en este capítulo, no estamos destinados ni conde-
nados genéticamente a perder unos 3 kilos de músculo y subir 5 kilos
de grasa con cada década que pasa, que parece ser la norma en la
gente de todo el mundo. Tampoco tenemos que perder nuestra pre-
ciada masa ósea y padecer las consecuencias de caídas, fracturas y
debilidad progresiva e incapacidad relacionados con la edad.

Si bien es cierto que es inevitable la pérdida ósea como resultado del envejecimiento, no tenemos por qué quedarnos con los brazos cruzados. Como veremos en este capítulo, hay pasos que se pueden tomar no sólo para prevenir la pérdida de hueso, sino para conservar nuestros huesos y también reconstruir nuevos huesos, incluso después de la menopausia.

Y esto se debe al *secreto 3: el consumo de nutrientes clave en la combinación justa no sólo evita la pérdida de hueso sino que también estimula el crecimiento de hueso nuevo.*

Mediante un proceso conocido como remodelación, el hueso viejo es sustituido constantemente por uno nuevo. La formación de huesos, es decir, la densidad mineral ósea (DMO) tiene su punto de mayor desarrollo entre los 20 y 30 años de edad. Sin embargo, la masa ósea se conserva a medida que envejecemos por medio de la remodelación, un proceso constante de descomposición y reformación del hueso. El hueso viejo es *reabsorbido*, o descompuesto, por células llamadas *osteoclastas* y la formación de hueso nuevo se realiza por medio de células llamadas *osteoblastos*. Problemas como la osteoporosis ocurren porque es mayor la reabsorción que la formación y el resultado es una pérdida neta de material óseo.

La Verdad sobre la Pérdida Ósea

La pérdida de masa ósea relacionada con el envejecimiento conocida como osteoporosis, un padecimiento que se caracteriza por huesos porosos y frágiles, es un problema de salud pública que padecen más de 10 millones de estadunidenses, de los cuales 80% son mujeres. Otros 34 millones de estadunidenses padecen osteopenia, es decir, la reducción de masa ósea que antecede a la osteoporosis. En el caso de la osteoporosis, el interior de los huesos se torna poroso debido a la carencia de calcio. A medida que los huesos se debilitan, se hacen más frágiles y susceptibles a las fracturas, especialmente en el caso de la cadera, espina y las muñecas, aunque cualquier hueso puede verse afectado.

Cuando pensamos en la osteoporosis, visualizamos una pequeña y compacta anciana doblada por los años. Desafortunadamente, la verdad es así: para los ochenta años, dos tercios de todas las mujeres desarrollan osteoporosis. A partir de los cuarenta años, las personas comienzan a perder doce milímetros de altura con cada década que pasa. Esta proporción aumenta después de los 70 años y lleva a una pérdida total de entre 2.5 y 7.6 milímetros de altura. La pérdida de altura es natural y no nos debe preocupar, a menos de que suceda rápidamente. Sin embargo, la pérdida de cinco o más centímetros de altura durante la época adulta sirve para predecir la osteoporosis de la cadera y, por lo tanto, el riesgo de fracturas de cadera en las ancianas, según un estudio realizado por el Centro Médico de la Ohio State University. Este estudio llevó a los investigadores a recomendar a los médicos que hicieran exámenes de rutina a sus pacientes que comienzan a envejecer poniendo atención en la pérdida de altura.

Es más probable que las mujeres sufran de osteoporosis que los hombres por las siguientes razones:

- La masa muscular de las mujeres es menor que la de los hombres.
- Las mujeres tienden a vivir más años que los hombres.
- Las mujeres, por lo general, consumen menos calcio que los hombres.
- La razón por la que se pierde hueso se acelera después de la menopausia debido a que se necesita estrógeno, la hormona femenina, para conservar los huesos fuertes (y el estrógeno disminuye después de la menopausia; ver la siguiente sección).
- En el caso de las mujeres que han pasado por una cirugía de extracción de ovarios, la pérdida de hueso es más rápida debido a que es en los ovarios donde se produce el estrógeno

Noticias Especiales para las Mujeres Posmenopáusicas

El índice más rápido de pérdida de hueso en las mujeres ocurre en los primeros cinco años después de la menopausia, cuando la disminución en la producción de estrógeno provoca mayor reabsorción del hueso y menor absorción de calcio. De hecho, las mujeres pierden de 3 a 5% de masa ósea al año durante los años que siguen a la menopausia. Después de los 65 años, la pérdida es menor a 1% anual. Hay dos estudios que coinciden en que consumir más calcio durante la menopausia no compensa totalmente la pérdida de hueso durante la menopausia. Sin embargo, otros estudios muestran que ciertos suplementos alimenticios como el silicón en forma de ácido ortosilícico, estabilizado con colina, ayudan a aprovechar al máximo los beneficios que tanto el calcio como la vitamina D tienen en la salud del hueso (más adelante hablaré más de esto).

Contrariamente a lo que se cree, los hombres no son inmunes a la pérdida de hueso. La masa ósea total llega a su punto más alto a la edad de los 35 años tanto en hombres como mujeres. A partir de ese momento, los adultos comienzan a perder masa ósea a menos de que tomen medidas para evitarlo. Según la información publicada por Osteoporosis and Related Bone Disorders-National Resource Center el en http://www.osteo.org, (un sitio que pertenece a los National Institutes of Health) los factores que pueden colocarnos en posición de mayor riesgo para padecer osteoporosis son:

- Antecedentes de fracturas después de los 50 años.
- Reducida masa ósea en la actualidad.
- Antecedentes de fracturas en parientes cercanos.
- Ser de sexo femenino.

- Ser delgado o tener una estructura pequeña.
- Tener edad avanzada (la osteoporosis es una amenaza a la salud pública que afecta a 55% de las personas mayores de 50 años. A más edad, mayor riesgo).
- Antecedentes familiares de osteoporosis.
- *Sólo mujeres:* deficiencia de estrógeno como resultado de la menopausia, a temprana edad o causada por cirugías; las mujeres que dejan de menstruar antes de la menopausia debido a causas como la anorexia o bulimia, o debido al exceso de ejercicio físico.
- *Sólo hombres:* bajos niveles de testosterona.
- Bajo consumo de calcio a lo largo de la vida.
- Deficiencia de vitamina D.
- Estilo de vida sedentario.
- Ciertos medicamentos para tratar condiciones crónicas como artritis reumatoide, desórdenes endocrinos (poca actividad de la tiroides), convulsiones o enfermedades gastrointestinales pueden tener efectos secundarios que dañen los huesos y causen osteoporosis. Una clase de medicinas que es especialmente perjudicial para el esqueleto son lo glucocorticoides (grupo de esteroides que tienen efectos metabólicos y antinflamatorios). Las siguientes sustancias también pueden causar la pérdida de hueso:
  - Exceso de hormonas en la tiroides.
  - Anticonvulsivos.
  - Antiácidos con aluminio.
  - Hormonas liberadoras de gonadotropina, usada para el tratamiento de la endometriosis.
  - Metotrexato, usado para el tratamiento del cáncer.
  - Ciclosporina A, medicamento inmunosupresor.
  - Heparin y colestiramina, usado para controlar los niveles de colesterol en la sangre.
- *Fumar:* un estudio publicado en enero-febrero de 2001 en la *Journal of the American Academy of Orthopedics* señaló que fumar perjudica los músculos, los huesos y la salud de las articulaciones. Esto hace que los fumadores estén en posición de mayor riesgo

para desarrollar osteoporosis. Lo mejor que puede hacer para proteger sus huesos es dejar de fumar; incluso a edad avanzada, reduce la pérdida de hueso causada por fumar.
- Abuso del alcohol.
- Ser caucásico o asiático (aunque ni los afroamericanos ni los hispanoamericanos están libres de riesgo)

Medidas a Tomar

Debido a que para los 20 años ya desarrollamos 98% de nuestra masa ósea, una buena nutrición durante la infancia y adolescencia es vital para prevenir la aparición de la osteoporosis más adelante. Sin embargo, este consejo no sirve de mucho si somos mujeres mayores de 40 años, delgadas y de estructura pequeña, caucásicas o asiáticas, y hemos estado a dieta desde los 12 años. Por suerte, hay esperanza, cada vez son más los estudios que demuestran los sorprendentes beneficios de la dieta, el ejercicio y los suplementos nutricionales.

La National Osteoporosis Foundation ofrece los siguientes consejos:

- Seguir una dieta equilibrada rica en calcio y vitamina D.
- Hacer ejercicio que requiera cargar peso (más sobre esto en el capítulo 7: "Menos estrés para prolongar la vida").
- Llevar un estilo de vida saludable sin tabaco ni abuso de alcohol.
- Hacerse pruebas de densidad ósea y tomar medicamentos si es necesario.

Cómo Afecta lo que Comemos a la Salud del Hueso

A medida que envejecemos, es más importante remodelar y rejuvenecer las células óseas, y el descubrimiento de que esto es posible es de enorme interés. Un estudio realizado en diciembre de 2005 publicado en el *Journal of the American College of Nutrition* dio como resultado que "la remodelación ósea se triplica de los 50 a los 65 años de edad en las mujeres" y que "el consumo elevado de calcio en las mujeres posmenopáusicas y de edad avanzada hace que la remodelación alcance los valores premenopáusicos y fortalezca los huesos de manera inmediata."

Lo ideal sería que nuestra dieta incluya alimentos ricos en calcio y la cantidad de alimentos de este tipo es mayor de lo que nos podemos imaginar. Entre las superestrellas del calcio están la leche, el queso, el yogur, el kéfir, los vegetales de hojas verde oscuro, el brócoli, las sardinas enlatadas y el salmón con hueso, las leguminosas, el tofu y las verduras marinas (algas marinas). Mientras que lo suplementos de calcio pueden ser una buena ayuda, la mejor estrategia es incluir alimentos ricos en calcio en cada comida. *Los suplementos de calcio no deben considerarse sustitutos de una dieta rica en calcio.* Los suplementos pueden formar parte de nuestra dieta, pero es bien sabido que los beneficios más importantes, desde la pérdida de peso hasta el fortalecimiento de los huesos, proviene de los alimentos.

El Food and Nutrition Board of the Institute of Medicine of the U.S. National Academy of Sciences (Consejo de Alimentos y Nutrición del Instituto de Medicina de la Academia Nacional de las Ciencias de Estados Unidos) ha recomendado el consumo de las siguientes cantidades de calcio:

EDAD/ RASGOS ESPECIALES		CONSUMO RECOMENDADO (MILIGRAMOS DIARIOS)
Infantes:	0–6 meses	200
	7–12 meses	270
Niños:	1–3 años	500
	4–8 años	800
Jóvenes (hombres):	9–13 años	1,300
	14–18 años	1,300
Jóvenes (mujeres):	9–13 años	1,300
	14–18 años	1,300
Hombres:	19–30 años	1,000
	31–50 años	1,000
	51–70 años	1,200
	>70 años	1,200
Mujeres:	19–30 años	1,000
	31–50 años	1,000
	51–70 años	1,200
	>70 años	1,200
Embarazadas:	14–18 años	1,300
	19–30 años	1,000
	31–50 años	1,000
Lactancia:	14–18 años	1,300
	19–30 años	1,000
	31–50 años	1,000

Nota: En las etiquetas de los alimentos generalmente el calcio se expresa como porcentaje de 1,000 miligramos por día según el consumo diario recomendado en Estados Unidos. Por lo tanto, 20% sería equivalente a una porción de 200 miligramos.

A continuación mis recomendaciones para aumentar y preservar los huesos:

YOGUR Y KÉFIR

El yogur y el kéfir son productos lácteos fermentados que tienen muchos beneficios para la salud; no puedo más que insistir en que incluyan varias porciones de yogur o kéfir en la dieta diaria. Como el tema de este capítulo es desarrollar y preservar los huesos, voy a empezar por esos beneficios. Tanto el yogur como el kéfir tienen alto contenido de calcio. Sin embargo, ambos, y otros productos lácteos fermentados, también contienen una glicoproteína generadora de hierro conocida como *lactoferrina*, una sustancia capaz de rejuvenecer los huesos a nivel celular. Existe una cantidad importante de estudios que han concluido que la lactoferrina puede tener una función fisiológica en el crecimiento y la cura del hueso, y una función terapéutica como factor anabólico en la osteoporosis.

En otras palabras, la lactoferrina que contienen ciertos alimentos como el yogur estimula el desarrollo de nuevo hueso, al mismo tiempo que evita la descomposición del tejido óseo existente. La lactoferrina fortalece tanto el desarrollo como la actividad de los osteoblastos (las células encargadas de desarrollar el hueso). De hecho, la lactoferrina reduce el índice de muerte celular ósea entre 50 y 70%, y también disminuye el desarrollo de osteoclastas, las células responsables de la descomposición del hueso. Por lo tanto, es emocionante poder decir que entre la enorme cantidad de beneficios que contienen los productos lácteos fermentados, prevenir y revertir la osteoporosis es uno de ellos.

Una nota más, la publicación *Journal of Nutrition* publicó un estudio realizado por investigadores israelíes en el que destacaban que los lactobacilos, una de las bacterias probióticas (provida) del yogur, tienen efectos "sorprendentes y curativos" en la artritis. Debido a los efectos benéficos que las bacterias probióticas tienen en las enfermedades infecciosas e inflamatorias, principalmente en las relacionadas con el intestino grueso, se cree que estas bacterias podrían reducir la inflamación propia de la artritis. Con suerte, se seguirá investigando y podrán validarse estos hallazgos.

SALUD MARINA

Si están buscando cuál es el regalo más valiosos de la madre naturaleza, tendrán que ir a los oceanos, ríos y lagos del mundo y no a los jardines ni campos de cultivo. Ahí encontrarán verduras marinas, plantas silvestres del océano y algas marinas que, en muchas partes del mundo, forman parte de la comida diaria. Pequeñas cantidades de verduras marinas enriquecen el sabor y el valor nutritivo de casi cualquier platillo. Los vegetales marinos más populares en Estados Unidos son las algas dulse, kelp, alaria, laver (de la costa este) y la palma de mar (de la costa oeste). Algunas variedades asiáticas son: nori, hiziki, arame, kombu y wakame. Maine Coast Sea Vegetables (www.seaveg.com) cosecha en las cristalinas y frías aguas del golfo de Maine las algas dulse, kelp, alaria, laver, nori, la lechuga de mar y el alga bladderwrack. Los expertos de Maine Coast sostienen que estos deliciosos bocadillos no contienen grasa, son bajos en calorías, y son una de las fuentes más ricas de minerales que se puede encontrar en todo el reino vegetal debido a la abundancia de minerales que hay en el océano. La suave acción de las olas en las corrientes submarinas garantiza que todas las verduras marinas proporcionen una buena nutrición. Asimismo es interesante saber que el agua de mar y la sangre humana contienen casi los mismos minerales y en concentraciones similares.

Los vegetales de mar son ricos en minerales y en elementos traza incluyendo al calcio, magnesio, hierro, potasio, yodo, manganeso y cromo en niveles superiores a los que contienen las verduras de tierra. También contienen del complejo B ácido fólico, la riboflavina, ácido pantoténico y, al igual que la linaza y las semillas de calabaza, tienen un alto contenido de lignanos (encontrados en una gran variedad de plantas), fitoquímicos que tienen propiedades que protegen del cáncer. Los vegetales de mar también proporcionan vitaminas, fibras, enzimas y proteínas de alta calidad. Los fitoquímicos marinos que sólo existen en las verduras marinas absorben y eliminan elementos radioactivos y contaminantes de metales pesados. Estudios más recientes muestran que las vegetales de mar inhiben la formación de tumores, disminuyen los niveles de colesterol y tiene propiedades antivirales.

Ciertos vegetales de mar tienen efectos antinflamatorios, mientras que su alto contenido de magnesio y vitamina B ayudan a controlar el estrés. Otros beneficios para la salud son:

- Protección contra enfermedades cardiovasculares.
- Alivio de los síntomas de la menopausia.
- Reducción de los niveles de homocisteína, químico peligroso para el corazón.
- Protección de las migrañas.
- Reducción de los síntomas del asma.
- Presión sanguínea baja.
- Mejor salud de la tiroides.
- Menor nivel de estrés.

Es muy fácil incorporar estos alimentos en la dieta. En los restaurantes japoneses hay hojas de nori (alga negra o morada y frita directamente sobre la flama hasta que se torna verde) que envuelven al sushi como cubierta en los platillos. Otras verduras del mar sirven para preparar caldos y salsas, ensaladas refrescantes y también para sazonar cualquier sopa. Pero también le pueden agregar en cantidades pequeñas a sopas, ensaladas, sandwiches y alimentos chinos. El nori tiene un sabor salado que hace que resalten los sabores de cualquier platillo; para saber dónde conseguir vegetales de mar ver la sección de "Referencias".

No hay que olvidar que las vegetales de mar son vitales ya que los alimentos silvestres ofrecen altos niveles de nutrientes. Poca cantidad significa muchos beneficios, en casi todas las recetas sólo hay que usar menos de siete gramos por ración. La legendaria salud y longevidad de los japoneses que viven en zonas rurales se debe a que siguen una dieta tradicional japonesa, con gran cantidad de verduras marinas, y es un testimonio de los beneficios sin igual de los alimentos del mar.

SALMÓN O SARDINAS ENLATADAS

Mis lectores saben que soy uno de los principales defensores de los beneficios del salmón silvestre y de otros peces de agua fría, todos ellos ricos en omega-3. Otra manera de obtener los mismos beneficios, especialmente en los que se refiere a los huesos, es comiendo salmón silvestre y sardinas en lata. El salmón o las sardinas en lata, siempre y cuando vengan con piel y huesos, no sólo son una fuente importante de proteína y aceites grasos esenciales omega-3, sino que también proporcionan niveles significativos de calcio.

Si esto suena conocido es porque lo es. En 1995 la publicación *Mayo Clinic Health Letter* señaló que el salmón enlatado ocupaba la posición número 7 entre las 15 fuentes más importantes de calcio. Sin embargo, muchos ignoran esta forma de calcio y de otros nutrientes (fáciles de obtener). El proceso de enlatar suaviza los huesos y hace que se combinen fácilmente con otros ingredientes. El "tradicional" salmón rojo enlatado (con piel y hueso) contiene aproximadamente treinta veces más calcio que el salmón (y el atún) que se vende sin estos componentes.

De acuerdo con un análisis de nutrición realizado por Vital Choice Seafood, el salmón rojo silvestre de Alaska contiene 221 miligramos de calcio por cada 100 gramos, lo que significa que cada lata de 106.31 gramos de salmón rojo con hueso contiene 232 miligramos o 23% de la dosis recomendada en Estados Unidos (1,000 miligramos) de calcio para adultos entre las edades de 30 y 51 años, y cada lata de 200 gramos contiene 464 miligramos (46% de la dosis recomendada). Las sardinas en lata también son excelentes fuentes de calcio. Las sardinas de Vital Choice contienen 234 miligramos de calcio (23% de la dosis recomendada) por ración de cuarto de taza (62 gramos).

Al principio, muchas personas rechazan la mera *idea* de piel y huesos en el salmón enlatado, pero después de saber el gusto que significa al paladar y las ventajas nutricionales que tiene sobre el salmón tradicional casi todos acaban por preferirlo. De hecho, entre los conocedores de salmón enlatado (especialmente en Europa y Japón) casi no hay demanda para el salmón enlatado sin piel y sin huesos.

De hecho, cuando los japoneses escucharon que el salmón enlatado de Vital Choice se vendía sin huesos en otros mercados pidieron que se enlatara por separado y así pudieron adquirirlo. ¡Es una historia verídica!

Suplementos para la Reconstrucción del Hueso

Aunque las investigaciones indican, como ya dijimos, que el mejor método para obtener nutrientes que rejuvenezcan las células es por medio de los alimentos, la dieta no siempre nos proporciona la cantidad adecuada. Por fortuna, hay varios suplementos que podemos tomar para reforzar la remodelación del hueso y protegernos de su pérdida, en especial a medida que envejecemos.

ÚLTIMAS NOTICIAS SOBRE LA VITAMINA D

La vitamina D llamó la atención por primera vez en 2006. Los científicos han descubierto que cuando evitamos constantemente los rayos solares, protegiéndonos bajo cremas protectoras o evitando el exterior, estamos perdiendo la fuente más importante de vitamina D. Cuando el cuerpo está expuesto a los rayos UV del sol, produce vitamina D. No estoy diciendo que tenemos que acostarnos en la playa y asolearnos como lo hacíamos antes de conocer los peligros del cáncer de piel. Todo lo que digo es que necesitamos diez minutos diarios de sol en el verano y unos quince en el invierno.

Desafortunadamente, entre nuestro estilo de vida sedentario y el uso constante de los protectores solares, la mayoría de los estadunidenses no recibe suficiente vitamina D. Hay estudios que muestran que los efectos positivos de esta vitamina llegan al extremo de reducir el riesgo de padecer cáncer de colón, de mama y de próstata. Desde hace mucho se sabe que la vitamina D ayuda a fortalecer los huesos. Los adultos de edad avanzada también pueden reducir el riesgo de caídas en más de 20% si consumen suficiente vitamina D. Un estudio que se publicó hace poco en el *Journal of the American Medical Association* señaló que "la vitamina D también puede fortalecer los músculos reduciendo, así, el riesgo de padecer fracturas en caso de caídas".

Los niveles de vitamina D en la sangre son muy bajos por lo menos en una de cada cinco mujeres de viven en Estados Unidos y en el norte de Europa, y la mayoría de las mujeres posmenopásusicas también tienen poco calcio. Pero en el primer caso es más importante que en el segundo, según los últimos resultados. De hecho, estas investigaciones sugieren que ¡es más importante un consumo mayor a la dieta recomendada de vitamina D que el consumo de calcio recomendado para la salud de los huesos!

Esto se debe a que hay una fuerte conexión entre la vitamina D, el calcio y una sustancia menos conocida (para el público en general) llamada parathormona (PTH). La PTH regula la cantidad de calcio que hay en el flujo sanguíneo. Cuando los niveles de calcio en la sangre son muy bajos, la glándula tiroides secreta más PTH, que aumenta el nivel de calcio quitándoselo al hueso. Si esto continúa, los huesos terminan por debilitarse y romperse.

Es aquí donde hace su aparición la vitamina D. Altos niveles de vitamina D inhiben la secreción de PTH, evitando la pérdida de calcio de los huesos. Por el contrario, niveles bajos de vitamina D provocan la pérdida de calcio de los huesos y aumentan el riesgo de padecer osteoporosis y fracturas. Ésta es una de las razones por las que casi todos los expertos dicen que la dosis recomendada de vitamina D (400 unidades internacionales por día) es demasiado baja y debería aumentarse a 600 u 800 unidades internacionales por día, si no es que más.

El Food and Nutrition Board of the Institute of Medicine of the U.S. National Academy of Sciences ha recomendado las siguientes dosis de vitamina D (la actividad biológica de un microgramo de vitamina D_2 o vitamina D_3, es 40 unidades internacionales):

EDAD/ RASGOS ESPECIALES			CONSUMO RECOMENDADO (MILIGRAMOS DIARIOS)
Infantes:	0–12	meses	5.0 (200 UI)
Niños:	1–8	años	5.0 (200 UI)
Jóvenes (hombres):	9–18	años	5.0 (200 UI)
Jóvenes (mujeres):	9–18	años	5.0 (200 UI)
Hombres:	19–50	años	5.0 (200 UI)
	51–70	años	10.0 microgramos (400 UI)
	>70	años	15.0 microgramos (600 UI)
Mujeres:	19–50	años	5.0 (200 UI)
	51–70	años	10.0 microgramos (400 UI)
	>70	años	15.0 microgramos (600 UI)
Embarazadas:	14–50	años	5.0 (200 UI)
Lactancia:	14–50	años	5.0 (200 UI)

UI = unidades internacionales

Científicos de Islandia descubrieron que el consumo de más de 800 miligramos de calcio por día puede ser innecesario para la salud de los huesos si el cuerpo tiene suficiente vitamina D. Los investigadores usaron registros de consumo de alimentos de más de 900 adultos y determinaron que el nivel adecuado de vitamina D puede garantizar un nivel ideal de PTH, incluso cuando el consumo de calcio es menos de 800 miligramos por día. Sin embargo, consumir 1,200 miligramos de calcio por día no es suficiente para conservar el PTH ideal si tenemos una deficiencia de vitamina D.

Este estudio forma parte de un trabajo más extenso que señala la importancia de la vitamina D, y no sólo del calcio, en la salud de los huesos, que es una preocupación creciente tanto en América del Norte como en Europa a medida que la población envejece.

Vitamina K: Buena para los Huesos y el Corazón

Hace poco tuve una reunión con el doctor Stephen Sinatra, un amigo y colega que, igual que yo, disfruta estar al frente de los últimos descubrimientos en el campo de la salud y la ciencia. El doctor Sinatra está certificado tanto en medicina interna como en cardiología. También tiene un certificado en medicina antienvejecimiento y en nutrición clínica y, como yo nuevamente, usa con frecuencia intervenciones nutricionales en su práctica como cardiólogo junto con terapias más tradicionales.

Debido a que la placa arterial es el enemigo número uno de un corazón sano, el doctor Sinatra dedica gran parte de su tiempo a investigar cómo combatir esta amenaza, y a conocer su relación con la nutrición, los suplementos nutricionales o alguna otra estrategia terapéutica.

Las últimas investigaciones se han realizado con MK-7 (menaquinone-7), un tipo de vitamina K_2, formado por las bacterias que se alinean a lo largo del tracto gastrointestinal. Como lo publicó la revista *Heart, Health & Nutrition* en su edición de julio de 2006, dos estudios realizados con animales mostraron que la K_2 provocó la disminución de placas en los vasos sanguíneos. Esto es muy prometedor puesto que parece que la K_2 ayuda a descalcificar las formaciones de placas duras. Por otra parte, un estudio danés realizado en 2004 analizó el consumo de K_2 entre 5,000 personas y descubrió que existía una conexión entre un elevado consumos de K_2 y la menor calcificación de la aorta.

La mayoría de nosotros conoce la vitamina K en forma de vitamina K_1, una vitamina soluble en grasa que desempeña una función importante en la coagulación de la sangre. Podemos encontrar vitamina K_1 en las coles, coliflor, espinaca, kale, hojas de nabos y otras verduras con hojas verde oscuro; en los cereales, frijol de soya y otras verduras. Sin embargo, la fuente más rica de vitamina K_1 es el nori, un popular vegetal marino. El nori asado suele usarse como envoltura para los rollos de sushi, mientras que el nori seco es un sazonador delicioso y nutritivo para sopas, cacerolas, salsas y otros platillos. Hay registros que indican que tanto el nori como las algas se han usado

Fuentes Dietéticas de la Vitamina D

Los peces son las mejores fuentes dietéticas de vitamina D. La tabla que sigue muestra un estudio comparativo de varios peces de Vital Choice. Según las investigaciones de esta compañía, ¡el ganador es el salmón rojo! Aunque el atún blanco también tiene una excelente puntuación, hay que tener cuidado por la posibilidad de que contenga mercurio. El salmón, ya sea fresco, congelado o enlatado, es una opción más segura.

Contenido de Vitamina D en los preces de Vital Choice

Estudio realizado el 5 de junio por Covance Laboratories, Inc.

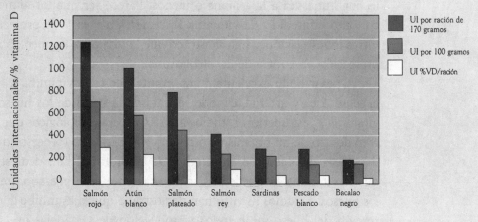

Especie	UI por ración de 170 gramos	UI por 100g	%VD/ración	Tamaño de ración	Producto probado
Salmón rojo	1170	687	292	170 g	filete sin piel, deshuesado
Atún blanco	925	544	231	170 g	filete sin piel, deshuesado
Salmón plateado	747	439	187	170 g	filete sin piel, deshuesado
Salmón rey	401	236	100	170 g	filete sin piel, deshuesado
Sardinas	277	222	69	125 g	con piel, con hueso, enlatado con aceite de olivo
Pescado blanco	276	162	69	170 g	filete sin piel, deshuesado
Bacalao negro	192	169	48	113 g	filete sin piel, deshuesado

100 gramos = 3.5 oz.

Para mayor información visite www.vitalchoice.com

LOS 7 SECRETOS DE BELLEZA, SALUD Y LONGEVIDAD DEL DR. PERRICONE

como alimento y medicina en China desde 800 a. C. Como ya lo mencioné en este capítulo, gramo por gramo, el valor nutritivo de los vegetales del mar excede por mucho al de sus contrapartes terrestres.

VITAMINA K PARA LA SALUD DE LOS HUESOS

En la década de los noventa, algunos científicos descubrieron que la vitamina K_1 puede aumentar la densidad mineral de los huesos. Otros estudios han mostrado que hay una relación directa entre el bajo consumo de vitamina K en la dieta y mayor riesgo de padecer fracturas de cadera. Por ejemplo, un estudio mostró que las mujeres que consumían lechuga (como la romana) una o más veces al día estaban en menor riesgo (45%) de padecer fracturas de cadera que las mujeres que comían lechuga una vez a la semana o menos. Parece ser que los alimentos con alto contenido de vitamina K_1 tienen un efecto de protección. Otras investigaciones han mostrado que la vitamina K_1 puede ofrecer protección en contra de la osteoporosis.

A pesar de lo excelente e importante que es la vitamina K_1 para la salud ósea y arterial, cuando se trata de la salud de los huesos, la vitamina K_2 es superior. Estudios in vivo (procesos biológicos que ocurren dentro de un organismo o célula viva) e in vitro (procesos que se dan fuera del cuerpo o en estudios de laboratorio) han demostrado que la vitamina K_2 puede actuar directamente en el metabolismo de los huesos. Estudios in vitro han demostrado que la K_2 inhibe la reabsorción del hueso inhibiendo la producción de sustancias que reabsorben los huesos como la prostaglandina E_2 e interleukina-6.

En lo que se refiere a los tejidos óseos, la vitamina K_2 facilita la absorción de calcio. Hay una conexión entre bajos niveles de vitamina K_2 y mayor incidencia de fracturas osteoporóticas y baja densidad mineral. Lo que es más, análisis basados en grupos de población han concluido que existe una deficiencia extendida de vitamina K.

Como señala el doctor Sinatra, lo emocionante de la sinergia es que la vitamina K_2 *añade* calcio a los huesos, que es donde debe estar, y la *sustrae* de las arterias, que es donde no debe estar. Sin embargo, no es fácil el consumo adecuado de la vitamina K_2 en nuestras dietas. Por fortuna, hay un antiguo platillo japonés que todavía se estila. Se conoce como natto y está hecho de frijol de soya fermentado. Un interesante estudio epidemiológico realizado en las ciudades japonesas de Tokio e Hiroshima y en las Islas Británicas midieron tanto el consumo de natto como la fortaleza ósea en mujeres. Las mujeres que vivían en Tokio comían más natto y tenían los huesos más fuertes y menor índice de fracturas. Las mujeres de Hiroshima comían natto, pero menos que las de Tokio. Sus huesos eran más débiles y sufrían un mayor número de fracturas. Las mujeres de las Islas Británicas no comían natto y sus huesos eran los más débiles y tenían el mayor número de fracturas. Natto es especial en su capacidad para fortalecer la salud de los huesos. Debido a que emite un fuerte olor y una consistencia pegajosa, se trata de un alimento al que hay que acostumbrarse. Para aprovechar mejor el natto no hay calentarlo ni cocinarlo porque pierde muchos nutrientes. Los expertos recomiendan añadirle al natto un poco de salsa de soya de tamarindo, baja en sodio, y mostaza para servirlo con avena o lentejas. Otros recomiendan una mezcla de yogur, fruta fresca, nueces y natto. Las buenas noticias son que con sólo consumir natto dos o tres veces a la semana podemos sentir el beneficio a la salud del corazón y los huesos. Como dice el doctor Sinatra: "El milagro del natto, y otras fórmulas eficaces de vitamina K_2, es que se les puede sacar mucho provecho. La vitamina K_2 no sólo se absorbe mejor que la K_1 [sino que] su vida media es mayor. La K_2 [que se toma] en forma de suplemento tiene un efecto contínuo en el fortalecimiento del cuerpo, consiguiendo una mejor protección y a más largo plazo contra el adelgazamiento de los huesos, las fracturas y otros problemas óseos". Para información sobre dónde conseguir suplementos de vitamina K_2 de la mejor calidad, ver la sección de "Referencias".

LOS OMEGA-3 CONSTRUYEN MEJORES HUESOS

El salmón y las sardinas también son excelentes fuentes de ácidos grasos esenciales omega-3, que son de vital importancia y que desempeñan una parte importante en este libro debido a sus valiosas facultades antienvejecimiento. Algunos de los beneficios inmediatos de incorporar los omega-3 en nuestra dieta diaria son: piel luminosa, brillante y libre de arrugas; pérdida de peso; conservación de la masa muscular; mejor absorción de los nutrientes que contienen los alimentos y un estado emocional feliz y positivo.

Sin embargo, hay otra razón para que incorporemos estas grasas vitales a nuestra dieta. Ahora sabemos que también debemos conservar un equilibrio correcto de grasas para evitar la pérdida de hueso asociada con la osteoporosis posmenopáusica. Investigadores de la Purdue University y de la Escuela de Medicina de Indiana University descubrieron que las dietas con bajo contenido de ácidos grados omega-6 en relación con los ácidos grasos omega-3 generaban menor pérdida ósea. Desafortunadamente, la dieta occidental es exactamente lo opuesto: tiene un alto nivel de omega-6 (incluidos en aceites vegetales, granos y carne de res alimentada con granos) y bajo contenido de omega-3 (incluidos en alimentos como salmón, sardinas, nueces y huevos con omega-3). Éste es sólo otro eslabón en la cadena que conecta la dieta y las enfermedades degenerativas en el mundo desarrollado. A medida que nuestras dietas han "evolucionado" de los alimentos cazados y recolectados, consumidos en su estado natural y sin procesamiento, cada vez declina más nuestra salud mental y física.

El investigador Bruce Watkins, profesor y director del Centro para el Fortalecimiento de los Alimentos y la Protección de la Salud de Purdue, refiriéndose a un estudió que apareció en abril de 2006 en la publicación *Journal of Nutritional Biochemistry*, comenta: "Nuestros laboratorios, junto con otros, han mostrado que los ácidos grasos omega-3 ayudan a la formación de los huesos. También hemos mostrado que un mayor consumo de ácidos grasos omega-6 tiene como resultado una mayor producción de compuestos relacionados con la pérdida ósea".

Mark Seifert, profesor de anatomía y biología celular en la Escuela de Medicina de la Indiana University y colaborador del estudio, cree que las propiedades de protección a los huesos de los ácidos grasos omega-3 pueden estar relacionadas con la función ya conocida de minimizar las inflamaciones en el cuerpo. Seifert dice al respecto: "Creemos que los omega-3 pueden reducir al mínimo la pérdida de huesos relacionada con deficiencia de estrógeno junto con sus efectos antinflamatorios." Yo estoy de acuerdo con esta idea.

Y como él mismo añade más adelante: "Muchas personas no se dan cuenta, pero nuestros huesos no son estructuras estáticas". Esto es verdad y es importante recordarlo si queremos rejuvenecer los huesos a nivel celular. La principal causa de la inflamación es toda una serie de compuestos, incluyendo un grupo de moléculas conocidas como citoquinas. Las citoquinas también favorecen la descomposición del hueso que es una parte del proceso de remodelación del hueso. Watkins descubrió que los omega-3 alteran el comportamiento de las citoquinas, de tal forma que colaboran con la función de los omegas-3 en la reducción de las enfermedades cardiovasculares.

Como lo mencioné anteriormente, hay dos tipos de células que dirigen el proceso de remodelación de los huesos: células que absorben los huesos, eliminan pedazos de huesos, y células constructoras del hueso, que rellenan los huecos. El estrógeno obstaculiza algunos de los compuestos inflamatorios relacionados con la reabsorción del hueso, lo que explicaría por qué la osteoporosis se desarrolla generalmente después de que disminuyen los niveles de estrógeno en el cuerpo, es decir, con la menopausia. Witkins demostró en estudios previos que los ácidos grasos omega-3 pueden reducir la producción de estos compuestos inflamatorios, y así se explica su efecto de protección de los huesos.

Dosificación: Mi sugerencia es tomar una cápsula blanda de 1,000 miligramos de aceite de salmón rojo silvestre con o después de los alimentos, tres veces al día, a manera de suplemento alimenticio. Para sacar el mejor provecho, se pueden tomar dosis más altas, pero deben ser autorizadas por un médico.

La Magia del Magnesio

No siempre tenemos que buscar sustancias exóticas en el campo o en los laboratorios para descubrir pociones mágicas que literalmente transformen nuestra vida. Éste es el caso del magnesio. Muchas veces ignorado, el magnesio es un nutriente vital que posee múltiples funciones críticas. Muchos sistemas enzimáticos que usa nuestro cuerpo para transferir energía requieren de magnesio, que también desempeña un papel importante en el funcionamiento normal de los músculos y los nervios.

El magnesio es el cuarto mineral de mayor abundancia en el cuerpo y aproximadamente 50% del magnesio total está en los huesos. Podemos consumir magnesio como suplemento; sin embargo, es importante también incluir alimentos ricos en magnesio en la dieta diaria. Algunas fuentes de calidad son los vegetales de mar, los cacahuates y la verduras de hojas verde oscuro como la espinaca, coles, diente de león, chícharos, perejil, ajo, apio y coliflor. Otras opciones son las coles de Bruselas, los espárragos, los aguacates, las zarzamoras, aceitunas verdes, el cebollín, el kelp, los frijoles de soya, arroz salvaje, avena, almendras, nueces de Brasil y semillas de girasol.

Un estudio reciente realizado en Estados Unidos y publicado en el *Journal of the American Geriatric Society* informó que al aumentar el consumo de magnesio se eleva la densidad de los huesos y también se reduce el riesgo de padecer osteoporosis en las personas de edad avanzada. De acuerdo con la investigadora Kathryn Ryder y sus colegas, hay una relación positiva entre el mayor consumo de magnesio, ya sea en la dieta con suplementos, y la densidad mineral ósea (DMO) total corporal en los hombres y las mujeres de raza blanca de edad avanzada. Por cada cien miligramos de magnesio incorporado diariamente en la dieta, se observó un incremento aproximado de 2% en la DMO de todo el cuerpo.

El magnesio tiene tantos beneficios que recomiendo su incorporación inmediata en la dieta diaria. La Oficina de Suplementos Dietéticos de los National Institutes of Health (www.ods.nih.gov) tiene excelente información sobre la importancia del magnesio incluyendo su impacto en el rejuvenecimiento celular. Si no ingerimos suficiente magnesio, nuestro funcionamiento corporal se hace más lento a nivel celular y todo se retrasa hasta que todo nuestro cuerpo está fatigado.

El magnesio sirve para:

- Aliviar la ansiedad.
- Estabilizar el humor.
- Disminuir la liberación del cortisol, la hormona del estrés que se sabe interrumpe el sueño y genera el desarrollo de la grasa abdominal (para más información sobre cortisol ver el capítulo seis: "Ejercicio para revertir el envejecimiento").
- Previene de cambios metabólicos que pueden desencadenar ataques al corazón y derrames cerebrales.
- Metaboliza carbohidratos y, por lo tanto, afecta la liberación y actividad de la insulina.
- Regula la presión sanguínea debido a que es un relajante muscular natural.
- Alivia los calambres musculares.

Dosificación: Las dosis acostumbradas de magnesio (magnesio elemental) varían de 100 a 350 miligramos diarios.

El Food and Nutrition Board of the Institute of Medicine of the U.S. National Academy of Sciences ha recomendado la siguiente ingesta diaria IDR (RDA por sus siglas en inglés) e ingestión adecuada (IA) de magnesio:

Edad/ Rasgos Especiales			IA o IDR (Miligramos Diarios)
			IA
Infantes:	0–6	meses	30
	7–12	meses	75
			IDR
Niños:	1–3	años	80
	4–8	años	130
Jóvenes (hombres):	9–13	años	240
	14–18	años	410
Jóvenes (mujeres):	9–13	años	240
	14–18	años	360
Hombres:	19–30	años	400
	31–50	años	420
	51–70	años	420
	>70	años	420
Mujeres:	19–30	años	310
	31–50	años	320
	51–70	años	320
	>70	años	320
Embarazadas:	14–18	años	400
	19–30	años	350
	31–50	años	380
Lactancia:	14–18	años	360
	19–30	años	310
	31–50	años	320

EL SILICÓN: DESARROLLA LOS HUESOS Y SUAVIZA LAS ARRUGAS

El silicón es un mineral traza del tejido conectivo. Un estudio presentado en la conferencia organizada por la American Society for Bone and Mineral Research sugiere que el silicón, una forma de ácido ortosilícico estabilizado con colina, hace rendir al máximo los efectos del calcio y la vitamina D en los huesos. Recomiendo que además de fuentes dietéticas y suplementos tanto de calcio como de Vitamina D se consuma JarrowFormulas BioSil, una solución de silicón a 2% en forma de ácido ortosilícico estabilizado.

Dosificación: Tomar de 6 a 20 gotas de 6 miligramos de BioSil al día con o sin alimentos, mezcladas con ¼ de taza de agua o de otra bebida y tomar inmediatamente.

Hace poco se realizó un estudio clínico que demostró que el ácido ortosilícico estabilizado con colina tiene efectos positivos en la salud de los huesos y en el desarrollo de células óseas que realiza el colágeno tipo I. (El colágeno es una proteína muy importante, que nuestro cuerpo usa para formar piel, tejido para cicatrizar, ligamentos, tendones y vasos sanguíneos.) Los investigadores del estudio concluyeron "que la terapia combinada de ácido ortosilícico estabilizado con colina, además de calcio y vitamina D, es un tratamiento seguro, bien tolerado, que tiene un efecto potencial benéfico en el funcionamiento de los huesos, especialmente en el colágeno y posiblemente en la DMO, en comparación al tratamiento sólo de calcio y vitamina D". El fémur (hueso del muslo) es el hueso más grande del cuerpo. Este estudio muestra que esta forma de silicón puede mejorar la densidad mineral ósea, lo que lo convierte en un suplemento importante para la salud de los huesos en general.

Ya antes se habían publicado investigaciones que sugieren que el ortosilícico estabilizado con colina desarrolla los huesos al regular su mineralización, desencadenando la eliminación de calcio y fosfato y, por lo tanto, reduciendo el número de osteoclastas (células destructoras de los huesos) y aumentando el número de osteoblastos (células que desarrollan los huesos). Un estudio epidemiológico reciente indicó que una dieta con mayor contenido de silicón está vinculada a una mayor DMO, tanto en hombres como en mujeres premenopáusicas.

Se trata de noticias realmente espectaculares tanto en lo que se refiere a la salud de los huesos como a la de la piel. Como siempre, lograr belleza, salud y fortaleza del interior al exterior es lo que guía nuestro trabajo.

La Piel que nos Cobija

Probablemente uno de los aspectos más desalentadores del envejecimiento es el deterioro de la piel, debido a que se trata de nuestro órgano más visible. Pero no sólo debemos preocuparnos del envejecimiento de la piel sino también del envejecimiento del tejido subyacente como la grasa subcutánea, los músculos y los huesos. Éste es el resultado de la degeneración celular que produce cambios estructurales anormales y que es responsable del envejecimiento de todos los órganos, no sólo de la piel. Como he tratado de destacar en este libro, lo que vemos en la superficie es un reflejo de lo que está sucediendo debajo de la piel. Y los signos de una piel envejecida son un ejemplo perfecto.

Como ya todos sabemos, hay muchas cosas que podemos hacer para vernos mejor. Siempre habrá al alcance de la mano toda una serie de opciones: desde cosméticos hasta cirugía plástica, que disfrazan temporalmente el daño causado por la degeneración celular. Pero mi preocupación va más allá, me interesa la investigación en las células no sólo para detener la degeneración, sino para reparar y revertir gran parte del daño que ya está hecho; y para ello se requieren cambios duraderos y dramáticos.

Para lograrlo, destaco tres elementos: *1*) una dieta antinflamatoria con alto contenido de proteínas de alta calidad, *2*) protección muscular nutracéutica para la piel, y *3*) tratamientos tópicos específicos reforzados con electroestimulación muscular (EEM).

Presagios de lo que está por venir

Los primeros signos de envejecimiento en el rostro son las líneas finas y las arrugas que aparecen a partir de los 20 y 30 años. Sin embargo, estos primeros signos de las décadas venideras no son, necesariamente, los culpables de que nos veamos más viejos. He visto a jóvenes entre los 25 y 30 años de edad cuya tez clara y sobre-exposición al sol ha generado arrugas, especialmente en el área de los ojos. Pero si yo le pido a una persona promedio que adivine la edad de otra persona, por lo general, su respuesta es acertada debido a que no son las líneas finas ni las arrugas lo que le dan al rostro una apariencia de envejecimiento. Empezamos a vernos viejos cuando perdemos nuestras convexidades entendidas como "formas que hacen una curva o bulto hacia afuera". La característica fundamental de un rostro joven son las estructuras faciales que salen hacia fuera, como la frente, los pómulos y la línea de la quijada. A medida que envejecemos, perdemos esas formas curvas abultadas. El resultado es un rostro de apariencia plana y flácida. Esto se debe a la pérdida de tejido subyacente o subcutáneo, especialmente tejido graso y muscular. Nuestro propósito general es reducir la grasa corporal tanto por razones de salud como estéticas. Sin embargo, hay una excepción importante: la grasa subcutánea es vital para que el rostro conserve su apariencia de juventud.

A medida que envejecemos, los músculos del rostro comienzan a alargarse y tienden a encorvarse. La verdadera señal de un rostro envejecido son los músculos flácidos; de hecho, los cirujanos plásticos cortan los músculos para acortarlos y "levantar" el rostro. Sin embargo, esto también aplana el músculo, así que aunque el rostro se levante, eliminando la flacidez, también se pierden esas hermosas curvas convexas propias de los músculos redondos y juveniles. La apariencia de juventud es una ilusión. Muchos cirujanos están inyectándole grasa al rostro para corregir este problema. Sin embargo, a mí me parece que se necesita un tratamiento más natural y holístico. Para conservar un rostro juvenil necesitamos hacer más que evitar las arrugas, tenemos que conservar los contornos y las convexidades del rostro que dependen de la grasa subcutánea y del tejido muscular.

Y así llegamos al *secreto 4*: *para tener un rostro juvenil, hay que empezar por rejuvenecer el tejido subcutáneo.*

ALIMENTANDO UNA PIEL MÁS FIRME

Todos sabemos que somos lo que comemos y esto incluye lo juvenil que nos vemos. Nos puede sorprender saber que lo que comemos afecta lo juvenil (o viejos) que nos vemos. Sin embargo, sabemos que ciertas categorías de alimentos (mencionadas en el capítulo 1: "Rejuvenecimiento celular" y en el apéndice A: "Cocina antienvejecimiento") son vitales para conservar y fortalecer el proceso de rejuvenecimiento celular. Y como también vimos en esas secciones, la proteína desempeña una función importante en cuanto a la posibilidad de estimular la autorreparación celular. Como no podemos almacenar proteínas en nuestro cuerpo, debemos ingerir proteínas de alta calidad todos los días. Si nuestro abastecimiento de proteínas es inadecuado, o casi nulo, el cuerpo se ve obligado a alimentarse de sí mismo. El resultado es la descomposición tanto de tejidos como de músculos. A falta de la proteína necesaria, el proceso de envejecimiento se acelera visiblemente.

Las malas noticias son que los signos de la falta constante de proteínas aparecen, antes que en cualquier otro lado, en el rostro. Y se sabe que las mujeres, a diferencia de los hombres, no comen suficiente proteína. Ésta es una de las razones por las que los hombres muchas veces se ven más jóvenes que sus contrapartes femeninas. Otra razón tiene que ver con la testosterona que regula el grosor y el contenido de aceite de la piel. La mayor parte de las personas no sabe que el cuerpo de las mujeres también produce testosterona y que es esencial para su salud y bienestar. Aunque las mujeres producen una menor cantidad de la hormona masculina, se ha observado una conexión entre niveles por debajo de lo normal de testosterona en las mujeres con una menor o inexistente libido. Cuando las mujeres llegan a la perimenopausia y a la menopausia, el desequilibro de testosterona puede causar cambios visibles en la piel: demasiada testosterona produce poros tapados y acné, poca testosterona significa piel seca. Una tercera razón es que, por naturaleza, la piel de los hombres es más gruesa que la de las mujeres y, por lo tanto, es menos vulnerable a los efectos negativos del sol y el medio ambiente como son los radicales libres.

Por lo tanto, es todavía más importante para las mujeres elegir una dieta antinflamatoria como primera línea de defensa contra el envejecimiento. Desafortunadamente, los hombres poseen una ventaja en este aspecto. Las mujeres tienen, de forma natural, el deseo de consumir alimentos dulces y almidones con el fin de aumentar el nivel de serotonina, la hormona que nos hace sentir bien. Esta estrategia resulta contraproducente, las mujeres entran en un círculo vicioso de ansiar alimentos y luego comer en exceso. Como regla, los hombres tienden a tener niveles más altos de serotonina, lo que significa menor posibilidad de comer estos alimentos en exceso. Cuando no consumimos suficiente proteína y, además, añadimos carbohidratos con alto índice glicémico, la apariencia de nuestros rasgos es suave, como una fina masa de harina, y los pómulos marcados y la dura quijada comienzan a perder definición.

Como se puede ver, la falta de proteína junto con el consumo de los carbohidratos equivocados significan un doble golpe cuando se trata de destruir los contornos faciales. De hecho, una vez que sabemos qué buscar, inmediatamente podemos reconocer a la persona cuya dieta es "alta en *cabs* y baja en proteínas", ya sea hombre o mujer. La inflamación causada por los carbohidratos con alto índice glicémico provoca hinchazón en el rostro y en la zona de los ojos. La glicación causada por los azúcares y almidones se convierte en arrugas y flacidez. Esta deficiencia de proteínas es visible tanto en mujeres como en hombres desde los 20te años. Lo que ocurre es que los rasgos bien definidos, los pómulos marcados y la línea de la quijada se tornan borrosos.

Alimentarse con los carbohidratos equivocados (alimentos con azúcar y almidón) provoca reacciones inflamatorias que tienen como resultado la glicación del colágeno de la piel y todos los demás órganos, cimentando la base para la aparición de arrugas, músculos flácidos, falta de tono y elasticidad. Para visualizarlo, pensemos en la piel como una liga. Cuando es nueva y la estiramos, inmediatamente regresa a su forma original. Con el paso del tiempo, la piel y la estructura subyacente pierden esa capacidad de retomar su forma original. Esta reacción inflamatoria contribuye a la hinchazón, opacidad y pérdida de brillo.

El primer paso importante hacia la recuperación es asegurarnos de que todos los días ingerimos la cantidad adecuada de proteína y que reducimos el consumo de carbohidratos a frutas y verduras coloridas y sin almidón, a alubias y leguminosas, y a granos enteros como la avena. Siguiendo esta sencilla fórmula, los resultados son casi inmediatos: y me refiero a mujeres y hombres de 40 años o más. Pero ya sea que tengan 21 o 51 años, rápidamente verán la diferencia.

Un tema fundamental de este libro, y de todo mi trabajo, es identificar los efectos venenosos de la inflamación. Para conservar los contornos faciales juveniles, el brillo, la elasticidad y todo lo demás, es importante controlar la inflamación: desde lo más evidente como no tirarnos al sol al mediodía, hasta lo no tan evidente: como evitar alimentos antinflamatorios, la deshidratación y no dormir adecuadamente.

Conociendo los Hechos sobre la Insulina

La pérdida de tono muscular y masa muscular es mayor, a medida que aumentamos de peso; se trata de algo normal, aunque no agradable, del proceso de envejecer. Pero podemos contraatacar. El fin último de llevar un estilo de vida antinflamatorio es evitar las reacciones exageradas de insulina, no sólo por las razones ya mencionadas, sino también por una mejor apariencia.

Como bien saben, el rejuvenecimiento celular es la clave de la juventud y de la apariencia juvenil. Sus efectos se notan en nuestro estado de salud en general y en la habilidad que tenemos para perder peso y conservar la masa muscular, mantener fuerte y segura nuestra infraestructura y en una apariencia saludable y vibrante. El rejuvenecimiento celular afecta todos los sistemas del cuerpo y todos ellos se afectan entre sí. Si siguen las instrucciones de este capítulo porque, por ejemplo, están interesados en su apariencia, automáticamente verán el efecto en todos los demás aspectos de su salud. Y viceversa, si siguen las recomendaciones de este libro para mejorar la salud, descubrirán que su apariencia mejora notablemente.

Una de las recomendaciones más importantes está en el secreto número dos que, como ya vimos, se refiere a aprender a controlar el nivel de azúcar en la sangre y los niveles de insulina. El objetivo de cumplir con los 7 secretos que propongo en este estilo de vida es evitar reacciones fuertes de insulina que, a su vez, causen una cascada de inflamación e inhiban el rejuvenecimiento celular. Pero la insulina tiene otros efectos además de controlar la posibilidad de conservarnos delgados. También afecta nuestra piel.

La insulina es una hormona clave, si circula en exceso por la corriente sanguínea:

- Acelera el envejecimiento, tanto interna como externamente.
- Provoca aumento de peso y obesidad porque no deja salir la grasa corporal.
- Se encogen los músculos tanto del rostro como del cuerpo, creando un rostro, ojos, cuello y quijada cansados, flácidos y la pérdida de ese tono saludable que acompaña al buen tono muscular en la parte superior del cuerpo, en el abdomen y en los muslos.

Para evitar los efectos de envejecimiento causados por altos niveles de insulina hay que hacer lo siguiente:

- Alimentarse con una dieta antinflamatoria.
- Evitar el azúcar y los alimentos almidonados.
- Comer grasas adecuadas para quemar grasa.
- Estabilizar los niveles de azúcar en la sangre y de la insulina.
- Comer proteínas al principio de cada comida o botana.

Controlar los niveles de azúcar en la sangre es el paso más importante para asegurarnos de envejecer bellamente, evitar las arrugas, cuidar la masa muscular libre de grasa y, como vimos en el capítulo 2, "El peso de la vida", eliminar la grasa corporal no deseada. Además, debemos seguir un programa moderado de ejercicio, dormir lo suficiente (el proceso de reparación celular ocurre mientras dormimos), tomar suplementos nutricionales y aplicar rejuvenecedores celulares tópicos que contengan propiedades antinflamatorias.

ANTIOXIDANTES + ANTINFLAMATORIOS = ANTIENVEJECIMIENTO

Hemos hablado de la inflamación a lo largo de estos capítulos, pero es muy importante entender el mecanismo y la función que desempeña en el envejecimiento en su versión crónica, dominante, subclínica (invisible a simple vista). Esta inflamación puede desencadenarse por la exposición al sol, a condiciones ambientales rigurosas (como calor o frío extremos), estrés psíquico o mental, contaminantes, químicos, jabones y detergentes, e incluso por la exposición a las pantallas de computadora. Tal vez lo más desalentador fue lo que sugirió un artículo hace poco de que la misma gravedad ejerce un efecto de atracción en la piel, generando inflamación.

Ya sea que la exposición sea al sol del mediodía en verano o al estrés mental extremo, el resultado final siempre es el mismo. Los radicales libres producen químicos proinflamatorios que generan una cascada de sucesos que culminan en inflamaciones de bajo grado. Como vimos en el capítulo 1, "Rejuvenecimiento celular", el cuerpo tiene un sistema antioxidante endógeno (que se produce en el interior del organismo o la célula) formado por enzimas y vitaminas C y E, que

EL ABC PARA ESTABILIZAR EL AZÚCAR EN LA SANGRE

Los siguientes tres alimentos son especialmente efectivos para estabilizar el nivel de azúcar en la sangre y para asegurarnos de tener bajo control los niveles de insulina.

- *Manzanas.* A pesar de que las manzanas tienen niveles relativamente altos de azúcar, en realidad actúan como estabilizadores del azúcar en la sangre debido, en parte, a su alto contenido de fibra y a que tienen floretina, un tipo de flavonoide, fitonutriente que estabiliza el nivel de azúcar en la sangre y que sólo hay en las manzanas. Un estudio en Finlandia mostró que comer manzanas puede reducir la posibilidad de padecer diabetes tipo 2. Los investigadores atribuyen el efecto antidiabético de las manzanas a la actividad antioxidante de la quercetina, componente fundamental de la cáscara de las manzanas. Ésta es otra razón por la que hay que comprar fruta orgánica, sin aditivos, para poder comer la cáscara.
- *Frijoles y lentejas.* Una comida con leguminosas aumenta muy lentamente y de forma moderada el nivel de azúcar en la sangre, incluso controla la respuesta del azúcar en la sangre en la siguiente comida del día, ya sea que también incluya frijoles o no. Aun cuando los frijoles y las leguminosas se consuman con alimentos que tienen un relativamente alto nivel glicémico (azúcares, productos de harina refinados) poseen una potente influencia estabilizadora en los niveles de azúcar y de insulina en la sangre. Los frijoles y las leguminosas son excelentes fuentes de fibra que también sirven para estabilizar el azúcar en la sangre. Además, los frijoles y las lentejas contienen almidón resistente (AR) que son carbohidratos tipo fibra que aceleran el ritmo en el que el cuerpo quema la grasa corporal. No causan aumentos repentinos en los niveles de azúcar en la sangre y evitan que otros alimentos de alto nivel glicémico lo hagan.

- *Canela.* Científicos del Departamento de Agricultura de Estados Unidos han descubierto que la canela conserva en equilibrio los niveles de azúcar en la sangre. Los compuestos de fitonutrientes responsables de este efecto de la canela en el control del azúcar en la sangre son los antioxidantes de tipo polifenol flavon-3-ol, que fortalecen el efecto estabilizador de la insulina en el azúcar sanguíneo y disminuyen la resistencia de la insulina de dos maneras. Primero, activan las enzimas que estimulan a los receptores de insulina. Hay que recordar que cuando nuestras células son resistentes a la insulina no pueden identificar su presencia, por lo tanto, hay que sensibilizar estos receptores para aumentar la capacidad de la insulina para reducir los niveles de azúcar en la sangre. Segundo, fortalecen los efectos de los canales indicadores de insulina dentro del tejido muscular del esqueleto.

Al aumentar la sensibilidad a la insulina, los antioxidantes flavon-3-ol de la canela reducen los efectos negativos de los carbohidratos de alto índice glicémico, como son los niveles fluctuantes de azúcar en la sangre que causan tantos deseos de consumir carbohidratos y la inflamación crónica que se convierte en obesidad. Debido a que los antioxidantes flavon-3-ol fortalecen la sensibilidad a la insulina, penetra más glucosa en las células, que es donde debe de estar, y los niveles de azúcar se estabilizan, deteniendo la inflamación y acabando con el deseo de consumir carbohidratos. Sólo basta un cuarto de cucharadita de canela mezclada con agua o té para sentir estos efectos. De hecho, la canela seguirá estabilizando el azúcar en la sangre durante varios días. En un estudio, ¡el grupo que consumió canela tuvo niveles saludables de azúcar en la sangre hasta tres semanas después de haberla consumido!

LA ESPECIE DE UNA LARGA VIDA

Les recomiendo que sazonen generosamente sus alimentos con cúrcuma. Esta maravillosa especia, ingrediente indispensable del curry, es un potente antinflamatorio. Como el ácido alfa lipoico, inhibe la acción proinflamatoria del factor nuclear kappa B, lo que la convierte en una excelente medida de ataque contra las arrugas. Ésta es razón suficiente para que añadan cúrcuma a sus sopas, omeletes y ensaladas (sin mencionar el hecho de que la cúrcuma también fortalece la capacidad del hígado para eliminar toxinas peligrosas y cancerígenas).

absorben estos radicales libres y evitan que el daño sea mayor. Sin embargo, en pocos minutos, el sistema antioxidante endógeno se ve superado y los radicales libres comienzan su labor de destrucción. Primero, atacan la membrana de plasma de la célula produciendo ácido araquidónico que fluye dentro de la célula. Esto genera inflamación, produce más radicales libres y finalmente es el causante de la descomposición celular. Al igual que ciertos factores ambientales como la exposición a los UV, una dieta proinflamatoria también desencadena la producción de radicales libres porque hace que aumente el nivel de azúcar en la sangre y el de insulina. Una dieta antinflamatoria evitará la producción y activación de químicos inflamatorios evitando a su vez las arrugas en la piel y también la pérdida de músculo y convexidades en la cara y el cuerpo.

Neuropéptidos: Red Informativa de la Reparación Celular

La piel posee abundantes terminaciones nerviosas cuya función es mandar información al cerebro. Está compuesta también por diferentes tipos de células, como fibroblastos y queratinocitos (células predominantes de la epidermis), al igual que mensajeros en forma de hormonas, neuropéptidos y neurotransmisores. Cuando la piel se enfrenta a estresantes ambientales como el sol o el estrés físico o mental, su responsabilidad es informar a todos los demás sistemas orgánicos de nuestro cuerpo. En otras palabras, la piel puede funcionar a semejanza del cerebro o del sistema endocrino proporcionándole información importante al cuerpo.

Cuando aún estamos en estado embrionario, las capas celulares que se convierten en la piel también son responsables de formar las células cerebrales. Esto significa que hay una conexión muy fuerte entre la piel y el cerebro. A esto lo denomino la *conexión-cerebro-belleza* y, como verán, indica claramente que la piel es más que una simple barrera protectora. La piel también tiene *sitios de receptores* para todos los diferentes mensajeros que mencioné con anterioridad. Esto significa que la piel no sólo puede *transmitir* mensajes a todo el cuerpo, sino que también puede *recibirlos* a través de neurotransmisores, neruopéptidos, hormonas e impulsos nerviosos. Esta información fue de gran interés para los científicos porque aunque sabían que el cerebro se comunicaba con los otros sistemas orgánicos no sabían que ¡el resto del cuerpo estaba respondiendo! Esta red de comunicación informativa abrió las puertas para comprender mejor la relación cuerpo y mente y su efecto en la salud física y mental. Este descubrimiento es muy significativo para entender no sólo las enfermedades de la piel, sino los padecimientos y desordenes mentales. Con la mera estimulación de la sangre es posible *alterar* la química del cerebro. Y viceversa, la piel expone las consecuencias de ataques de ansiedad o depresión.

Esto es de gran importancia para los dermatólogos y sus pacientes porque, históricamente, muchas enfermedades de la piel se habían clasificado como de etiología desconocida (causa u origen de la enfermedad). Y esto ha hecho que sea muy difícil el tratamiento de diversas enfermedades de la piel. Sin embargo, sabemos que estas enfermedades contienen un significativo componente inflamatorio, y que padecimientos como el acné, la psonasis y la dermatitis atópica se ven afectadas, y son causadas, por el estrés mental. Cualquier persona con acné podrá decirles que siempre aparecen nuevas lesiones justo antes de un acontecimiento importante, y no se trata de mera coincidencia. Así, el aforismo "eres lo que comes" es aún más certero y prueba que también somos lo que pensamos y sentimos.

Si vamos a envejecer satisfactoriamente, con apariencia agradable y sintiéndonos bien en las décadas más avanzadas de nuestra vida, debemos recordar dos datos sencillos pero incontrovertibles: los alimentos que consumimos no sólo afectan la salud física, sino también tienen un efecto profundo en nuestra actitud mental y sentimiento de bienestar, especialmente cuando se trata del estrés.

Cuando nos encontramos en una situación estresante, un neuropéptido conocido como sustancia P (SP) se libera en la piel y el cerebro. La SP es una molécula potente e inflamatoria. Cuando se libera en la piel se crea un flujo de químicos proinflamatorios que acaban por activar o exacerbar las enfermedades de la piel. La SP también puede hacer que el proceso de crecimiento del cabello sea más lento e incluso causar la pérdida de cabello porque tiene la capacidad de afectar los folículos cabelludos. La SP también afecta las glándulas sebáceas (las glándulas de la piel que producen el sebo, una sustancia grasosa); a mayor actividad, su crecimiento se ve afectado y surge una inflamación que tapa los poros. Es interesante saber que la piel de los pacientes con acné tiene mayor número de nervios con SP que una persona normal. Por lo tanto podemos comprobar que la conexión cerebro-piel es muy poderosa, que está mediada por los neuropéptidos y cuyo desenlace final es, como siempre, la inflamación.

Rejuvenecedores Celulares Tópicos

En el capítulo 1, "Rejuvenecimiento celular", hablamos de las importantes propiedades rejuvenecedoras de las mitocondrias que contiene el suplemento de ácido alfa lipoico (AAL). Así que no debe sorprendernos que el AAL tópico es lo mejor que hay para rejuvenecer la piel. En su forma natural, el AAL es soluble en grasa. Pero sufre interesantes transformaciones cuando entra a la célula. Debido a que es soluble en grasa, primero entra a la membrana de plasma de la célula que está compuesta por fosfolípidos (grasas) y proteínas incrustadas. La membrana de plasma de la célula protege a la célula y controla lo que entra y sale de ella. El AAL puede entrar en esta parte delicada de la célula y proporcionarle una poderosa protección antioxidante, lo que lo convierte en una sustancia ideal para el tratamiento de la piel. Pero las virtudes del AAL van más allá de la membrana de plasma de la célula. Una vez dentro de ésta, el AAL se convierte en ácido dihidrolipoico (DHLA por sus siglas en inglés), es decir, que es soluble en agua y entonces ya puede penetrar en la parte soluble en agua de la célula lo que significa que puede llegar a todas las partes de la célula.

Como vimos en el capítulo 1, el AAL forma parte natural de la mitocondria celular, interviene en un sistema de enzimas que ayudan a producir energía. Las células que están envejeciendo, ya sea en la piel u otra parte del cuerpo, requieren de energía para conservarse. Todos sabemos que una característica de una célula joven es su energía. El consumo de suplementos de AAL y su aplicación tópica en la piel proporciona cantidades terapéuticas de esta sustancia que incrementan la energía que se necesita para que el metabolismo celular funcione adecuadamente. Y esto es exactamente lo que las células de la piel necesitan desesperadamente para repararse.

El Ácido Alfa Lipoico Repara las Células Dañadas

Lo primero que hace el AAL es concentrarse en la membrana de plasma de la célula donde neutraliza los radicales libres. De ahí, pasa al interior acuoso de la célula conocido como citosol, conde detiene la actividad de los radicales libres y evita la activación de otros químicos proinflamatorios. El citosol está formado por un material gelatinoso en el que se encuentra el núcleo, el ADN y sustancias conocidas como *factores de transcripción*, que son proteínas reguladoras que controlan el funcionamiento de los genes.

Estos factores de transcripción actúan como diminutos mensajeros moleculares que llegan al núcleo de la célula y estimulan nuestro ADN para replicar el ARN (ácido ribonucleico) y producir proteínas importantes para el funcionamiento celular. En cuanto a nuestro interés principal, queremos concentrarnos en dos factores de transcripción importantes: el NF-kB y la proteína activadora 1 (AP-1). Estos factores de transcripción no están en estado activo dentro de la célula a menos de que aparezcan radicales libres a su alrededor y estén a punto de someter el mecanismo de defensa de la célula. A este estado se le conoce como estrés oxidativo. Cuando las células están bajo estrés oxidativo, estos factores de transcripción se activan y generan un desastre celular.

El daño que provoca el NF-kB sucede cuando migra al núcleo y se adhiere al ADN generando la producción de citoquinas proinflamatorias, químicos famosos por considerarse los asesinos en serie del mundo celular. El AAL puede evitar la activación del NF-kB inhibiendo la expresión genética de otros químicos proinflamatorios. En pocas palabras, el AAL apaga el sistema de mensajes que puede provocar un daño mayor a la célula.

El otro factor de transcripción, AP-1, es aún más relevante ya que puede dañar la célula o repararla. Si el AP-1 se activa por un acontecimiento inflamatorio como los rayos del sol, también migra al núcleo y produce toda una variedad de químicos incluyendo colagenasa cuya función es *digerir* el colágeno. A medida que se digiere el colágeno, se generan "microcicatrices" que forman arrugas. Sin embargo, cuando lo que activa al AP-1 es el poderoso antinflamatorio AAL, la célula recibe la indicación de *encender* las colagenasas que digieren el colágeno ya dañado, *reparando* las arrugas y cicatrices. El AAL es un gran regalo que poseemos para crear y conservar la piel joven.

EL ÁCIDO ALFA LIPOICO SE ENFRENTA A LOS EFECTOS DE LA MENOPAUSIA

Un estudio publicado en *Archives of Gerontology and Geriatrics* constató que la menopausia generalmente está acompañada por sofocos y procesos degenerativos como arteriosclerosis y cambios atópicos en la piel (piel delgada y arrugada). Estos cambios sugieren que hay una aceleración del envejecimiento causado por el agotamiento de estrógeno. Históricamente, esta carencia de estrógeno ha sido tratada con terapia de reemplazo hormonal (TRH). Sin embargo, debido a los efectos secundarios potencialmente mortales de las hormonas sintéticas, los doctores buscan alternativas más seguras que puedan contrarrestar esos desagradables efectos físicos y estéticos que suelen acompañar a la aparición de la menopausia.

Los datos presentados en este informe respaldan la idea de que antioxidantes como el AAL y otros (incluso la cúrcuma) pueden prevenir la deficiencia de antioxidantes, protegiendo a las mitocondrias de la degeneración celular. También descubrieron que la combinación de estos antioxidantes, tanto en la dieta como en la aplicación tópica en la piel, puede tener efectos positivos en la salud y en la calidad de vida de las mujeres, especialmente en aquellas que no pueden recibir tratamiento de TRH pero sufren altos niveles de estrés oxidativo y no consumen una dieta saludable con cinco raciones diarias de frutas y verduras frescas.

Mi recomendación es consumir suplementos con AAL todos los días, además de aplicarse generosamente fórmulas tópicas de AAL para mejorar la protección celular de la piel.

EL ÁCIDO ALFA LIPOICO COMO ACELERADOR DE LA ENERGÍA CELULAR

Todos sabemos que el AAL forma parte de un complejo de enzimas de la mitocondria que es la responsable de convertir los alimentos en energía. Lo que ahora estamos descubriendo es que la habilidad del AAL para aumentar los niveles de energía en las células tiene influencia directa en la apariencia de la piel.

A lo largo de los años he observado de cerca, y también he escuchado de personas de todo el mundo, que la aplicación tópica de AAL reduce el tamaño de los poros grandes dándole a la piel una apariencia más suave. No se sabe exactamente por qué sucede esto. Si las glándulas sebáceas tienen deficiencia de energía, secretan niveles anormales de grasa en la superficie de la piel. Cuando la proporción de estos aceites es desequilibrada, los poros comienzan a taparse. Mi teoría es que el AAL aumenta la producción de energía en la glándula sebácea normalizando la segregación de aceites, lo que tiene como consecuencia poros de menor tamaño. También debo subrayar que el AAL, un poderoso antinflamatorio, disminuye la inflamación en el interior del poro y así evita que se tape. Como he mencionado con anterioridad, lo más importante en un poro tapado de acné es la inflamación invisible, algo que aún no todos los dermatólogos reconocen. Cuando ya no hay aceites anormales que tapen los poros, estas diminutas aperturas se normalizan gradualmente hasta ser invisibles para los ojos.

Además de disminuir las arrugas y el tamaño de los poros, la hinchazón en el área de los ojos (conocida como edema) también reacciona rápidamente a la aplicación tópica de AAL porque el edema es resultado de la inflamación. Otros beneficios son la reducción de círculos debajo de los ojos, disminución de la rosácea y del tono disparejo de la piel, y el retorno de un brillo radiante y saludable. Todos estos beneficios son el resultado de la capacidad del AAL de regular la producción de óxido nítrico que controla el flujo sanguíneo hacia la piel, transformando rápidamente su complexión, de algo opaco y cenizo, en algo que va del pálido al brillante y lleno de vitalidad.

El Ácido Alfa Lipoico Revierte la Glicación

En los primeros dos capítulos hablamos de una condición conocida como *glicación*, que se presenta cuando una molécula de azúcar se adhiere a una proteína como el colágeno. Se trata de uno de los efectos más negativos y citotóxicos (venenosos para la célula) del consumo de azúcar, hidrofluorocarbonos, diversos edulcorantes y alimentos almidonados que se transforman rápidamente en azúcar. La glicación es muy perjudicial para la piel porque ésta tiene un alto contenido de colágeno y los enlaces de proteína y azúcar hacen que éste se torne duro e inflexible. La glicación, también conocida como entrecruzamiento, le da a la piel una apariencia envejecida. Sabemos que con el consumo de suplementos de AAL podemos *prevenir* la adhesión del azúcar al colágeno y, al mismo tiempo, el AAL hace que nuestras células sean más sensibles a la insulina permitiendo que el cuerpo metabolice el azúcar, es decir, que lo queme antes de que se adhiera a las proteínas del cuerpo. Esta acción preventiva es clave porque una vez que el azúcar se adhiere al colágeno, el enlace de proteína-azúcar se convierte en una fábrica dedicada a producir radicales libres y químicos antinflamatorios. El AAL no sólo evita el envejecimiento acelerado de la piel protegiéndonos de los efectos tóxicos del azúcar, sino que también acaba con las reacciones proinflamatorias. Contrariamente a lo que pensaban los científicos, ahora hay evidencia de que, bajo ciertas condiciones, el AAL puede *revertir* la glicación existente.

La primera vez que escribí acerca del AAL fue a mediados de la década de los noventa, y desde entonces han aparecido estudios que revelan lo importante que es el para las mujeres tanto como suplemento dietético como en su aplicación tópica.

Éster de Vitamina C: Regenerador del Tejido Conectivo

El éster de la vitamina C es una forma no irritante de esta vitamina, es un reconocido antioxidante que tiene grandes propiedades antinflamatorias. Al igual que sucede con el AAL y el dimetilaminoetanol

(DMAE; ver más adelante), he descubierto en mis estudios que los efectos del ascorbil palmitato (éster de vitamina C) en la piel en proceso de envejecimiento son dramáticos. Cuando encontramos que en la dermis hay un alto nivel de esta forma de la vitamina C soluble en grasa, aumentan los niveles tanto del colágeno como de la elastina. Esto genera una apariencia más juvenil revirtiendo el adelgazamiento de la piel que es parte del proceso natural de envejecimiento cuando ésta se ha visto expuesta a los rayos dañinos del sol. El éster de vitamina C es muy estable (a diferencia del ácido ascórbico, la forma inestable, irritante y soluble en agua de la vitamina C) y conserva su eficacia durante largos periodos de tiempo. El hecho de que sea soluble en agua hace que penetre rápida y fácilmente en la piel, conservando los niveles terapéuticos de vitamina C que se necesitan para activar la producción de colágeno y elastina por parte de los fibroblastos (células que

El Silicón como Suavizante de Arrugas

Como vimos en el capítulo 3, "Reforzando nuestra estructura de apoyo", el silicón es un material traza del tejido conectivo. Una forma de silicón conocida como ácido ortosílico estabilizado con colina (CH-Osa) refuerza el efecto en los huesos tanto del calcio como de la vitamina D. Además, se ha observado en estudios con animales que el colágeno de la piel tipo I mejora después de consumir suplementos con CH-Osa. De manera similar, un informe sobre un estudio clínico presentado en el encuentro anual del año 2005 de la American Academy of Dermatology confirma que el CH-Osa también ayuda a disminuir la aparición de arrugas y mejora la elasticidad de la piel. Estos resultados en los parámetros de la piel se deben, probablemente, a la regeneración de fibras dañadas de colágeno o a la síntesis de nuevas fibras. En resumen, son estimulantes que nos animan a seguir adelante.

forman el tejido conectivo). Si además de colágeno y elastina añadimos vitamina C a las fórmulas que contienen DMAE, los efectos son aún mayores.

DMAE: ANTIOXIDANTE ESTABILIZADOR CELULAR

El DMAE es un precursor del neurotransmisor acetilcolina (ACh) y es una sustancia nutritiva con poderosas propiedades antinflamatorias. El ACh es un neurotransmisor que desempeña una función impor-

DONDE LA CIENCIA Y EL ARTE SE ENCUENTRAN: LA MAGIA DE LOS FULLERENES

Para revertir el envejecimiento contamos con la potente capacidad de los antioxidantes, además de la terapia de luz y la electroestimulación muscular (EEM), también contamos, por primera vez, con sistemas de distribución propios. El sistema de distribución depende de los *fullerenes* (nombre patentado por el doctor Perricone) que deben su nombre a que los 60 átomos que conforman su molécula esférica se asemejan a las cúpulas geodésicas creadas por Buckminster Fuller, más ligeras que el plástico pero más resistentes que el acero. También conocidos como nanobalones, fueron identificados por primera vez por en 1985 por tres científicos que después recibieron el premio Nobel por su descubrimiento. Los fullerenes son bolas de carbón huecas, microscópicas y muy estables que constituyen una importante reserva para la distribución de la tecnología para la piel patentada por Perricone. Los fullerenes distribuyen ingredientes activos que protegen y nutren la piel todo el día. Este sistema revolucionario nos lleva del mundo interesante y transformador de la nanotecnología al de las artes y la ciencia creando fórmulas de alto rendimiento para el cuidado del envejecimiento de la piel.

tante en la memoria. Como suplemento, el DMAE refuerza las funciones cognitivas al mejorar la memoria y la habilidad para resolver problemas. El ACh también es esencial para la comunicación entre nervios y entre nervios y músculos. Para que la contracción de los músculos sea posible, deben recibir un mensaje de los nervios mediante el ACh.

El DMAE y ACh también tienen una función importante en la conservación del tono muscular. A medida que envejecemos, disminuyen nuestros niveles de ACh y el resultado es una menor masa muscular. Como lo expliqué anteriormente, este proceso hace que los músculos se alarguen y relajen en lugar de estar compactos y firmes. A esto se debe la flacidez del rostro y el cuerpo y lo llamamos *pérdida de posición anatómica*. El DMAE, aplicado tópicamente, proporciona niveles ideales de nutrientes al cuerpo para que pueda sintetizar el ACh. Cuando esto sucede, crea esa poderosa capacidad de aumentar el tono de la piel a los pocos minutos de aplicarse.

La manera de mejorar el tono muscular es aumentar los niveles de ACh, y una de las mejores maneras de hacer esto es introduciendo al sistema mayor cantidad de DMAE. Hay cuatro formas de lograr esto, y las cuales funcionan sinérgicamente de manera que garantizan los niveles ideales de DMAE al cuerpo:

- Comer pescado, la única fuente dietética significativa de DMAE.
- Tomar DMAE como suplemento nutricional.
- Aplicar una loción tópica de alta potencia y rápida penetración con DMAE en el rostro todas las mañanas y noches después de la limpieza.
- Hacer ejercicio para tonificar los músculos.

Pero además del DMAE, contamos con nuevas y emocionantes estrategias para aumentar el tono muscular del rostro. Así como el ejercicio conserva al cuerpo firme, tonificado y atractivo del cuello para abajo, resulta que el ejercicio puede hacer lo mismo del cuello para arriba. El tratamiento de eem en la cara permite compactar los músculos alargados y flácidos para generar una apariencia más juvenil, y al mismo tiempo, estimular el flujo sanguíneo hacia el rostro aumentando la circulación y reduciendo la hinchazón y la palidez.

Un Nuevo Concepto en el Rejuvenecimiento Facial: Electroestimulación Muscular

La EEM es un procedimiento para contraer los músculos mediante impulsos eléctricos. Los doctores usan la electroestimulación muscu-

Un Rejuvenecedor Especial para la Piel

Aunque leerán más en detalle sobre esto en el capítulo 6, "Ejercicio para revertir el envejecimiento", es importante que conozcan un nuevo e interesante producto: aceite de orégano. De acuerdo con el doctor Cass Ingram, investigador y autor de veinte libros incluyendo *Natural Cures for Killer Germs* (Remedios naturales para gérmenes asesinos) y *The Cure Is in the Cupboard* (El remedio está en la alacena), el aceite de orégano posee diversas propiedades antimicrobianas. En otras palabras, es un antiséptico natural. Puede ingerirse oralmente para matar a una enorme cantidad de gérmenes, hongos, bacterias y parásitos.

También existe una versión en crema llamada Oreganol P73 Cream, una potente fórmula rejuvenecedora que contiene propóleos (sustancia resinosa que usan las abejas para construir y cuidar las colmenas), aceites esenciales silvestres y miel silvestre. El Oreganol P73 está hecho con los mejores antioxidantes del mundo y se ha demostrado que es un antiséptico eficaz para limpiar la piel y curar padecimientos de la misma, picaduras de insectos, quemaduras, cortaduras, ulceraciones, quemaduras de sol, verrugas y lesiones de la piel. Los mejores resultados se obtienen usando la crema diariamente en el área afectada.

lar en pacientes que necesitan tratamiento para padecimientos como atrofia muscular (pérdida progresiva de masa muscular causada por la reducción en el tamaño o número de las células musculares), para readaptar los músculos, mejorar la movilidad, sustituir articulaciones, entrenamiento para caminar y también para contrarrestar los efectos de derrames cerebrales, lesiones graves o cirugías mayores. El propósito de estos procedimientos es ayudar al paciente a recuperar las funciones musculares que se han visto afectadas.

Pero ¿es posible usar los efectos positivos de la EEM para el rejuvenecimiento facial? Desde hace muchos años tanto mis pacientes como los lectores de mis libros me han preguntado si estas máquinas tienen este efecto, especialmente los aparatos diseñados específicamente para el rostro (muchos de los cuales aparecen en anuncios publicitarios de televisión). Hasta hace relativamente poco tiempo, no podía contestar esa pregunta debido a que no se habían publicado estudios clínicos dermatológicos y yo no contaba con experiencia de primera mano.

En teoría, el concepto tenía sentido. Como lo mencioné anteriormente en este capítulo, los músculos en proceso de envejecimiento tienden a encorvarse como resultado de la reducción en los niveles de ACh, el neurotransmisor encargado de llevar mensajes entre los nervios y los músculos. Pense que si lográbamos que los músculos se contrajeran mediante estimulación eléctrica entonces, con tiempo y paciencia, el músculo comenzaría a acortarse y podríamos recuperar la musculatura redondeada y convexa propia de un rostro joven. Comencé a realizar algunas investigaciones.

ELECTROESTIMULACIÓN MUSCULAR AL RESCATE

En lo que se refiere a aumentar el tamaño de un músculo al punto de alterar su apariencia (como en el caso de bíceps hinchados y abdominales que parecen lavaderos), el consenso es que la EEM no funciona. Sin embargo, estas conclusiones se refieren a músculos de gran tamaño como los de los hombros, brazos, piernas y abdominales. Dado que los músculos de la cara son mucho más pequeños en comparación, me pareció que valía la pena poner a prueba el concepto.

Adquirí toda una cantidad de estos sencillos aparatos a una compañía cuyo representante aparecía en un anuncio de la televisión. Después les pedí a varios pacientes que los usaran, siguiendo las instrucciones, durante un periodo de ocho semanas para ver si estas máquinas realmente mejoraban la musculatura facial. Aunque estuvieron totalmente dispuestos, el proceso resulto algo tedioso, dado que primero tenían que trabajar un lado del rostro y después el otro. Fue una labor lenta, pero sí se notó cierta mejoría. Esto me hizo pensar que podía hacer el intento con dos diferentes fórmulas tópicas junto con el EEM para reforzar los efectos. La primera loción era una combinación de DMAE tópica con AAL. Para la segunda loción usé una receta de DMAE con éster de vitamina C.

Con la Suavidad de un Guante

Estaba decidido a inventar un aparato de mejor calidad que fuera fácil de usar y que rindiera resultados significativos en un tiempo adecuado. Desarrollé un aparato formado por dos guantes (uno para cada mano) conectados a una fuente de poder. Coloqué unos electrodos en los primeros dos dedos de cada guante, permitiendo que los pacientes pudieran aplicar el tratamiento a ambos lados de la cara simultáneamente. Esta sincronía resulto muy beneficiosa y superior al aparato original que había que sostener con una mano. Otros beneficios fueron:

- La reducción de la sesión a la mitad de tiempo.
- Permitir que los músculos faciales correspondientes de ambos lados de la cara estuvieran en sincronía y trabajaran al mismo tiempo logrando mejor contracción y levantamiento.
- Permitir al usuario conocer los puntos de presión más adecuados para lograr la contracción muscular.

Mi siguiente paso fue producir una serie de prototipos del aparato con guantes y distribuirlos entre los pacientes. También les di la loción tópica ya fuera con DMAE y AAL o con DMAE y éster de vitamina C, junto con instrucciones para que se la aplicaran dos veces al día. Los ejercicios de estimulación muscular tenían que hacerse aproximadamente cinco o seis días a la semana. Mi objetivo era obtener mejores resultados y efectos clínicos, y no resulté decepcionada.

Con el paso de las semanas, los efectos de la combinación de EEM y DMAE se reforzaron y pude darme cuenta de que el paciente ahora contaba con los instrumentos, literalmente los tenía en sus manos, para mejorar la apariencia simétrica de su rostro. Con la EEM es posible ejercitar ambos lados del rostro al mismo tiempo, o un lado si se prefiere. Esta flexibilidad tiene la ventaja de ayudar a restaurar y crear algo que la mayoría de las personas no ven: simetría facial.

Muchas supermodelos, actores y celebridades son famosos, justamente, por tener rostros perfectos. Pero ¿a qué se debe que sean perfectos? En muchos casos es la apariencia de simetría. En los últimos años, a medida que mi práctica médica se ha extendido, he comenzado a ver rostros hermosos, incluso famosos, regularmente. Yo pensaba que la razón de la legendaria belleza de muchos de ellos se debía a una estructura ósea perfectamente simétrica. Cuando los examiné, descubrí que no era tanto la simetría ósea la causa de su apariencia glamorosa ni una mayor cantidad de masa muscular en el rostro y una sana capa de grasa subcutánea. Era la combinación de ambas características lo que daba a sus rostros las convexidades que típicamente asociamos con un rostro glamoroso.

Pero la mayoría de nosotros no tenemos tanta suerte. A medida que envejecemos, perdemos la convexidad que alguna vez tuvimos. Fue emocionante pensar que podríamos nivelar el campo de juego genético mediante una combinación de DMAE y AAL o éster de vitamina C y EEM, logrando que cualquiera que así lo quisiera pudiera tener mayor masa muscular como la que yo he visto en las "personas bonitas". Aunque la persona promedio no cuenta con una estructura y simetría ósea ideal, no tenemos por qué darnos por vencidos. Podemos compensar y aumentar la simetría desarrollando el músculo de un lado de la cara.

LA HISTORIA DE MÍA

Conocí a Mía en una sesión de fotografía en Los Ángeles. Mía, una excelente y renombrada fotógrafa, contaba con profesionalismo, una cálida personalidad y generoso sentido del humor que convertía lo que generalmente era un proceso laborioso y exhaustivo en todo un suceso agradable. Después de un tiempo de conocernos, Mía me contó que había sido una modelo adolescente muy famosa durante la década de 1980. Sin embargo, debido al paso de los años y la obsesión mediática con la juventud, se sintió más cómoda detrás que enfrente de la cámara.

Artista en todo el sentido de la palabra, Mía comprendía los efectos de la iluminación y los ángulos al fotografiar un rostro. Como resultado, sus fotografías eran evocadoras, glamorosas, imponentes y muy halagadoras, en el estilo de los grandes fotógrafos de Hollywood de las décadas de 1930 y 1940. Conforme comentábamos sobre los planos y las convexidades de los rostros, Mía, algo pensativa me pregunto: "Doctor Perricone, ¿hay alguna manera de tens ar una cara flácida sin el uso de cirugía invasiva?". Le explique que yo justamente estaba investigando esa cuestión. "Avísame si necesitas voluntarios" me contestó Mía.

Ahora era el turno de Mía de sentarse bajo los reflectores mientras yo examinaba su rostro. Mía había nacido con una fuerte estructura ósea e, incluso a los 42 años de edad, aún poseía una capa sana y atractiva de grasa subcutánea. Sin embargo, la línea de la mandíbula y la zona debajo de las mejillas, llamada quijada, comenzaba a caerse. Mía parecía una candidata perfecta para probar el guante eléctrico. Yo tenía la esperanza de que, después de un tiempo de aplicación, sería posible levantar la zona debajo de las mejillas acabando con la flacidez y levantando la zona de las cejas para obtener una mirada más abierta y menos oscura. También quería fortalecer, estirar y tonificar el área debajo de la barbilla y a lo largo de la línea de la mandíbula.

El Régimen de Ejercicios de Mía

El rostro de Mía tendía a ser delgado. Para obtener los mejores resultados, era necesario cumplir con dos objetivos. Primero, levantar los músculos caídos y, segundo, aumentar la cantidad de masa muscular del rostro. Contrario a lo que comúnmente se piensa, un rostro glamoroso se debe no a la estructura ósea sino a la masa muscular que genera atractivos contrastes entre músculos redondeados y huecos profundos. Le aconsejé a Mía que pusiera especial atención en la zona de las mejillas para crear esa imagen redonda similar a las manzanas. Además, el lado izquierdo del rostro de Mía, tenía menos tono y más caída que el lado derecho. Le recomendé que primero ejercitara cada grupo de músculos durante sesenta segundos y que agregara treinta segundos al lado izquierdo para corregir la asimetría de su cara. Después de realizar tres minutos de ejercicio en cada lado, acabó por añadir un minuto más al lado izquierdo.

El Régimen de Lociones Tópicas de Mía

El tono de piel de Mía tendía a ser oscuro y, como muchos de los jóvenes de su generación, había pasado muchos veranos en la playa bajo los candentes rayos del sol. Como resultado, su piel tenía rastros de daño causado por éstos, incluyendo irritación, tono desigual de la piel y una textura algo rígida.

Le di a Mía la loción de DMAE con AAL para que se la aplicara en las mañanas después de su sesión con EEM. También le di una crema para el contorno de los ojos que contenía una combinación de DMAE y éster de vitamina C según describo más adelante. Esta combinación para el ojo fue un paso importante para restaurar el tono, reducir la hinchazón y los círculos oscuros, y engrosar la delicada y translúcida piel que rodea al ojo y al mismo tiempo reducir la apariencia de líneas finas, arrugas y patas de gallo.

Mía tenía que aplicarse la crema de DMAE -éster de vitamina C en su rostro, cuello y garganta todas las tardes. Le sugerí que cumpliera cabalmente con el programa, que siguiera una dieta antinflamatoria, durmiera y se hidratara lo necesario. Hicimos una cita para evaluar los resultados primero en cuatro semanas y, luego, cuatro semanas después.

Pude observar, en las primeras semanas, mayor brillo en su cara debido a la propiedad del AAL de aumentar el flujo sanguíneo y la circulación. También observé que disminuía la caída de la zona superior e inferior de las mejillas, la línea de la quijada y el párpado superior. Estaba convencido de que la mejoría en apariencia en lo que se refiere a contracción, firmeza y tono de la piel era mayor que si sólo se hubiera usado DMAE. También me dio gusto ver que la zona superior de sus ojos estaba recuperando tono y afinando el contorno: sus ojos parecían abrirse a medida que la frente se levantaba y afirmaba el párpado superior, eliminando la apariencia escondida del ojo. Además de fortalecer, tonificar y levantar, noté gran mejoría en la superficie de la piel, mayor brillo y claridad y menor hinchazón.

Estos resultados sobrepasaban por mucho los obtenidos con los aparatos de EEM que probé primero. También puede ver que la EEM fortalecía los efectos antinflamatorios tanto de las fórmulas tópicas como de la EEM. La electroestimulación también parecía ser la responsable de que la piel se viera más rellena y juvenil. Esto fue todo un descubrimiento porque una de las propiedades más importantes del éster de vitamina C es su capacidad para engrosar la piel atrófica o delgada, y eso obviamente se había visto reforzado por la EEM. El éster de vitamina C también daba a la piel una apariencia similar a la de la porcelana, dada su capacidad de reparación y de reconstruir el colágeno natural, los resultados se extendían al tono, la textura y elasticidad de la piel.

La complexión de Mía se transformó de pálida, opaca e hinchada a radiante y vibrante gracias a la capacidad del AAL de regular la producción de óxido nítrico que controla el flujo de la sangre hacia la piel. El AAL también hizo que disminuyera el tamaño de los poros y normalizó su piel, eliminando la resequedad y reduciendo las líneas finas y las arrugas.

Al finalizar las ocho semanas pude ver que la apariencia asimétrica del rostro de Mía se estaba normalizando y sus contornos faciales eran menos pronunciados. Motivado por estos resultados, Mía me prometió que seguiría con el régimen de la EEM y, a medida que pasaron los meses, para nuestra felicidad, los beneficios se acrecentaron.

UNA PODEROSA COMBINACIÓN REJUVENECEDORA

Las potentes propiedades para levantar y tonificar del DMAE se deben, en gran medida, a su capacidad de aumentar la producción de glicosaminoglicanos (cadenas de hidratos de carbono presentes en nuestras células), un componente importante del tejido conectivo incluyendo el colágeno y la elastina. Sin embargo, a mí me parecía que estos efectos se estaban reforzando gracias a la EEM. Después de unos meses, noté una gran mejora en la estructura facial, que bien podía ser el resultado de un incremento real en la densidad del hueso causada por la electroestimulación. Se necesitan realizar estudios clínicos para confirmar esta observación.

Aunque la intervención terapéutica con EEM y antioxidantes antinflamatorios como el DMAE-AAL y DMAE-éster de vitamina C está apenas comenzando, todo indica que tiene los siguientes efectos: disminución de arrugas, virtualmente nada de flacidez, levantamiento y contracción del área de los ojos, la frente y la quijada, engrosamiento de la dermis y aumento de la masa muscular, lo que provoca la reaparición de las convexidades asociadas con un rostro juvenil.

Fue satisfactorio saber que las combinaciones de DMAE-EEM fueron las más provechosas y las que obtuvieron mejores resultados que cuando se usaron de forma independiente. Sin embargo, es importante recordar que, como con todo régimen de ejercicios, la consistencia desempeña una función importante. Pueden pasar décadas antes de que nuestros rostros y músculos empiecen a perder tono y elasticidad, por lo que quizá un tratamiento natural no logrará los resultados deseados. Pero lo que ahora resulta emocionante es que contamos con los medios para aumentar naturalmente el tono, disminuir la flacidez y, al mismo tiempo, obtener mayor masa muscular, rejuveneciendo y fortaleciendo las convexidades y los contornos naturales de un rostro joven y atractivo.

Terapia con Luz: La Tecnología de Mañana, Ahora

Los dermatólogos han usado desde hace muchos años la luz para tratar toda una diversidad de enfermedades de la piel. La psoriasis y otras formas de eczema casi desaparecen cuando se exponen a los rayos del sol. Ciertas formas de cáncer también son tratadas con una combinación de luz UV y psoralenos (medicamentos dermatológicos), químicos fotosensibles que se administran oral o tópicamente para aumentar la reacción de la piel a la luz que recibe como tratamiento terapéutico. Ahora, la terapia con luz, también conocida como fototerapia está resurgiendo como un tratamiento importante para la piel envejecida y las enfermedades inflamatorias de la piel como el acné.

Un estudio presentado en la publicación *British Journal of Dermatology* hizo una evaluación del uso de la luz azul y la combinación de luz azul y roja en el tratamiento del acné vulgaris (la forma más usual del acné). Ciento siete pacientes que padecían acné vulgaris desde suave a moderado fueron divididos aleatoriamente en cuatro grupos de tratamiento: luz azul, combinación de luz azul y roja, luz blanca fría, y crema con 5% de peróxido de benzol. Después de doce semanas de tratamiento activo, se logró obtener una media en la mejora de 76% en las lesiones inflamatorias mediante la combinación de fototerapia con luz azul y roja; esto fue sustancialmente superior a lo que se había conseguido con el solo uso de la luz azul, el peróxido de benzol o la luz blanca. Los investigadores concluyeron que la fototerapia con luz azul y roja (probablemente debido a la combinación de acciones antibacteriales y antinflamatorias) era el medio más eficaz para tratar el acné vulgaris sin efectos adversos de largo plazo. Esta información es estimulante porque en la raíz tanto del acné como de los signos de envejecimiento se encuentra la inflamación.

Un Poco de Luz: Terapia con Luz no Láser

Aunque la terapia con láser es, probablemente, la forma más conocida de terapia con luz, el láser causa cierta cantidad de destrucción en los tejidos. Después del tratamiento con láser, los pacientes pueden tener una reacción inflamatoria que dura desde semanas hasta meses, acelerando el proceso de envejecimiento. Un objetivo importante en mis investigaciones ha sido la aplicación de terapia de luz no láser para mejorar la piel y prevenir el envejecimiento.

Con este fin en mente diseñé un aparato de luz que tiene propiedades antinflamatorias que trata y repara la piel dañada y envejecida, tanto para uso clínico como cosmético.

He enseñado que hay una íntima relación entre la inflamación de la piel y el envejecimiento. De hecho, están tan entrelazados que se ha descrito dermatológicamente al envejecimiento como *afección inflamatoria crónica de bajo nivel*. Como sabemos, tanto la inflamación como el envejecimiento empiezan, en parte, con el daño causado por los radicales libres, principalmente dentro de la membrana celular. Casi todo el capítulo 1, "Rejuvenecimiento celular", está dedicado a las metodologías que permiten detener el daño causado por los radicales libres en la célula y a revertir el daño que ya se ha hecho. El problema es que el metabolismo normal, la exposición a los rayos UV del sol, a otras formas de ionización y radiación no ionizante, los factores ambientales como la contaminación o la exposición a químicos tanto en el hogar como en el trabajo, y fuentes de estrés como infecciones o ejercicio en extremo, son todos generadores de múltiples tipos de radicales libres. De hecho, resulta casi imposible evitar los radicales libres. Para empeorar las cosas, los sistemas de defensa endógenos antioxidantes se ven rápidamente abrumados debido a los ataques constantes.

Esto significa que los científicos se encuentran realizando una búsqueda constante por nuevos y mejores antioxidantes antinflamatorios. Por suerte, el resultado terapéutico obtenido con el uso de la terapia de luz está abriendo puertas a una nueva categoría de opciones para revertir el envejecimiento.

La Conexión con el Arco Iris

Aunque la luz visible del sol es una mezcla de todos los colores del espectro, la apariencia en color es casi blanca. Cuando el aire dobla los rayos de luz se crea un arco iris, provocando que las diferentes longitudes de onda de la luz sean visibles. Los investigadores están descubriendo que las diferentes longitudes de onda de la luz tienen efectos terapéuticos en la piel. Por ejemplo, cuando la luz azul, que se caracteriza por una longitud de onda de 400 a 500 nanómetros, se aplica a la piel bajo ciertas frecuencias periodos de tiempo e intensidad, se observa una mejora clínica y la piel tiene una apariencia más suave. Esta luz azul también tiene efectos antinflamatorios.

En mis investigaciones hice un sorprendente descubrimiento: la luz ultravioleta visible de longitud de onda corta, que es la longitud de onda que no suele penetrar bien en la piel, puede generar suavidad y brillo a la superficie de la piel creando una apariencia llena de vitalidad y saludable. También puede remediar el eritema (enrojecimiento o inflamación en la piel debido a la dilatación capilar) causado por los efectos de los rayos UV del sol.

Existen estudios científicos que han demostrado que una ligera radiación en la piel y otros tejidos puede aumentar el crecimiento y la proliferación de células y acelerar la curación de heridas y de injertos en la piel. Esto es importante porque el resultado final del envejecimiento de la piel es que mientras las células individuales se agrandan, el número total de células disminuye en por lo menos 30%. El resultado es la pérdida de regularidad en la estructura de los tejidos. Otros beneficios de este tratamiento con luz es el control de infecciones causadas por bacterias y el tratamiento de tejido neoplásico (transformación de células normales en células cancerígenas), pigmentaciones (incluyendo tatuajes), psoriasis y, como hemos mencionado, el acné.

Para aprovechar mejor estos efectos, fabriqué una máscara delgada, flexible formada por diodos emisores de luz (LED por sus siglas en inglés) para aplicarse directamente sobre la piel envejecida, dañada o manchada del cuello o rostro. Los resultados han sido muy favorables y he visto que la terapia de luz visible para el tratamiento de la piel envejecida (o con acné) es una solución tecnológicamente avanzada, segura y efectiva para solucionar toda una diversidad de problemas de la piel. Antes de este desarrollo tecnológico, estos padecimientos sólo se podían tratar con terapias invasivas y muy costosas o con medicamentos muy potentes cuyos efectos colaterales son potencialmente peligrosos. Esta terapia antinflamatoria tiene efectos tanto a corto como a largo plazo en contra del envejecimiento, ayudando a revertir muchos signos del mismo y curando muchas lesiones causadas por el acné. La terapia de luz promete mejorar significativamente la piel, tanto del rostro como del cuerpo, para hacerla más juvenil, radiante, clara, limpia y saludable.

AGENTES PARA ABRILLANTAR LA PIEL

Uno de los problemas de los que más se quejan mis pacientes, en particular las mujeres, es el oscurecimiento de la piel, especialmente de la frente, las mejillas y la barbilla que se presenta con el paso de los años. Esta condición se conoce como melasma. Aunque puede afectar a cualquiera, el melasma se presenta con mayor frecuencia en mujeres, especialmente mujeres embarazadas y las que toman anticonceptivos orales o medicamentos para la terapia de remplazo hormonal. Cuando el melasma se presenta en mujeres embarazadas, se conoce como cloasma o manchas del embarazo. Le sucede a casi la mitad de todas las mujeres durante el embarazo. El color marrón suele desaparecer en el invierno y empeorar en el verano. De hecho, los rayos del sol son un factor preponderante en el desarrollo del melasma.

Los tratamientos que se usan en la actualidad para combatir el melasma consisten en la aplicación tópica de agentes blanqueadores como la hidroquinona, el Retin-A y el ácido kojic. Estas terapias no son del todo satisfactorias porque requieren de periodos relativamente largos de tratamiento y no son totalmente efectivos.

Sin embargo, no sólo las personas que padecen de melasma necesitan un abrillantador de la piel. La piel asiática a veces se caracteriza por falta de brillo. Y muchos de mis pacientes asiáticos están en constante búsqueda de agentes blanqueadores. Muchos de mis pacientes de piel oscura también sufren de manchas negras en caso de tener cualquier tipo de inflamación en la piel. El AAL tópico ha sido de gran ayuda para muchos de estos pacientes dada su potente capacidad antinflamatoria; pero para resolver el problema necesitamos algo más fuerte.

ÁCIDO TETRÓNICO

Desde que escribí por primera vez acerca del ácido tetrónico en *The Perricone Prescription* han salido a la luz nuevas investigaciones que han superado por mucho mis mejores expectativas. Creía y creo que el ácido tetrónico sería un agente clarificador efectivo para la piel. El ácido tetrónico no es tóxico y es menos irritante que muchos otros agentes.

He encontrado que las moléculas derivadas del ácido tetrónico son significativamente más poderosas en cuanto a su habilidad para proteger a la célula. Al trabajar con estas moléculas derivadas, pude desarrollar un tipo totalmente novedoso de clarificador de la piel; uno que tenía poder tanto antioxidante como antinflamatorio. Éste es un gran paso hacia nuestro propósito de estabilizar la membrana celular y evitar la producción de químicos inflamatorios que provocan la aparición de radicales libres.

Esta forma de ácido tetrónico ha sido puesta a prueba y ha demostrado que posee un gran potencial para reducir la pigmentación en la piel, incluyendo las manchas causadas por el sol, las tonalidades desiguales y el melasma. Estos resultados positivos pueden verse a los treinta minutos de aplicarse. Los tratamientos que se realizan en la actualidad como la hidroquinona y el ácido kojic requieren de meses de uso antes de que se observe algún resultado y éstos son realmente limitados.

Esta nueva molécula antienvejecimiento y antinflamatoria ofrece mejores resultados en menos de una hora: lo que la convierte en el clarificante de acción más rápida que se conoce hasta la fecha.

5

Sexo para toda la Vida

Recuperar y conservar la sexualidad en la mediana edad y más adelante siempre ha sido una preocupación, pero nunca había merecido tanta atención como ha tenido desde la aparición del viagra a mediados de la década de 1990. Por razones obvias, todos queremos recuperar o conservar una buena vida sexual. Pero resulta que el buen sexo es un arma de dos filos. Si gozamos de un buen estado de salud, hay mayor posibilidad de que disfrutemos de mejor sexo. Lo que es más, resulta que tener una sexualidad saludable y robusta tiene múltiples efectos en la salud y beneficios potenciales para la longevidad. Un artículo, cuyo objetivo era educar a los consumidores de la industria, publicado por la Biblioteca Katherine Dexter McCormick y Planned Parenthood Federation of America (disponible en www.plannedparenthood.org) sostiene lo que muchos de nosotros ya sabíamos intuitivamente: la actividad sexual puede enriquecer nuestro bienestar de muchas maneras como generar sensación de felicidad, enriquecer el sistema inmunológico, motivar la longevidad y aliviar el dolor y mejorar la salud reproductiva. Existen estudios que sugieren que la sexualidad puede estar relacionada con la reducción del riesgo de padecer dos causas principales de mortalidad en Estados Unidos: las enfermedades del corazón y el cáncer.

Así llegamos al *secreto 5: una robusta vida sexual fortalece la salud celular.*

Más Sexo, Más Vida

Un interesante estudio realizado durante diez años después de la aparición del artículo antes mencionado y llevado a cabo en Caerphilly, Gales del Sur, examinó la relación entre la frecuencia del orgasmo y la mortalidad. De 1979 a 1983, 918 hombres entre los 45 y 59 años de edad participaron en el estudio. Los hombres fueron examinados médicamente, se les realizó su historial médico y un estudio de sus signos vitales, además de análisis con electrocardiogramas y de colesterol.

A los diez años, se descubrió que el riesgo de mortalidad era 50% menor en los hombres que habían tenido orgasmos con mayor frecuencia (definidos en este estudio como dos o más por semana) que entre los hombres que tuvieron menos de uno al mes. Incluso llevando un control de otros factores como edad, clase social, estatus de fumador o no, se descubrió que existía una fuerte y significativa relación estadísticamente inversa entre la frecuencia de los orgasmos y el riesgo de muerte. Los autores de este estudio concluyeron que todo indicaba que la actividad sexual tiene un efecto de protección en la salud de los hombres.

Con estos resultados en mente, se realizó otro estudio, al que hacía referencia el mismo artículo, en el que se supervisó a 252 hombres y mujeres de diferentes razas en Carolina del Norte durante veinticinco años para determinar qué factores eran importantes para determinar la longevidad de las personas. Tres de los factores estudiados fueron la frecuencia de relaciones sexuales, el placer obtenido en los encuentros anteriores y el placer obtenido en los encuentros sexuales actuales. En el caso de los hombres, la frecuencia del encuentro sexual fue un elemento significativo para predecir la longevidad. Aunque no lo fue en el caso de las mujeres, sí ocurrió que las que señalaban que habían tenido placer en relaciones pasadas lograban mayor la longevidad. El placer que se siente en los encuentros sexuales actuales no tuvo ninguna relación con la longevidad ni para mujeres ni para hombres. Estos resultados son muy interesantes. Ya no podemos saber cuál es la causa exacta, sugieren una relación positiva entre las relaciones sexuales y el placer y cuánto tiempo vamos a vivir.

Enfermedades del Corazón e Infartos

Un estudio minucioso del artículo Caerphilly (que sólo se llevó a cabo en hombres) examinó la relación entre la realización del acto sexual y las enfermedades del corazón y los infartos. Los investigadores descubrieron que, aunque ajustaran la edad y otros factores de riesgo, había una relación directa entre las relaciones sexuales frecuentes (dos o más a la semana) y la menor incidencia de padecimientos coronarios. Un examen realizado a los diez años mostró que los hombres que habían tenido relaciones sexuales de frecuencia intermedia o baja, menos de una vez al mes, tenían un índice de incidentes coronarios del doble de los que habían tenido relaciones sexuales con mayor frecuencia. Sin embargo, un estudio sueco que se realizó tanto en hombres como mujeres concluyó que la mortalidad era mayor entre los hombres que habían dejado de tener relaciones sexuales cuando eran jóvenes. No se encontró ninguna relación entre las relaciones sexuales y la mortalidad en las mujeres.

Utilizando métodos similares, otros investigadores descubrieron que las relaciones sexuales frecuentes no tenían como resultado un aumento en el riesgo de padecer infartos. Esto es muy importante porque hay una creencia difundida de que tener relaciones con gran frecuencia puede provocar infartos, afirmación que es falsa.

Otros datos que surgieron del artículo mencionado se refieren a los diversos beneficios del sexo como el que la expresión de la sexualidad puede tener como efecto una reducción en el riesgo de padecer cáncer de mama. Las investigaciones también indican que la actividad sexual y los orgasmos refuerzan el sistema inmunológico en mujeres y hombres.

La salud sexual y reproductiva de las mujeres y los hombres se ve directamente afectada por las experiencias sexuales. Se ha descubierto que la actividad sexual puede tener efectos positivos en:

El bienestar físico general, porque el sexo...

- *Refuerza el sueño,* debido a que el orgasmo provoca un aumento de oxitocina (una hormona mejor conocida por su capacidad para inducir el parto, pero también asociada con las relaciones afectivas humanas) y las endorfinas que funcionan como sedantes.
- *Mejora la condición física* en tanto que quema calorías y grasa. También se ha sugerido que las personas que tienen una vida sexual activa hacen más ejercicio y tienen mejores costumbres dietéticas que los que son menos activos sexualmente.
- *¡Cura las arrugas!* Un estudio realizado a lo largo de diez años y en el que participaron más de 3,500 mujeres y hombres, europeos y estadunidenses, observó los factores relacionados con la apariencia de juventud. Un grupo de jueces observó a los participantes a través de un espejo unilateral y después adivinó las edades de cada sujeto. Los hombres y mujeres cuyas edades habían sido subestimadas por siete a doce años de forma constante fueron etiquetados como "superjóvenes". Entre estos superjóvenes, una característica relacionada con la apariencia de juventud era que tenían una vida sexual activa. En promedio, los participantes superjóvenes decían que tenían relaciones sexuales tres veces a la semana en comparación con el promedio del grupo de control que las tenía dos veces por semana. También se descubrió que los superjóvenes se sentían seguros y a gusto con su identidad sexual.

La salud sexual y reproductiva, porque el sexo...

- Protege de la endometriosis.
- Fortalece la fertilidad.
- Regula el ciclo menstrual.
- Alivia los calambres menstruales.
- Protege de los nacimientos prematuros.
- Ayuda a la salud de la próstata.
- Alivia el dolor crónico.
- Ayuda a aliviar las migrañas.

La salud psicológica, emocional, social y espiritual, porque el sexo...

- Mejora la calidad general de vida.
- Reduce el riesgo de padecer depresiones o de suicidios.
- Disminuye el estrés.
- Aumenta la autoconfianza.
- Fomenta la intimidad.
- Mejora la salud social.
- Fortalece la estabilidad de las relaciones.
- Favorece la espiritualidad.

Más Sexo, Más DHEA

En mis libros anteriores he escrito sobre la hormona dehidroespian-drosterona (DHEA) y su capacidad antienvejecimiento. La DHEA se produce en las glándulas suprarrenales. La hormona se descompone en el cuerpo y se transforma en testosterona y estrógeno tanto en hombres como en mujeres.

Sin embargo, como leerán más adelante en el capítulo 7, "Menos estrés para prolongar la vida", nunca he recomendado que este suplemento se consuma sin instrucciones específicas y sin supervisión de un médico calificado debido a los posibles efectos negativos que puede tener. Según el doctor Ray Sahelian, autor de *DHEA: A Practical Guide*

(DHEA: Una guía práctica) este suplemento puede causar palpitaciones del corazón y latidos irregulares, incluso ataques del corazón.

Por suerte, existe una forma más natural para elevar los niveles de DHEA, que disminuyen con la edad, y es justamente una vida sexual activa. Las investigaciones realizadas en hombres de mediana edad sugieren que existe una relación entre los niveles de DHEA, que se libera durante el orgasmo, y la disminución en el riesgo de padecer enfermedades del corazón. La testosterona, que es una hormona importante para el deseo sexual tanto en hombres como mujeres, también ha mostrado que reduce el riesgo de padecer ataques del corazón y daños a los músculos coronarios en caso de un ataque cardiaco.

En vista de tantos beneficios, es bueno saber que existe una forma natural de conservar una respuesta sexual saludable a medida que envejecemos. Entre las maneras de lograrlo hay muchas estrategias terapéuticas que funcionan como rejuvenecedores de las mitocondrias para mejorar el humor, la capacidad intelectual, fortalecer el sistema inmunológico y mejorar el rendimiento sexual. (No estamos hablando de la toxicidad mitocondrial que acelera el envejecimiento como la que produce el Viagra. Según lo publicó *The New York Times*, en 2005 la FDA aprobó la presentación de una nueva etiqueta en Viagra, Cialis y Levitra, los tres medicamentos más populares para tratar la disfunción eréctil, para advertir a los hombres sobre una posible relación entre estos medicamentos y ciertas formas raras de ceguera.)

Feromonas: ¿El Dulce Aroma del Placer Romántico?

Nuestro sentido del olfato es una función de primordial importancia tanto para el cuerpo como para las emociones. De hecho, asociar los diferentes aromas con una reacción emocional no es asunto de ficción, es una realidad. Esto se debe a que nuestros receptores olfativos están conectados directamente con el sistema límbico, la parte más antigua y primitiva del cerebro, considerada la cuna de las emociones. El sistema límbico es una especie de minicerebro que controla, en gran parte, las emociones y el comportamiento y afecta nuestros sentimientos desde la felicidad hasta la tristeza y desde el amor al odio. También es importante para el aprendizaje y la memoria. El sistema límbico humano no muestra muchas diferencias del de los mamíferos más primitivos; también se cree que es el lugar en el que se originan las respuestas inherentes fundamentales para la supervivencia de la especie.

Los científicos han descubierto que hay dos conjuntos de receptores celulares en la nariz, el conjunto principal detecta los olores más generales. El otro conjunto es considerado una estructura independiente y se conoce como el órgano vomeronasal (VNO por sus siglas en inglés). Aunque se descubrió hace unos tres siglos, su función no se develó sino hasta hace poco. De hecho, era considerado un órgano que había permanecido en los humanos y que, si bien en algún momento tuvo cierta función, perdió utilidad en algún momento de la evolución. Sin embargo, a mediados de la década de 1970, se supo que esta teoría era incorrecta ya que se identificó al VNO como un órgano sensorial productor de feromonas en todos los mamíferos, incluyendo los humanos.

LA CONEXIÓN DE NEUROPÉPTIDOS

Algunas feromonas son sustancias similares a las hormonas capaces de activar los neuropéptidos, que son péptidos (cadenas cortas de aminoácidos) liberadas por las neuronas (células del cerebro) que actúan como mensajeros intercelulares. Todos estos mensajeros son extremadamente importantes. Ahora sabemos que no sólo los neurotransmisores principales como la serotonina, dopamina y norepinefrina, controlan nuestros estados de ánimo y cerebro. Los neurotransmisores realizan una labor de afinación, pero los neuropéptidos, incluyendo la feromonas, realizan una afinación *aún más delicada*. Esta extensa red formada por los sistemas endocrino y nervioso controla el ritmo en el que envejece nuestro cerebro, nuestra piel y nuestros sistemas orgánicos.

A diferencia de las hormonas, que actúan sobre la misma persona, los mensajes químicos de las feromonas se transmiten entre miembros de la misma especie de animales o insectos. Descubiertas por primera vez en 1959, las feromonas se usan para atraer a los miembros del sexo opuesto, para señalar territorios y caminos, y como advertencia. Cada insecto (o animal) posee un complejo de feromonas propio que actúa para estimular a otros individuos de la misma especie con el fin de obtener una o más reacciones de comportamiento.

En los humanos, las feromonas están en la piel. En una serie de experimentos, científicos recolectaron muestras de células de la piel y las colocaron en frascos de laboratorio. Cuando los frascos se destaparon, se descubrió que los trabajadores del laboratorio eran más sociables y cooperativos. Los científicos creyeron que las feromonas estaban teniendo un efecto en su comportamiento. Esto condujo a la realización de muchas investigaciones con las feromonas y se descubrió que activan directamente al VNO, generando toda una diversidad de emociones humanas.

EL IGUAL ATRAE AL IGUAL; LOS OPUESTOS SE ATRAEN

¿Qué es lo que está sucediendo? El complejo principal de histocompatibilidad (MHC por sus siglas en inglés) es un grupo muy importante de genes que controlan varios aspectos de las reacciones inmunológicas. Los productos de estos genes, antígenos histocompatibles (los antígenos son sustancias extrañas que provocan que el sistema inmunológico tenga una reacción específica), se encuentran en todas las células del cuerpo y sirven como señales para distinguir las células "propias" de las células "no propias". Por ejemplo, si recibimos un trasplante de órgano, nuestro MHC identifica algo extraño y lo rechaza. Una de las claves para lograr trasplantes de órganos satisfactorios es la supresión del MHC.

Estudios realizados en ratones indican que los ratones viven con otros ratones que tienen genes compatibles con sus MHC porque se sienten seguros. Sin embargo, una vez que los ratones llegan a la pubertad, sienten el deseo de cruzarse con ratones que tengan un MHC muy distinto al suyo. La lógica es obvia: al cruzarse con parejas cuyo MHC es diferente al propio, creamos una mayor diversidad genética.

Claus Wedekind realizó en Suiza un estudio en el que participaron 44 hombres y 49 mujeres. Los hombres recibieron camisetas y se les dijo que las tenían que usar mientras dormían durante dos noches consecutivas para asegurarse de que las camisetas se saturaran de feromonas. También se les dio jabón sin fragancias y otros materiales para la limpieza corporal.

Al final del experimento, las camisetas fueron puestas en una caja y calificadas por mujeres según el aroma: agradable o desagradable. Se llenaron varias cajas con camisetas limpias como control del experimento. Las mujeres prefirieron los aromas de las camisetas que habían usado hombres que tenían un MHC diferente al suyo. Muchas de ellas comentaron que los aromas les recordaban a sus novios o esposos.

Otra observación interesante se realizó cuando se pusieron feromonas en el labio superior de mujeres que llegaban a la mediana edad y cuyo deseo sexual estaba disminuyendo. No sólo revivió su libido sino que también mejoró la sensación de bienestar y autoestima. Las mujeres que tendían a sufrir ataques de pánico informaron que sufrieron menos ataques. Se realizó otro estudio doble ciego (en el que ni el sujeto ni el experimentador están al tanto de la información) con veinte mujeres en el que cada una recibió un tratamiento de feromonas tres veces durante una semana. Todas las participantes declararon que habían aumentado sus contactos sexuales con sus compañeros. Estudios similares realizados con hombres también dieron como resultado un aumento en las relaciones sexuales cuando se habían visto expuestos a las feromonas.

A medida que creció el interés en las feromonas, el programa de televisión *ABC News* realizó una prueba informal con feromonas humanas sintéticas. Eligieron dos grupos de gemelos idénticos; un conjunto era masculino y el otro femenino. A un gemelo de cada sexo se le roció con feromonas sin aroma. Al otro gemelo se le roció con aroma de avellana pero sin feromonas.

Nos trasladamos rápidamente a un bar para solteros de Manhattan. Al llegar, se les pidió a los gemelos que se separaran y fueran a distintas zonas del bar. También se les dijo que no propiciaran ningún encuentro con miembros del sexo opuesto. Lo interesante fue que los gemelos recibieron la misma atención de las mujeres del bar, sin importar qué gemelo portaba feromonas.

Pero la historia fue distinta con las gemelas. La gemela que no portaba feromonas resulto ser muy popular, once hombres se le acercaron. Sin embargo, la gemela que sí portaba feromonas fue asediada por treinta hombres, casi el triple de la cantidad que se había acercado a su gemela idéntica. Aunque parece ser que las feromonas acrecientan la atracción sexual de una persona, también fortalecen su confianza, haciéndola sentir más atractiva y por lo tanto aumentando su atracción a los demás. La historia de Morgan es una ilustración clara de los beneficios de las feromonas cuando forman parte de una fragancia que contiene abundantes esencias botánicas terapéuticas.

Sembrando las Semillas para la Salud Sexual

Desde hace miles de años los pueblos indígenas han contado con las plantas nativas para alimentarse, protegerse y como medicina: (casi todas nuestras necesidades básicas). Así que no tiene que sorprendernos que también exista una larga historia del uso de las plantas para la salud sexual.

Desafortunadamente el mundo de la botánica y sus propiedades curativas y restaurativas no ha sido estudiado con suficiente atención en Estados Unidos. Es posible que esto se deba a que muchos estadunidenses han perdido el contacto con esas antiguas culturas cuya conexión con las plantas garantizaba su supervivencia, sin ignorar a nuestros indígenas estadunidenses. También existe la consideración de un factor financiero: las compañías farmacéuticas son negocios muy lucrativos, mientras que la venta de hierbas y plantas no lo es. Por suerte, existen muchos expertos en botánica internacionalmente reconocidos en otros países y continentes, que se dedican a realizar investigaciones para fundamentar miles de años de historia y leyendas. Chris Kilham,

La historia de Morgan

Morgan era una banquera inversionista muy poderosa que trabajaba en Nueva York, siguiendo los pasos de su padre y su abuelo. A los 42 años de edad, ella se encontraba en la cima de su trabajo y lograba superar a la mayoría de sus compañeros.

Sin embargo, como suele ser en estos casos, el éxito monetario y profesional tenía un precio. Morgan estaba exhausta y, peor aún, se dio cuenta de que estaba perdiendo el interés tanto en su vida profesional como privada.

Morgan formaba parte activa del circuito de caridad y recaudadores de fondos, y fue en uno de estos acontecimientos que me encontré sentado a su lado. "Desde hace tiempo soy seguidora de sus libros y programas de televisión", me dijo Morgan después de que nos presentó un amigo y colega mutuo. "De hecho —añadió— he estado releyendo sus libros en un intento por recargar mis baterías." Me confesó que todos los años se realizaba un estudio médico y que sabía que no tenía ningún problema de salud. Le di mis números telefónicos y le dije que hiciera una cita. Al menos la pondría en un programa nutricional adecuado, incluyendo suplementos que rápidamente aumentarían su energía.

Varias semanas después hacía su historial clínico y ella me explicaba su problema con gran detalle: "No sé si mi problema es mental, emocional o físico. Simplemente no me entusiasma nada, ni el trabajo ni la diversión. Me temo que también me estoy alejando de mi esposo. Solíamos disfrutar el tiempo que pasábamos juntos. Tenemos horarios tan exigentes que cada vez que nos reuníamos parecía que se trataba de una cita especial, incluso después de diez años de matrimonio. Pero últimamente me doy cuenta de que me estoy alejando emocionalmente de él y evito todo tipo de intimidad."

Morgan no fue la primera paciente que he tenido que sufría de un mal generalizado y de pérdida de libido. De hecho, me daba la impresión de que era la candidata ideal para usar una fragancia de neuropéptidos que yo mismo había formulado. La fórmula consistía en una combinación de feromonas y aceites aromáticos de especies y plantas. Le dije a Morgan que se colocara la fragancia en los lugares de su pulso como lo haría con cualquier perfume. Luego, le dije que se pusiera una o dos gotas arriba de su labio superior. Y es aquí donde termina toda posible relación con el "perfume" normal. Esta última aplicación garantizaría que la fragancia llegara a sus receptores olfativos, el camino directo a la parte límbica de su cerebro.

Morgan se fue con un frasco de la fragancia de neuropéptidos y con la instrucción de contactarme en dos semanas. Estaba ansioso por conocer su progreso dado que los resultados anteriores habían sido muy prometedores. Sin embargo, realmente me sorprendí cuando vi el nombre de Morgan en mi agenda de citas para tan sólo cinco días después.

"Doctor Perricone no podía esperar más para agradecerle —me dijo Morgan mientras entraba emocionada al consultorio—; tengo que admitir que me apliqué esta fragancia con gran escepticismo, pero desde entonces estoy convencida de que es casi milagrosa."

Después de nuestra primera cita Morgan se había ido a su casa para arreglarse y salir con su esposo esa noche. Como le había indicado, se aplicó la fragancia de neuropéptidos. Unos veinte minutos después, apenas Morgan se sentaba a la mesa, sintió una oleada de bienestar. "Fue la mejor velada que he tenido en años —me dijo— y no sólo se debió a la grandiosa botella de champagne. Me sentí como si estuviera en mi primera cita romántica. Nuestra conversación era alegre y no dejamos de reírnos durante toda la noche. Nunca me había sentido tan segura o atractiva. Tengo que admitir que llegué a coquetear con mi esposo, ¡después de una década de matrimonio!"

Lo mejor fue la renovación de amor e intimidad que compartieron más tarde. "Ha sido un torbellino toda la semana —agregó—, me volví a poner la fragancia de neuropéptidos la mañana siguiente, antes de salir rumbo a la oficina, y para cuando llegué sentía que la euforia de la noche anterior volvía a aparecer. Sabía que tendría un día ocupado pero remunerativo y lo visualizaba con anticipación; en mi mente había claridad total y pude manejar toda una serie de dificultades que antes me habrían parecido irresolubles." Se rió y me dijo: "También me di cuenta de que mis colegas masculinos fueron especialmente atentos, ¡mucho más de lo normal!".

Muchos de mis pacientes me han contado historias similares de sus experiencias con la fragancia de feromonas y neuropéptidos. La buena noticia es que no se trata sólo de mejorar el humor y la libido, por muy importantes que éstos sean. La combinación correcta de feromonas y botánica puede fortalecer la memoria y la claridad mental, aliviar la depresión, aumentar la autoconfianza y hacernos más atractivos al sexo opuesto. Además, debido a que la parte límbica del cerebro controla las funciones autónomas del cuerpo, estas fragancias también pueden reducir la presión sanguínea, aumentar el flujo de sangre al cerebro (eliminando la confusión que suele afectar a las personas mayores), fortalecer las destrezas para resolver problemas, reducir los niveles de las hormonas del estrés como el cortisol y la adrenalina, y realmente retardar el proceso de envejecimiento. Son, en particular, las mujeres las que informan que los hombres se han vuelto más atentos y amables. Esto no debe ser una sorpresa ya que, como es bien sabido en los círculos científicos, los diversos olores desempeñan una función importante en la biología reproductiva de los mamíferos.

Por desgracia, no podemos dejar de envejecer y de perder muchos de los incentivos y las motivaciones que nos guiaban cuando éramos jóvenes. Por fortuna, con la ayuda de los neuropéptidos y las feromonas y con la combinación correcta de fragancias rejuvenecedoras, podemos recuperar nuestra libido y el maravilloso gusto por la vida que es esencial para la juventud.

un explorador que trabaja en la University of Massachusetts Amherst, ha viajado por el mundo buscando a estos expertos y conociendo las plantas más seguras y eficaces. Él las reseña en su libro *Hot Plants* (Plantas calientes). A continuación, describo tres de los remedios botánicos más investigados. Todos ellos proporcionan beneficios que van más allá de sólo mejorar la sexualidad.

TONGCAT ALI PARA AUMENTAR LOS NIVLES DE TESTOSTERONA

Tongkat ali (*Eurycoma longifolia*), que se traduce como "bastón de Ali", es el nombre popular de un árbol delgado y de mediano tamaño que alcanza los diez metros de altura. Los registros sobre el uso de tongkat ali, planta nativa de Malasia, Burma del sur, Indonesia y Tailandia data desde principios del siglo XVIII.

La raíz de tongkat ali contiene todo un tesoro de fitonutrientes, incluyendo potentes antioxidantes. También posee propiedades anti- virales y capaces de crear la malaria, y ayudan a controlar la presión alta. En una colaboración entre científicos de Malasia e investigado- res farmacéuticos de Estados Unidos se identificó que el tongkat ali tiene un considerable potencial anticancerígeno.

La raíz de tongkat ali acelera la producción de testosterona, la prin- cipal hormona masculina que se produce en los testículos y que es la responsable del desarrollo y la liberación del esperma, de las caracte- rísticas físicas masculinas y del deseo sexual. En los ovarios y las glán- dulas suprarrenales de las mujeres también se producen pequeñas cantidades de testosterona. Los niveles de testosterona comienzan a bajar en los hombres a un ritmo de aproximadamente 2% al año, empezan- do a la edad de 30 años. Para cuando el hombre tiene 45 años apenas tendrá 60% de la testosterona que tenía a los 25, y para los 50 habrá disminuido a 55%. Son varios los factores que intervienen en este pro- ceso. Por ejemplo, el ejercicio, en especial con pesas, aumenta los nive- les de testosterona. Pero, por el contrario, malos hábitos de vida, como fumar y el uso excesivo del alcohol, aceleran el proceso de pérdida.

La disminución en el nivel de testosterona también tiene que ver con la reducción de la masa muscular, bajos niveles de energía y con la sensación de bienestar. Aunque las mujeres poseen niveles más bajos de testosterona desde un principio, éstos también disminuyen con la edad y el resultado es una reducción de la libido y aumento de la grasa corporal.

Todo indica que el tongkat ali aumenta la producción de testoste- rona tanto en hombres como en mujeres lo que puede ayudar a frenar las señales del envejecimiento. Algunos efectos son mayor energía y funcionamiento sexual, reducción de la grasa corporal e incremento del músculo magro y menos riesgo de padecer enfermedades cardio-vasculares.

LO QUE INDICAN LOS ESTUDIOS

Uno de los expertos mundiales en tongkat ali es el doctor Johari Saad, un renombrado investigador de la comunidad científica de Malasia, cuyo campo de especialización es la bioquímica nutricional (el uso de productos naturales en la medicina tradicional). Sus investigaciones han tenido un fuerte impacto en la industria de las hierbas de Malasia, y los diversos reconocimientos que ha recibido son un testimonio del trabajo que ha realizado en el campo de la medicina herbolaria. Asiste continuamente a seminarios nacionales e internacionales sobre medicina herbolaria y ha publicado más de treinta artículos en revistas de bioquímicas, tanto nacionales como internacionales.

El doctor Saad descubrió en los estudios que realizó con animales que el extracto de tongkat ali soluble en agua no sólo aumentaba los niveles de testosterona, de energía y la masa muscular, sino que inhibía la globulina que crea un enlace con la hormona sexual, permitiendo que aumente la cantidad de testosterona libre (la testosterona activa y disponible en el cuerpo) en la sangre.

Otro reconocido investigador que se dedica al estudio del tongkat ali es el doctor Ismail Tambi, director del Specialist Reproductive Human Research Center de la National Population and Family Development Board de Malasia y editor en jefe del *Manual of Sexual and Reproductive Health*. Como uno de los expertos más importantes en salud reproductiva del sureste asiático, el doctor Tambi trabaja tanto con hombres como con mujeres en temas de salud sexual, desórdenes de reproducción y problemas de fertilidad. También es uno de los más destacados expertos en los efectos del extracto de tongkat ali en los humanos.

El doctor Tambi ha realizado investigaciones en hombres y ha descubierto que el tongkat ali aumenta significativamente la producción de testosterona. Al respecto, el doctor Tambi afirma: "Al principio tuve un gran escepticismo sobre usar una planta para alterar los niveles hormonales. Pero al realizar estudios con ella resultó que tenía un gran potencial. En nuestros estudios descubrimos que el extracto de tongkat ali aumentaba considerablemente el nivel de suero de testosterona. Los hombres encontraron que el tongkat ali fortalecía su actividad sexual. Me parece que en casos de disminución de la libido, el extracto de tongkat ali es muy valioso. Yo mismo he visto los resultados y puedo decir que esta planta realmente funciona. Con seguridad también debe reforzar la libido de las mujeres, ya que la testosterona es esencial en el deseo sexual de éstas. Las mujeres de esta cultura han usado el tongkat ali desde hace muchos años."

El doctor Tambi fue el encargado de realizar el estudio PADAM, en el que investigó la deficiencia parcial de andrógenos en hombres. Los niveles de testosterona de todos los participantes aumentaron cuando se les dieron cien miligramos de extracto estándar de tongkat ali al día. De ellos, 99% dijo que había sentido un aumento de la libido, 73% informó mejoría en el funcionamiento sexual y 82% reportó mejoría psicológica en lo relacionado a la sexualidad. El doctor Tambi también informó que mientras el nivel de testosterona disminuye con la edad, el tongkat ali puede aumentar el nivel de esta importante hormona del sexo.

El doctor Saad, el doctor Tambi y otros expertos recomiendan la lectura de las etiquetas en los productos con esta raíz, para asegurarse de que contienen 100 miligramos de tongkat ali concentrado, estandarizado y extraído con agua para hombres y 50 miligramos para mujeres, estandarizado con 225 de glicoproteínas. (Ver la sección de "Referencias" para obtener más información sobre dónde conseguir esta hierba y otras mencionadas en este capítulo).

MACA PARA ENRIQUECER LA FERTILIDAD

Se llama maca a la parte comestible de la planta *lepidium meyenii*, que es originaria del Perú y ha sido tradicionalmente usada por sus pro-

piedades afrodisiacas y fortalecedoras de la fertilidad. La maca sola-
mente crece en las altiplanicies centrales de los Andes del Perú, a alti-
tudes de entre 10,000 y 15,000 pies. Es la única planta crucífera nativa
del Perú (la familia de plantas a la que también pertenecen las coles,
el bok choy, el brócoli, las coles de Bruselas, el kohlrabi, kale, hojas
verdes de mostaza, nabos y la coliflor.) Las crucíferas contienen potentes fitonutrientes anticancerígenos conocidos como indoles y glucosi-
nolatos. De hecho, los estudios de población indican que, gramo por
gramo, las propiedades anticancerígenas de los vegetales crucíferos
son mayores que las de cualquier otra fruta o vegetal, incluyendo alimentos con niveles más altos de antioxidantes.

En general, los indoles y glocosinolatos estimulan a las células y
químicos trasmisores de información (citoquinas) del sistema inmunológico, aceleran las enzimas del hígado que se encargan de eliminar
los elementos cancerígenos del cuerpo, y obstaculizan las enzimas encargadas del desarrollo de tumores, en especial en la mama, hígado, colón,
pulmón, estómago y esófago.

Los peruanos han consumido maca debido a sus propiedades nutricionales y tónicas desde hace más de dos mil años; mucho antes que
la llegada de la civilización inca. Se pensaba que la maca aumentaba
la energía y fertilidad tanto en humanos como animales.

INVESTIGACIONES REVELADORAS

Ahora, en el Perú del siglo XXI, la maca es considerada como un alimento de alto nivel nutritivo y como tal es un ingrediente frecuente
en licuados, pasteles, galletas, mezclas de avena y otros platillos.
Además de los beneficios nutricionales de la maca, su fama se debe a
que fortalece la libido y el funcionamiento sexual. Uno de los investigadores más importantes a nivel mundial de la maca en cuanto a su
capacidad para fortalecer el funcionamiento sexual es el doctor Qun-
Yi Zheng, quien se recibió en ingeniería química en la Universidad
Hunan de China e hizo su doctorado en química orgánica sintética
en la University of Colorado en la ciudad de Boulder. También ha

realizado trabajos posdoctorales como investigador asociado de la Cornell University.

El doctor Zheng es el más destacado experto en cuanto a la estandarización de los extractos botánicos. Tiene en su haber numerosos artículos y publicaciones y trece patentes ya efectivas o en proceso, muchas de ellas relacionadas con su trabajo de enumerar, aislar y clasificar los diversos constituyentes anticancerígenos de productos naturales como el taxol y la artemisina.

El doctor Zheng y su equipo de químicos analíticos de PureWorld Botanicals (ahora Naturex) analizaron la maca para descubrir qué compuestos podían ser los causantes de su reputación para fortalecer la libido, el funcionamiento sexual y la producción general de energía. Descubrieron dos grupos hasta entonces desconocidos de compuestos: los macamides y macaenes. Aunque la presencia de éstos se encuentra en cantidades mínimas, sus efectos son significativos.

Los investigadores realizaron una serie de experimentos controlados en animales cuyos resultados fueron publicados en *Urology*. Los roedores se alimentaron de un extracto de maca conocido como MacaPure, que es un concentrado de macamides y macaenes, mostrando un notable aumento en energía. Los animales también dieron señas de un aumento en su actividad sexual en comparación con animales que no se habían alimentado con el concentrado o en comparación con los que habían recibido una cantidad menor. Otro estudio realizado por el doctor Zheng, y que apareció en la edición de 2002 de las publicaciones de la American Chemical Society, mostró que el MacaPure aumentó significativamente el vigor de los animales estudiados.

A medida que el interés en la maca se extendió, llamó la atención de uno de los etnobotánicos más importantes del mundo, el doctor Michael Balick, vicepresidente, investigador de ciencias botánicas y maestro, director y curador de filoecología del Institute of Economic Botany en el jardín botánico de Nueva York. El doctor Balick trabajó en conjunto con la doctora Roberta A. Lee —directora médica del Continuum Center for Health and Healing del Beth Israel Medical Center de Nueva York, cuyas investigaciones e intereses clínicos incluyen la etnomedicina— para publicar un importante artículo titulado "Maca: from traditional crop to energy and libido stimulant" ("Maca: de un cultivo tradicional a un estimulante de la energía y la libido", véase la sección de "Referencia"). Los dos doctores entrevistaron al doctor Zheng y a la fabricante de MacaPure, Natalie Koether, quien les explicó que no estaban manejando la maca como una fórmula herbolaria equivalente al Viagra, ya que el Viagra tiene un efecto mayor en el funcionamiento mecánico. La maca actúa en la libido, un proceso más natural y con menos posibilidad de tener efectos perjudiciales.

En la actualidad la maca se usa para aumentar la libido, la energía y mejorar el funcionamiento sexual. Muchos doctores, tanto aquí como en Perú, están incorporando a la maca entre sus recetas. El doctor Hugo Malaspina, un cardiólogo que practica la medicina complementaria en Lima, suele recomendar la maca a mujeres con síntomas premenstruales o menopáusicos. El doctor Malaspina cree que hay diferentes plantas medicinales que actúan en los ovarios estimulándolos; piensa que la maca puede *regular* (más que *estimular*) el funcionamiento de los ovarios. El doctor Águila Calderón, exrector de la facultad de medicina de la Universidad Nacional Federico Villarreal de Lima, también receta la maca a sus pacientes. Ha descubierto que es útil en casos de disfunción eréctil, síntomas de la menopausia y en casos de fatiga generalizada. Él ha descubierto que la maca posee elevados niveles de calcio, magnesio y silicio en formas fáciles de absorber lo que hace que sea de gran utilidad para tratar la descalcificación de huesos tanto en niños como en adultos. Para obtener los mejores resultados, asegúrense de que el MacaPure que adquieran tenga 400 miligramos estandarizados con un contenido de 0.6% de macaenes y macamides. Es importante seguir las instrucciones de la etiqueta para consumir las dosis correctas.

De *Rhodiola* a Desestresante

La *Rhodiola rosea* está clasificada como una planta adaptógena, término que se refiere a las hierbas que ayudan a la salud aumentando la capacidad del cuerpo a adaptarse al estrés ambiental e interno, un tema que veremos con mayor profundidad en el capítulo 7: "Menos estrés para prolongar la vida". Nuestra sociedad padece de niveles astronómicamente altos de estrés, mental y físico, lo que ha generado una necesidad sin precedentes de contar con adaptógenos. El funcionamiento de los adaptógenos radica en que refuerzan el sistema inmunológico, nervioso y glandular. Uno de los adaptógenos más refinados es la *Rhodiola rosea*, una planta muy interesante que parece haberse utilizado desde el año 77 a.C. por el médico griego Dioscorides. Aún en la actualidad, la planta se reconoce por sus sorprendentes poderes curativos. Es interesante mencionar que la *Rhodiola rosea* viene de Siberia, igual que otro potente adaptógeno: el ginsen siberiano. ¡Es posible que las adversas condiciones ambientales de Siberia sean la causa de que estas plantas posean propiedades tan excepcionales debido a la necesidad de adaptarse a circunstancias tan difíciles!

LOS MÚLTIPLES BENEFICIOS DE LA *RHODIOLA*

Se ha encontrado que la *Rhodiola* aumenta la resistencia física, enriquece la productividad física, evita el mal de altura y se usa para tratar la fatiga, depresión, anemia, desórdenes del sistema nervioso y varias infecciones. Estudios realizados en humanos, animales y en células en el laboratorio han verificado que la planta tiene efectos que combaten la fatiga, el estrés, el cáncer, es antioxidante y fortalece el sistema inmunológico. Parece ser que la *Rhodiola* también acelera la pérdida de peso y protege de las enfermedades del corazón. Asimismo, se ha descubierto que la *Rhodiola* tiene efectos estimulantes sexuales y se ha usado para aumentar la libido y tratar la impotencia.

La *Rhodiola rosea* (hierba medicinal con propiedades adaptógenas, antidepresivas y entienvejecimiento) contiene un grupo de compuestos novedosos que no se han encontrado en otras plantas incluyendo el rosin, rosavin y rosarin, conocidos en conjunto como rosavins (producto patentado que se obtiene de la *Rhodiola rosea*). Cada uno de ellos ha sido estudiado y parece que todos contribuyen significativamente a las propiedades antiestrés de la planta. La *Rhodiola* también posee el agente salidroside y otros antioxidantes que inhiben el proceso de deterioro celular de la oxidación.

El funcionamiento sexual sano puede atribuirse tanto a la salud mental como física. El estrés crónico y el cansancio tienen consecuencias en todas las funciones biológicas incluyendo la sexualidad y la reproducción. Cuando estamos bajo estrés, los niveles de toda una variedad de sustancias aumentan en nuestro cuerpo incluyendo la adrenalina, los opioides y la catecolamina, un químico del cerebro que afecta el estado de humor y el apetito. Si los niveles elevados de estas sustancias permanecen en circulación dentro del cuerpo, pueden dañar tanto al sistema nervioso como al funcionamiento glandular, incluyendo las glándulas sexuales. Una sustancia en particular, conocida como hormona liberadora de corticotropina, denominada en un principio factor de liberación de corticotropina (CRF por sus siglas en inglés) y también corticoliberina, es una hormona polipéptida y también un neurotrasmisor. Está involucrada en las reacciones ante el estrés y pueden dañar el funcionamiento sexual. La *Rhadioa rosea* reduce los niveles de las hormonas del estrés, incluyendo la CRF, ayudando a restablecer el funcionamiento normal del cuerpo.

Se ha usado un extracto en polvo en varios estudios clínicos realizados en humanos. El extracto se estandarizó a 3% de rosavins y 0.8% de salidroside. Los participantes tomaron entre 150 y 200 miligramos del extracto al día. Para usarlo, sigan las instrucciones de la etiqueta en cuanto a la dosis adecuada.

Como podemos ver, disponemos de muchas estrategias para conservarnos sexualmente sanos, independientemente de la edad cronológica que tengamos. Es aún más importante comprender que la vida sexual sana y activa tiene un gran impacto en nuestra salud física y mental.

6

Ejercicio para Revertir
el Envejecimiento

Desde hace mucho tiempo los científicos establecieron firmemente que el ejercicio reduce en gran medida tanto la incidencia como la gravedad de las enfermedades degenerativas relacionadas con la edad. Pero no se trata sólo de que deseemos vivir más tiempo, sino de ampliar el número de años *saludables*. Queremos estar en forma y activos para poder disfrutar la vida en todas sus posibilidades. Los gerontólogos se refieren a esto como duración de la salud en contraposición a la simple duración de la vida. Todos están de acuerdo en que el ejercicio es de crucial importancia para extender y mejorar ambas.

En este libro he presentado estrategias que les ayudarán a regenerar el cuerpo a nivel celular. Ahora podemos aprovechar el poder del ejercicio para hacer mucho más que sólo vernos bien. El ejercicio adecuado fortalecerá nuestros huesos y músculos, nos permitirá recuperar el equilibrio físico y emocional, aliviará el estrés y mejorará nuestra salud física, mental y emocional. Pero para lograrlo tenemos que realizar ciertos tipos específicos de ejercicios. Disciplinas como yoga, taichi y chi kung (también conocido como qigong), por ejemplo, aunque no parecen requerir demasiado esfuerzo, proporcionan beneficios físicos, mentales, emocionales y espirituales sin parangón.

Y así llegamos al *secreto 6: el ejercicio adecuado restaura el equilibrio, la unidad y la armonía entre mente y cuerpo.*

Este secreto se opone, en muchos sentidos, a casi todas las formas de deportes o ejercicios occidentales que, en su mayoría, dependen del esfuerzo de los músculos y del aumento en el consumo de oxígeno. La velocidad a la que bombea el corazón se ve acelerada durante este tipo de ejercicios. Los músculos necesitan más oxígeno, que obtienen a costa de un rápido aumento en la frecuencia respiratoria. Esto hace que el corazón intensifique sus esfuerzos, y que aumente la transpiración y la eliminación de toxinas. En otras palabras, el típico ejercicio occidental hace que nuestro corazón y pulmones hagan un gran esfuerzo. El propósito principal de este tipo de ejercicios es lograr un buen tono muscular y aumentar la resistencia.

Si bien estos propósitos son importantes, tenemos que tener cuidado al hacer ejercicios físicos vigorosos. Demasiado esfuerzo aumenta la demanda de oxígeno más allá del nivel ideal provocando la producción de los inflamatorios radicales libres que aceleran la degeneración celular (y el proceso de envejecimiento). Resulta irónico, pero el ejercicio equivocado puede resultar contraproducente, ya que acelerará el proceso de envejecimiento. Debido a que lo que nos interesa es el rejuvenecimiento celular en todos los niveles, es bueno saber que hay ciertas formas de ejercicio que nos ayudarán a lograrlo. Y en estos ejercicios también hay un lugar importante para los aeróbicos, siempre y cuando no se hagan en exceso.

Cuerpo Fuerte, Mente Fuerte

Desde hace tiempo estoy impresionado con los beneficios físicos y mentales de las artes marciales asiáticas. Desde las formas agresivas como el aikido, karate y judo a los movimientos más suaves y meditativos del taichi y chi kung, los que los practican reciben mucho más que bienestar físico. Por ejemplo, las personas que hacen tai chi (un tipo de movimiento con características meditativas similares al yoga) han descubierto que les permite recuperar el equilibrio tanto físico como emocional. Todo indica que el tai chi puede hacernos más fuertes y al mismo tiempo otorgarnos una sensación de bienestar, tranquilidad y armonía. Se cree que su funcionamiento consiste en mejorar el flujo de energía interna (o *qi*) en todo el cuerpo.

Como ejercicio físico, el tai chi es beneficioso para todo el cuerpo, aumentando la fuerza muscular y reforzando el equilibrio y la flexibilidad. Se dice que las personas que practican tai chi reciben los beneficios del yin (la Tierra) y la energía del yan (los cielos), mediante ejercicios diseñados para expresar estas fuerzas de manera equilibrada y armónica. El doctor Chenchen Wang, doctor del centro médico de Tufts-New England, examinó 47 estudios sobre el tai chi en revistas de medicina tanto anglosajonas como chinas y analizó el efecto de esta práctica en los jóvenes, así como en personas con diferentes condiciones de salud. Según el doctor Wang: "En general, estos estudios informaban que la realización de tai chi a largo plazo tiene efectos favorables en el control del equilibrio, la flexibilidad y el bienestar cardiovascular, además de reducir el riesgo de caídas en personas mayores. También se encontraron beneficios en cuanto a mejorar el equilibrio, fuerza y flexibilidad en pacientes de mayor edad y reducir el dolor, estrés y ansiedad en personas sanas".

Los movimientos suaves y armónicos del tai chi sirven como meditación y reducen el estrés además de de ayudar a cultivar el cuerpo y la mente. Muchos miles de individuos han descubierto que los movimientos, como masaje, del tai chi son una terapia eficaz para toda una diversidad de problemas de salud como mala circulación, dolores de

Ejercicio, Salud del Corazón y Debilidad Cognitiva

El proyecto de salud cognitiva y emocional de los National Institutes of Health Estados Unidos (NIH por sus siglas en inglés) ha determinado que el ejercicio del cuerpo, el control de la presión sanguínea y el cuidado de un corazón sano también conservan al cerebro en buena condición cognitiva y emocional. Investigadores del NIH estudiaron un número significativo de factores que podrían afectar la salud del cerebro. Concluyeron que algunos de éstos que afectan la salud cardiovascular tienen un impacto importante en la salud cognitiva y emocional de personas de 65 años o mayores. Definimos *cognitivo* como el proceso mental mediante el cual se adquiere el conocimiento; esto incluye pensar, razonar, recordar, imaginar y aprender. Estas funciones van más allá de saber dónde dejamos las llaves del carro. Son críticas para nuestro bienestar mental y físico; de hecho, nuestra existencia depende de estas facultades.

Los siguientes factores son los que con más frecuencia se asocian con la debilidad cognitiva:

- Hipertensión.
- Edad.
- Diabetes.
- Derrames cerebrales o ataques isquémicos transitorios.
- Infartos o lesiones de la materia blanca en imagenología.
- Bajos niveles de humor.
- Mayor índice de masa corporal.

El encargado de este estudio, el doctor Hugh Hendrie, profesor de psiquiatría de la escuela de medicina de Indiana University comentó al respecto: "Con base en una revisión de los factores de riesgo cardiovasculares, el vínculo entre la hipertensión y la debilidad cognitiva fue uno de los estudios entrecruzados más completos".

"Este artículo indica la posibilidad de que un estilo de vida más saludable puede contribuir significativamente a reducir el número de personas de edad avanzada enfermas y con debilidad cognitiva, y reducir los costos de salud", dijo el doctor en filosofía William Thies, vicepresidente de asuntos médicos y científicos de la Asociación de Alzheimer.

El debilitamiento cognitivo debilita tanto a la persona como a la comunidad. Si el ejercicio físico nos ayuda a protegernos, y parece que es eso lo que hace, necesitamos incorporarlo en nuestra vida diaria, tanto de forma individual como en gran escala, para evitar una sociedad dependiente y deteriorada.

Ningún sistema de salud del mundo podría manejar la enfermedad en masa de millones de personas con padecimientos o de avanzada edad; y es un escenario que bien podemos enfrentar si no hacemos algo ahora. En 2006, la primera tanda de *baby boomers* llegó a los 60 años: aproximadamente 2.8 millones de hombres y mujeres. A medida que en las dos décadas que están por venir, otros 76 millones lleguen a esa edad, es obvio que es responsabilidad personal y colectiva llevar un estilo de vida que nos conserve sanos y activos, tanto mental como físicamente.

cabeza, presión alta, artritis, dolor de espalda, dificultad para respirar, desordenes digestivos y nerviosos, por tan sólo mencionar algunos.

El Poder de Chi Kung

SANANDO EL CUERPO, FORTALECIENDO LA MENTE

He descubierto que esta forma de ejercicio chino, conocido como chi kung, es particularmente interesante debido a los asombrosos beneficios en todos los niveles que le genera al que lo realiza. Como el tai chi, el chi kung es una combinación de movimientos y concentración meditativa que ha demostrado que restaura el equilibrio tanto físico como emocional. El chi kung es una antigua disciplina física que significa "control de la energía". Tiene más de 5,000 años de antigüedad, sus orígenes se han perdido, pero todavía sobrevive. El chi kung depende de movimientos deliberados, respiración lenta, concentración mental y visualizaciones. Según un libro excepcional titulado *Chi kung* escrito por el doctor Yves Réquéna, el chi kung depende de movimientos que se realizan sin esfuerzo muscular o incremento de los ritmos del corazón o la respiración. A diferencia de muchos ejercicios occidentales, en la práctica del chi kung la respiración se hace aún más lenta.

El doctor Réquéna, quien también es acupunturista, fitoterapeuta y director del Instituto Europeo de chi kung, sostiene que cuando las personas de vida sedentaria comienzan a practicar el chi kung (sin importar la edad), sus articulaciones que por lo general están rígidas empiezan a relajarse suavemente. Además, aumenta la circulación de energía por todo el cuerpo sin causar sudoración o fatiga excesiva. Por lo tanto, la salud en general se ve beneficiada sin los efectos estresantes del ejercicio intenso.

El chi kung refuerza la resistencia, fortaleciendo las coyunturas y generando energía y fortaleza para realizar un esfuerzo muscular breve pero de gran intensidad. Aún más, fortalece la capacidad de la persona para concentrarse y promueve el desarrollo de visualizar la acción o idea más efectiva en una situación dada. Esta habilidad para visualizar situaciones, circunstancias y resultados ideales es una herramienta muy poderosa y nos permite controlar mejor nuestras vidas que si no la tuviéramos. Como sucede con todas las disciplinas, entre más la practicamos, adquirimos mayor destreza y el éxito que obtengamos será mayor.

Yo les recomiendo que aprendan chi kung independientemente de su edad o condición física porque funciona como prevención de muchos de lo que se consideran signos normales del envejecimiento. De hecho, el deterioro físico y mental relacionado con la vejez en realidad se puede prevenir y revertir. La práctica constante de chi kung les permitirá conservar su energía vital hasta que cumplan 70, 80 y 90 años. Es bien sabido que los maestros de artes marciales orientales viven hasta una edad muy avanzada, conservando la facilidad de movimiento y un estado perfecto de salud física y mental que en muchas cosas supera la de los estudiantes de menor edad.

El chi kung puede funcionar como salvavidas cuando las articulaciones se entumecen y la tensión de los músculos comienza a debilitar las capacidades y flexibilidad físicas de un individuo. Cuando el sistema cardiovascular comienza a deteriorarse, la respiración se debilita o los impedimentos físicos hacen que una persona se vea confinada a una silla de ruedas o a caminar con ayuda de un bastón, el chi kung es el camino más potente y efectivo para lograr nuestra rehabilitación física. La energía que se crea a por medio de la práctica de chi kung proporciona una sensación inmediata de bienestar. Los que la realizan sienten una mejora física significativa que, inmediatamente, reducirá la velocidad, detendrá o incluso revertirá el proceso de envejecimiento.

Tranquilizando al Espíritu y Fortaleciendo la Vida

Pero los beneficios del chi kung van más allá que ser sólo un medio invaluable y holístico para tener una salud mental y física perfecta. Resulta que el chi kung tiene un efecto tranquilizante en el sistema nervioso y, por lo tanto, resulta benéfico para el tratamiento de la ansiedad, el insomnio y la depresión. Se ha comprobado científicamente que el chi kung estimula el sistema inmunológico, ayudando a aliviar ciertas peligrosas condiciones inflamatorias. Al acrecentar la energía vital, el chi kung auxilia al cuerpo en su lucha contra la enfermedad porque fortalece las defensas del individuo. Cuando hay más energía vital, también hay mayor longevidad debido a que se acelera la regeneración celular y se reduce el ritmo del desgaste normal del cuerpo.

El chi kung también motiva el descubrimiento y la realización del potencial personal. No importa cuál sea su actividad profesional o creativa, la práctica del chi kung fortalecerá sus habilidades al aumentar la capacidad de concentración. E, independientemente de qué tan estresados estemos, el chi kung nos ayuda a relajarnos, sin importar las circunstancias. La práctica de chi kung no sólo tiene aportes en cuanto a la longevidad, sino que también nos asegura que conservemos un óptimo estado mental, emocional y espiritual.

El control del proceso de envejecimiento nos ayuda a conservar y también a recuperar importantes capacidades físicas e intelectuales. Las personas que apenas comienzan a practicar el chi kung suelen preguntar cómo es posible que se obtengan estos beneficios. En pocas palabras, se debe a la combinación de *movimiento, respiración, visualización y concentración* cuyo resultado es la renovación física y espiritual. Un beneficio adicional es el alivio del estrés que nos proporciona la meditación y la tranquila contemplación. A mí me parece que el mejor seguro de vida que pueden tener es la práctica de chi kung.

El chi kung no sólo está pensado para fortalecer los músculos sino para aumentar la flexibilidad, el equilibrio y la fuerza. La fuerza y el tamaño de los músculos no van, necesariamente, de la mano. Aunque los fisicoculturistas poseen músculos enormes, se dedican a desarrollarlos sólo por su tamaño y apariencia. Y los levantadores de pesas profesionales no tendrán músculos igual de grandes, pero sí más fuertes.

Para desarrollar los músculos mediante el levantamiento de pesas o la práctica del T-Tapp (que yo recomiendo porque el chi kung no desarrolla los músculos) es importante esperar dos horas después de realizar la práctica de chi kung. En el excelente libro del doctor Réquéna encontrarán ilustraciones precisas que muestran cómo se deben realizar los sencillos movimientos del chi kung. Para mayor información, ver la sección de Referencias al final de este libro.

Del Este al Oeste: Los Beneficios del Levantamiento de Pesas

Uno de los impedimentos supuestamente inevitables del envejecimiento es el aumento de grasa corporal. De hecho, se trata de un problema tan generalizado que es el tema de mi libro anterior, *The Perricone Weight-Loss Diet*, e incluso este libro tiene un capítulo dedicado completamente al tema. Esto no se debe a la apariencia antiestética de la obesidad, sino a que el exceso de grasa es altamente tóxico para el cuerpo y, por lo tanto acelera el envejecimiento.

Tradicionalmente las mujeres tienden a ganar peso en sus caderas y los hombres en sus abdómenes. Sin embargo, a medida que las mujeres envejecen tienden a ganar peso en el abdomen. Y pareciera que, sin importar cuánto esfuerzo hacen por controlar su dieta, cada vez resulta más difícil perder el exceso de peso con el paso de los años. Pero hay buenas noticias a la vista. Según un estudio realizado por la University of Pennsylvania, el levantamiento de pesas es especialmente efectivo para eliminar la obesidad central o el exceso de grasa del abdomen.

Establecido por los National Institutes of Health, este estudio dio como resultado que sesiones de tan sólo una hora de levantamiento de pesas a la semana podían disminuir la posibilidad del desarrollo de grasa adicional en el abdomen que generalmente acompaña al envejecimiento. Como sabemos, hay dos tipos de grasas: la subcutánea (debajo de la piel) y la visceral (la que se localiza en el abdomen y en la zona que está alrededor de los órganos vitales). La obesidad central es grasa visceral y el encargado de metabolizarla es el hígado, que la convierte en colesterol de la sangre. La grasa visceral también genera presión en el corazón y las arterias, aumentando la posibilidad de padecer enfermedades del corazón. De hecho, los doctores de refieren a este tipo de grasa como "grasa tóxica" porque produce toda una fábrica de químicos inflamatorios aumentando el riesgo de sufrir enfermedades cardiacas, infartos y diabetes.

LLAMADA AL DESASTRE: DEMASIADO COLESTEROL

El responsable principal de toda esta grasa visceral es el estrés crónico y los efectos de de la producción de cortisol generada por el estrés. El cortisol estimula el metabolismo de la grasa y los carbohidratos para obtener energía rápida, estimulando la liberación de insulina y poder controlar el aumento en los niveles de azúcar en la sangre. El resultado es más apetito. Si padecemos de estrés crónico, con altos niveles de cortisol, es probable que tengamos hambre todo el tiempo y comamos en exceso y subamos de peso.

Todavía más importante, el cortisol también afecta el lugar en el que esa grasa se va a depositar. Un estudio fascinante sobre los efectos de la liberación de cortisona durante periodos de estrés agudo y crónico en mujeres que no tenían sobrepeso se publicó en *Psychosomatic Medicine* en el año 2001. El estudio demostraba que el exceso de cortisol genera el almacenamiento de grasa visceral, principalmente en el abdomen. Las mujeres solían preocuparse por el tamaño de sus caderas; sin embargo, cuando se trata de los peligros a la salud del sobrepeso, es mejor que esté en las caderas que en el estómago. Es interesante saber que el proceso de causa y efecto fluye en ambas direcciones: se ha probado que las mujeres (y los hombres) que almacenan su peso en el abdomen también tienen niveles más altos de cortisol y mayores niveles de estrés que aquéllos cuyo peso está almacenado en sus caderas.

Desde hace tiempo he sido un creyente del levantamiento de pesas y el entrenamiento de la resistencia en conjunción con otro ejercicio aeróbico, como correr, caminar o hacer ciclismo. Desafortunadamente, muchas mujeres no sienten mucha atracción por trabajar con pesas temiendo que se hincharán como sus contrapartes masculinos. Éste no es el caso. Para empezar, las mujeres tienen aproximadamente diez veces menos de testosterona (la hormona encargada de desarrollar los músculos) que el hombre promedio. Además, los músculos de las mujeres producen menos tensión por unidad de volumen y cada fibra muscular tiene una sección entrecruzada más pequeña. Lo que las mujeres tienen que saber es que debido a estos factores es más difícil que el músculo femenino se desarrolle tanto como el masculino, así que en lugar de hincharse, las mujeres que hacen levantamiento de pesas tendrán un cuerpo elegante, atractivo y escultural.

Mientras que la mujer promedio no desarrollará los enormes músculos de su contraparte masculina, sí aumentará su fortaleza y tono muscular. La figura del cuerpo también puede verse enriquecida por el entrenamiento con pesas debido a que se dan cambios en la mujer en el sentido de la proporción de grasa con respecto al músculo. Sabemos que el músculo quema más calorías que la grasa y que un músculo más desarrollado nos permite quemar las calorías adicionales incluso cuando estamos descansando. (Para más consejos sobre cómo desarrollar y conservar los músculos mientras eliminamos grasa corporal puede leer *The Perricone Weight-Loss Diet*.) Pero desarrollar los músculos también refuerza y tonifica nuestros cuerpos en formas que no lo puede hacer la simple pérdida de peso.

Los ejercicios con levantamiento de pesas también hacen que la degeneración funcional relacionada con el envejecimiento ocurra con mayor lentitud, lo que nuevamente subraya los beneficios antienvejecimiento del ejercicio. Tradicionalmente, realizar sesiones de 45 minutos de levantamiento de pesas a la semana (lunes, miércoles y viernes) es lo que se considera ideal. Para obtener mayores beneficios es buena idea alternar el levantamiento de pesas con otras formas de ejercicio. Es posible que tengan que pasar seis semanas para observar cambios físicos notorios, pero no hay que perder el ánimo. Hay que seguir trabajando porque los cambios visibles y benéficos bien valen la pena. Algunos de los efectos benéficos son:

- Desarrollo de fuerza muscular, velocidad y potencia.
- Cambios visibles y significativos en la composición corporal (entre más tono muscular tengamos, más energía y caloría quemamos).
- Mejor postura.
- Aumento del tejido corporal magro.
- Mejor destreza atlética.
- Reparación y fortalecimiento de los músculos después de lesiones.
- Mayor ritmo metabólico que tiene como consecuencia menos grasa corporal.
- Protección y conservación de la densidad de los huesos para evitar la osteoporosis.
- Disminución de la grasa proinflamatoria tóxica abdominal.

• Desarrollo de la autoconfianza y reafirmación de las capacidades personales.

Otro beneficio del levantamiento de pesas y del desarrollo de masa muscular es la reducción en el riesgo de padecer diabetes tipo 2. El músculo tiene actividad metabólica, lo que le permite usar el azúcar en la sangre reduciendo la necesidad de generar insulina y así liberando el esfuerzo que debe realizar el páncreas.

Pero no hay que olvidar el otro lado de la moneda: ejercicio en exceso es proinflamatorio. Excederse en el ejercicio puede detonar la liberación de cortisol, generando sobrepeso (especialmente en el abdomen), descomponer el tejido muscular y acelerar el ritmo de envejecimiento. Antes de comenzar a realizar un entrenamiento con levantamiento de pesas (si es la primera vez que lo van a hacer) es mejor consultar a su médico o entrenador profesional para asegurarse de realizar el nivel correcto de entrenamiento, evitando cualquier lesión y garantizando la realización correcta de los ejercicios.

El National Institute on Aging tiene una dirección en internet (www.niapublications.org) en la que pueden tener acceso a excelente información sobre todos los tipos de ejercicios, e incluso ofrece dibujos y animaciones de ejercicios reales en las siguientes categorías:

• Resistencia.
• Aguante.
• Equilibrio.
• Extensión.

T-Tapp: 10 Minutos para Detener el Tiempo

UN MÉTODO DE REHABILITACIÓN

Hace poco tuve la buena fortuna de conocer un programa llamado T-Tapp, un innovador entrenamiento dedicado al bienestar, que incorpora diferentes elementos para desarrollar tejido muscular, equilibrado además la fuerza y flexibilidad. Creado por Teresa Tapp, experta en actividades físicas, T-Tapp sigue un método de prevención y rehabilitación para estar en forma, uno que logrará equilibrar la espina dorsal y fortalecer las coyunturas al mismo tiempo que fortalece los huesos y crea un sistema cardiovascular saludable.

El mantra de Teresa de "Más es menos" se opone directamente al antiguo adagio de "Sin dolor no hay beneficios". Yo estoy totalmente de acuerdo con su visión porque, como vimos anteriormente, el exceso de ejercicio resulta contraproducente para lograr nuestro objetivo de tener un cuerpo delgado bien tonificado. Teresa motiva a las personas para que comiencen con lo que ella llama un campamento de entrenamiento para principiantes de cuatro a catorce días consecutivos (dependiendo de qué tan rápido necesita la persona percibir los resultados). Después, recomienda hacer la sesión cada tercer día. Su programa también se coordina con otros ejercicios como correr, caminar, yoga, Pilates, chi kung y tai chi.

Aunque en un principio los movimientos de T-Tapp parecen muy sencillos, tienen una gran complejidad. En cada ejercicio se requiere el funcionamiento de cinco a siete músculos, y cada músculo está activo en ambos extremos (origen e inserción), en oposición a los ejercicios tradicionales que sólo funcionan con un extremo y el centro del músculo. Esta estrategia significa que el cuerpo desarrollará músculos largos, delgados, bellamente esculpidos que funcionarán como un elástico para apretar, levantar, tensar, tonificar y esculpir el cuerpo. El propósito principal es "mover la máquina" para que el cuerpo pueda reconstruir las conexiones neurocinéticas (*neuro* se refiere al cerebro o los nervios o el sistema nervioso; *kineticos* se refiere al movimiento), desarrollar al máximo la mecánica muscular y mejorar el funcionamiento del metabolismo; todo esto tiene como resultado la pérdida de centímetros y de grasa sin un ejercicio o programa de dieta excesivo.

T-Tapp se preocupa principalmente por la espina, no sólo por medio del desarrollo muscular sino al conseguir una mejor alineación corporal y densidad ósea. Estos ejercicios están diseñados para ofrecer un estímulo constante (tirón o jalón) en el sitio en el que el músculo se adhiere al hueso para fomentar el crecimiento de hueso nuevo y evitar la pérdida del mismo. Todos estos factores disminuyen la posibilidad de padecer las lesiones que, generalmente, predominan al envejecer. Además, el programa T-Tapp es muy bueno para cualquier persona que sufra de problemas de espalda, cadera, rodillas, cuello u hombros.

La rutina T-Tapp es única en cuanto a que nos enseña a usar el cuerpo como si fuera una máquina. Esto significa que no se requiere equipo adicional, sólo un espacio de sesenta centímetros cuadrados (así podemos realizarlo incluso cuando estemos de viaje) y como es de bajo impacto evita cualquier daño a las coyunturas. Cuando la serie de movimientos de T-Tapp se realiza en la secuencia correcta, su objetivo es fatigar los músculos capa por capa, desarrollando densidad muscular desde el interior, lo que da como resultado una rápida pérdida de centímetros.

Siempre y cuando alcancen su máximo personal al realizar los ejercicios, nunca tendrán que subir el nivel o incrementar la duración de sus sesiones para lograr la mejor condición física posible. El programa funciona independientemente de la edad o condición física. Para conocer más sobre T-Tapp, consulten el libro *Fit and Fabulous in 15 Minutes* de Teresa Tapp o visiten el sitio en internet www.t-tapp.com.

BENEFICIOS CELULARES IMPORTANTES

A lo largo de este libro he subrayado la importancia de controlar el nivel de azúcar en la sangre y los niveles de insulina como una de las mejores estrategias para el rejuvenecimiento celular. Otro beneficio más del programa T-Tapp es que ayuda al cuerpo a conservar un equilibrio de azúcar en la sangre. La realización de movimientos musculares completos y compuestos, junto con la contracción isométrica y el bombeo linfático, produce el consumo rápido de glucosa y que ésta siga consumiéndose aun cuando ya dejamos de hacer ejercicio. El programa está diseñado para funcionar en conjunto con las habilidades cognitivas del cerebro a medida que los movimientos de izquierda y derecha se realizan simultáneamente. Esta característica no sólo es importante en cuanto a la salud del funcionamiento cerebral a medida que envejecemos, sino que también ofrece beneficios cognitivos a personas más jóvenes.

T-Tapp también está diseñado con un énfasis especial en el funcionamiento linfático. Nuestros vasos linfáticos transportan la linfa, un fluido acuoso, incoloro que se origina en los tejidos. El sistema linfático transporta células que atacan las infecciones llamadas linfocitos y tiene que ver con la labor de remover materia extraña y residuos celulares, lo que lo convierte en una parte clave del sistema inmunológico del cuerpo. T-Tapp ofrece el doble beneficio de ayudar al cuerpo a sacar el máximo provecho del proceso metabólico y, al mismo tiempo, reducir la inflamación. Personas que sufren de enfermedades del sistema inmunológico como fatiga crónica, lupus o fibromalgia han informado mejoría debido al programa T-Tapp. Pacientes con cáncer que están en tratamiento con quimioterapia o radiación informan que los efectos secundarios han disminuido, como el edema y la náusea. Alteraciones hormonales, como hinchazón, calambres, cambios de temperatura, aumento de peso y cambios de humor (ya sea debido a la menstruación o menopausia) disminuyen significativamente en las personas que practican este programa.

El siguiente programa especial de "Diez minutos para detener el tiempo" de T-Tapp con fines antienvejecimiento fue creado por Teresa Tapp en exclusiva para este libro. Los ejercicios se tomaron de su libro *Fit and Fabulous in 15 Minutes* y están adaptados específicamente para aprovechar más los beneficios rejuvenecedores de las células.

DIEZ MINUTOS PARA DETENER EL TIEMPO

Paso 1: *Calentamiento con giro de hombros*

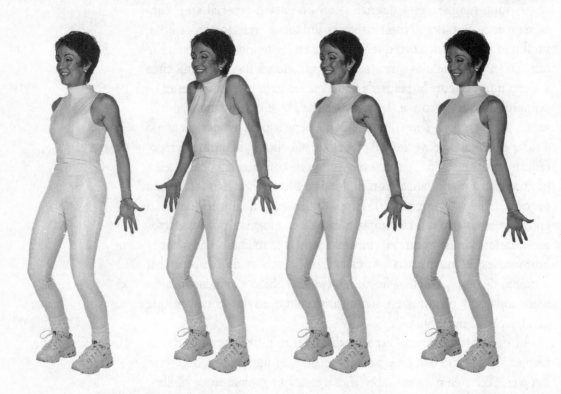

Póngase de pie en la posición T-Tapp: los pies separados a la altura de las caderas y con los dedos de los pies estirados al frente. Después, doble las rodillas, apriete los glúteos hacia dentro y jale los hombros hacia atrás para alinearlos con la cadera. Por último, empuje las rodillas en dirección a los dedos pequeños de los pies (posición KLT). Gire las palmas de la mano hacia delante, estire los dedos bien abiertos y gire sus palmas para que los pulgares señalen hacia atrás lo más que puedan. Deben sentir que los hombros giran hacia atrás y los músculos superiores de la espalda se tensan. Inhale y inclínese para exhalar.

Ahora gire los hombros hacia arriba, atrás y abajo cuatro veces, con las manos siempre debajo de la cintura y los dedos señalando hacia atrás. Invierta, y gire los hombros hacia arriba y abajo cuatro veces. Después, termine con otro grupo de cuatro giros de hombros hacia atrás.

Paso 2: *Doblar, enrollar y sacar*

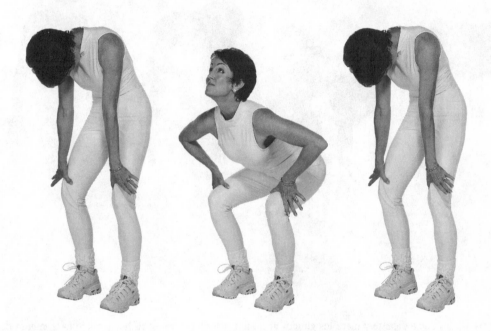

Empuje sus manos en las rodillas con los pulgares en el interior y los dedos en el exterior de cada rodilla. Al mismo tiempo que empuja, apriete los glúteos hacia dentro y enrolle la espalda hasta que los brazos estén estirados. Inhale profundamente cada vez que enrolla (cuente del 1 al 4) y exhale a medida que regresa a la posición, sacando la espina y arqueando los glúteos (cuente del 5 al 8).

REVISAR POSICIÓN: Meta la barbilla y jale sus espaldas hacia atrás cuando esté en el punto más alto de enrollarse y estire su barbilla antes de arquear la espina. Conserve siempre las rodillas dobladas en posición KLT. Repita cuatro veces, y la cuarta vez que enrolle, deténgase cuando tenga los brazos estirados (a la cuenta de 4) y siga con el paso 3.

Paso 3: *Arquear la espina*

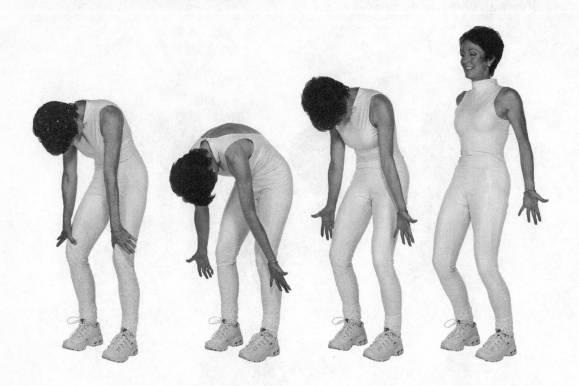

Volteé las palmas hacia delante y meta los glúteos al mismo tiempo que se estira hacia abajo (a la cuenta de 5). Después, use los laterales para jalar los hombros hacia atrás y arquear la espina hacia arriba, una vértebra a la vez (cuente del 6 a 8). Termine con dosgiros de hombros hacia atrás (cuente del 1 a 4).

REVISAR POSICIÓN: Mantenga las rodillas dobladas y hacia delante en todo momento (KLT).

Paso 4: *Sentadillas* plié *con* *presión de pecho*

Coloque los pies a distancia de los hombros, con los dedos mirando hacia fuera en un ángulo de 30 grados o menos. Presione las puntas de los dedos y el pulgar y levante los codos hasta que queden a nivel de los hombros. Después, alinee las muñecas con los codos, abra hacia atrás hasta pasar las orejas. Sostenga esta posición contando hasta 2 mientras inhala y exhala.

REVISAR POSICIÓN: Mantenga las costillas levantadas y los hombros hacia atrás alineados con las caderas y apriete los glúteos hacia delante para presionar la parte inferior de la espalda y tenerla plana.

Siga empujando las rodillas hacia fuera mientras baja su cuerpo y lleva sus codos hacia delante sin soltar los hombros (cuente 1 y 2). Debe sentir que los codos están presionando un peso. Siga empujando con las rodillas hacia fuera mientras estira las piernas y regresa los codos hacia atrás pasando las orejas (cuente 3 y 4).

REVISAR POSICIÓN: Mantenga las rodillas hacia fuera cuando estire las piernas y apriete los glúteos a medida que sube en contra de la fuerza de gravedad. Mantenga los hombros hacia atrás y la espalda baja plana (sin arquear). No baje los codos por debajo del nivel de los hombros. Consejo: Para alinear el cuerpo, practique contra una pared. Repita con un total de ocho sentadillas plié. Descanse para tomar agua y siga con el paso 5.

Paso 5: *Estiramiento y torción T-Tapp*

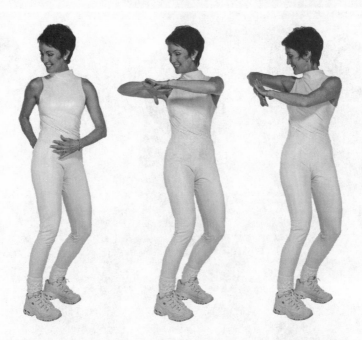

Póngase en la posición T-Tapp (dedos de los pies hacia delante, glúteos apretados debajo, hombros hacia **atrás** y rodillas en KLT). Ahora presione la parte inferior de la espada contra su mano y al mismo tiempo empuje el estómago con la otra mano. Debe sentir que los músculos abdominales se tensan aún más, así como los músculos de la cadera y los glúteos. Concéntrese para conservar esta actividad muscular y aislar la parte inferior del cuerpo de la parte superior durante la torción. Ahora, coloque los brazos justo debajo de la clavícula con los codos al nivel de los hombros. Es importante lograr la activación isométrica de la parte superior de la espalda y de los músculos de los hombros, en especial del músculo dorsal ancho y del trapecio.

Inhale profundamente y saque la rodilla derecha aún más para estabilizar las caderas mientras exhala y atrae el codo derecho lo más que sea posible y sostenga (a la cuenta de 1 a 4). Relaje y suelte la torción pero no baje el codo derecho ni relaje la posición T-Tapp (a la cuenta de 5 a 8). Repita: esta vez, durante la exhalación, aumente la intensidad de la presión hacia dentro, empuje y jale mientras mira hacia atrás al codo derecho (a la cuenta de 1 a 4). Después inhale profundamente (cuente del 5 al 8) y exhale aún más profundamente (cuente del 7 al 8) mientras se estira para jalar lo más posible el estiramiento espinal y el flujo linfático. Relaje y regrese la parte superior del cuerpo hacia delante y haga dos giros de hombros hacia atrás con las palmas hacia delante.

REVISAR POSICIÓN: ¡Nunca permita que el codo quede por debajo de los hombros! Repita al lado izquierdo y proceda al paso 6.

Paso 6: *Torción T-Tapp, estiramiento y giro*

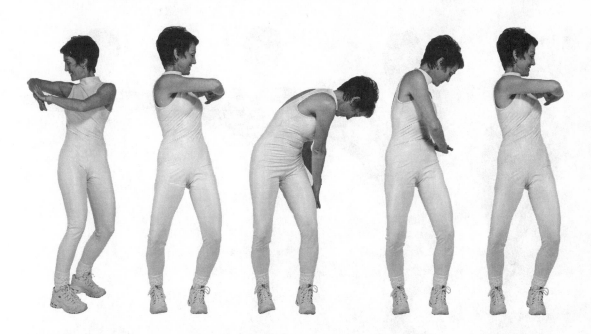

Haga una torción con la parte superior del cuerpo hacia la derecha y sostenga a la cuenta de 2 sin mover el cuerpo bajo. Ahora gire completamente hacia el lado izquierdo en la cuenta de 1 hasta que los hombros estén alineados con el lado (a la cuenta de 3). Siga apretando los glúteos y empujando la rodilla derecha hacia fuera a medida que se estira hacia abajo, en dirección a la parte de atrás del talón (a la cuenta de 4). Siga apretando y empujando las rodillas hacia fuera a medida que rueda lentamente hacia arriba, conservando la parte superior del cuerpo en la posición de torción (cuente de 5 al 8).

REVISAR POSICIÓN: Deje caer la cabeza a la cuenta de 4 y siga estirando hacia abajo durante el levantamiento. Fíjese en la vista lateral para tener más detalles. *Vista lateral del paso 6: estirar y rodar*: los hombros deben estar al mismo nivel y la cabeza relajada. La distribución del peso corporal debe ser equitativa, ¡no cambie el peso cuando estire hacia abajo!

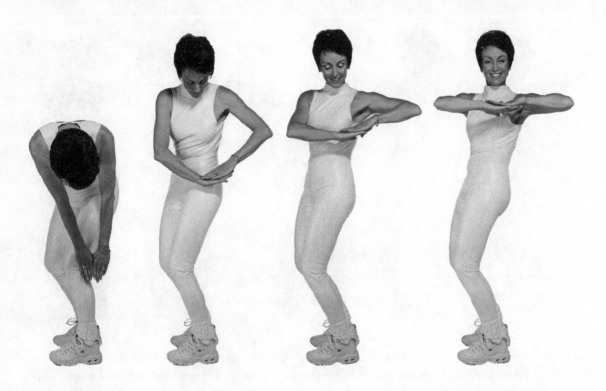

Repita la secuencia hasta un total de ocho veces, de ocho cuentas cada uno, pero a la octava repetición no se levante. Durante la cuenta de 5 a 8, mueva la parte superior del cuerpo de lado al frente, toque el piso con las puntas de los dedos de las manos y relaje la cabeza. (¡Mantenga las rodillas hacia fuera!) Inhale y exhale y siga con el paso 7.

Paso 7: *Soltar, relajar y girar*

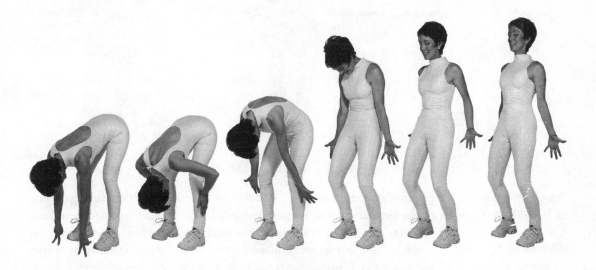

Coloque sus manos en la parte exterior de las pantorrillas. Empuje con las manos al mismo tiempo que empuja las rodillas hacia fuera para tensar los músculos. Conserve esta tensión insométrica mientras mece la cabeza suavemente cuatro veces. Siga empujando mientras aprieta y arquea la espalda hasta que los brazos estén estirados. Después, gire las palmas de las manos hacia delante y estire hacia abajo mientras aprieta los glúteos (a la cuenta de 5). Después use el músculo dorsal para jalar los hombros hacia atrás y rodar hacia arriba, una vértebra a la vez (cuente del 6 al 8). Termine con dos giros de hombros hacia atrás.

Repita los pasos 6 y 7, con torción a la izquierda durante un total de ocho repeticiones, contando 8 en cada uno. Después tome un descanso para tomar agua y siga con el paso 8.

Paso 8: *Contradanza frontal alzar y tocar*

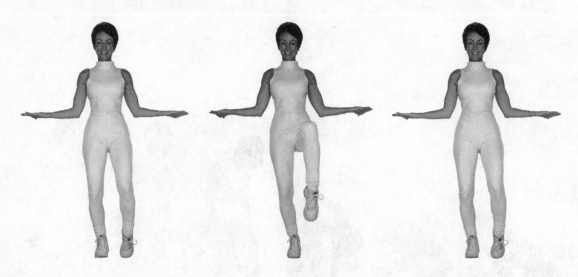

Póngase en la posición T-Tapp pero descanse el peso en la pierna derecha. Mantenga la rodilla derecha doblada en la posición KLT, con los glúteos hacia dentro y las costillas hacia arriba al tiempo que estira sus manos hacia fuera a los lados del cuerpo, con las palmas hacia arriba y los pulgares hacia atrás. Ahora empuje los codos hacia delante y jale las manos hacia atrás lo más que le sea posible. Deberá sentir que los hombros se estiran hacia atrás y todos los músculos de la parte superior de la espalda se tensan. Inhale y exhale; listo, empiece: levante la rodilla izquierda alineándola con el hombro izquierdo (a la cuenta de 1), después golpee suavemente el suelo con los pies (a la cuenta de 2). Repita para hacer un total de cuatro levantamientos y golpes (a la cuenta de 8).

REVISAR POSICIÓN: Trate de no mover la parte superior del cuerpo cuando levante la rodilla. Conserve los glúteos apretados hacia dentro y la rodilla derecha doblada en posición KLT todo el tiempo. Siga sin detenerse al paso 9.

Paso 9: *Contradanza lateral alzar y tocar*

Sin detenerse, levante la rodilla izquierda hacia fuera del lado izquierdo al mismo tiempo que lleva la mano izquierda al otro lado del cuerpo (a la cuenta de 1) y golpee suavemente el suelo con los pies (a la cuenta de 2). Repita hasta hacer un total de cuatro levantamientos y golpes con los pies (a la cuenta de 8).

REVISAR LA POSICIÓN VISTA LATERAL DE LA CONTRADANZA LATERAL ALZAR Y TOCAR: El alineamiento es importante en los levantamientos y al hacer los golpes. Además de llevar la rodilla hacia el hombro al levantar, conserve el pie en punta y alineado con la rodilla. Consejo: tener el pie en punta intensifica la activación de los músculos abdominales.

REPITA LOS PASOS 8 Y 9 COMO SIGUE:

Dos grupos de cuatro levantamientos y golpes (a la cuenta de 8 frontal y a la cuenta de 8 lateral, dos veces), dos conjuntos de dos levantamientos y golpes (cuente del 1 al 4 frontal, y cuente del 3 al 4 lateral, cuatro veces): sin parar.

Después, mientras inhala y exhala, haga el giro de hombros hacia atrás y vuelva a la posición inicial para comenzar la misma secuencia del otro lado (dos grupos de cuatro, dos grupos de dos y un grupo de cuatro levantamientos y golpes con la rodilla derecha).

Después, inhale profundamente, exhale aún más profundamente y repita toda la secuencia (lado izquierdo, lado derecho) hasta hacer un total de dos grupos de contradanza.

¡Lo lograste!

Ahora, tome un descanso para tomar agua y
¡tenga un buen día!

Las diversas disciplinas comentadas en este capítulo serán de gran ayuda para mejorar su salud física y mental. También auxilian para controlar el enemigo público número uno en lo que se refiere a causas de envejecimiento acelerado o prematuro: el estrés. En el siguiente capítulo veremos otros métodos también comprobados para luchar contra los efectos negativos del estrés.

Menos Estrés para
Prolongar la Vida

Da la impresión de que la información sobre los efectos
negativos del estrés empeora día tras día. El estrés afecta nuestra salud física de maneras que ni siquiera ima-
ginamos. Ya no podemos pensar que el estrés mental o
emocional es algo que radica en la mente: es decir, independientemente del cuerpo. El estrés se manifiesta en miles de formas que dejan
en claro que existe una conexión directa entre la mente y el cuerpo.

A medida que la medicina general ha aceptado la conexión entre
mente y cuerpo, ha surgido una rama completamente nueva de la
medicina llamada *psiconeuroinmunología*. Esta nueva área de estudio
reúne, de manera verdaderamente holítisca, información de múltiples
campos de estudio como la endocrinología, inmunología, psicología,
neurología y otros más.

La psiconeuroinmunología promete mucho. Tiene el potencial de integrar los diversos sistemas del cuerpo en una imagen unificada de cómo funciona el cuerpo y cómo interactúa consigo mismo y con el medio ambiente. Esta visión integrada nos permite comprender que el rejuvenecimiento celular puede darse en todos los niveles de la mente y el cuerpo. Quizá lo más importante es que podemos aprender a controlar las emociones y los procesos de pensamiento negativos que alteran el delicado equilibrio de la salud y del bienestar y que desempeñan un papel importante en el desarrollo de las enfermedades. Esto nos lleva al secreto 7: *la clave para disfrutar de una vida longeva, saludable y feliz es el control de estrés mental y físico.*

Desencadenando el estrés

Para comprender cómo impacta la mente directamente al cuerpo necesitamos conocer algunas cosas. Los órganos que producen hormonas son las llamadas glándulas endocrinas. (Si bien el cerebro y los riñones también producen hormonas, no se consideran órganos endocrinos porque esa función es mínima). En griego, la palabra *hormona* significa "mover, poner en movimiento"; las glándulas producen hormonas que controlan o ponen en movimiento otra parte del cuerpo.

El sistema endocrino funciona junto con el sistema nervioso. De hecho, el *sistema nervioso* y el *endocrino* están tan unidos que se conciben como sistema *neuroendocrino*, que es el encargado de varias funciones:

- Conserva el estado interno del cuerpo y la homeostasis (nutrición, metabolismo, excreción, equilibrio de agua y sal).
- Reacciona a estímulos externos al cuerpo.
- Regula el crecimiento, desarrollo y la reproducción.
- Produce, usa y almacena energía.

El sistema neuroendocrino está diseñado para garantizar la seguridad del individuo de cualquier amenaza exterior o interior, y las hormonas responsables de esta labor se llaman hormonas del estrés.

LAS HORMONAS DEL ESTRÉS

En mis libros anteriores he escrito ampliamente sobre la insulina y el cortisol, también conocidas como hormonas de la muerte. Ambas hormonas son necesarias para tener una buena salud, pero cuando sus niveles suben causan serios daños, incluyendo enfermedades como diabetes y obesidad. Las hormonas del estrés son importantes porque nos pueden dar ese empuje adicional de energía que necesitamos para esquivar ese automóvil que se nos viene encima o cualquier otra amenaza mortal. Sin embargo, en el mundo actual las requerimos con mucha frecuencia exigiendo demasiado al sistema neuroendocrino. Las ramificaciones físicas de las emociones negativas son alarmantes y de grandes consecuencias. Las personas que trabajan en el área de la salud son las que más las padecen, ninguno de nosotros está a salvo del estrés y sus efectos. Los teléfonos celulares, el correo electrónico y otros aparatos tecnológicos nos garantizan que no tengamos ni un minuto para relajarnos y reducir nuestro nivel de estrés.

Cuando la insulina y el cortisol alcanzan niveles muy elevados se convierten en agentes inflamatorios. Muchos de nosotros sufrimos de un exceso de ambas hormonas; de la primera, debido al exceso de azúcar y otros carbohidratos en las dietas, y de la segunda debido al exceso de estrés y de cafeína. Por fortuna, podemos modificar nuestro comportamiento para eliminar los efectos negativos. Evitar el consumo de alimentos con azúcar y almidones nos ayudará a tener un equilibrio sano de insulina. Eliminar el café también nos ayudará a controlar nuestro nivel de cortisol. Un estudio realizado en Duke University mostró que uno de los efectos del consumo matinal de café es que puede exagerar la reacción al estrés del cuerpo y aumentar los niveles de la hormona del estrés durante todo el día. Es un precio demasiado alto por un sencillo acelerón a nuestros sistemas.

El estrés nos puede afectar desde el principio de nuestra vida.

Según el *The Wall Street Journal* existen estudios recientes que muestran que las mujeres que padecen altos niveles de estrés o ansiedad durante el embarazo aumentan el riesgo de tener bebés prematuros, o de dar a luz bebés de bajo peso o con otros problemas de salud, incluyendo complicaciones respiratorias y de desarrollo mental. Además, el estrés maternal durante el embarazo parece afectar el desarrollo del importante eje hipotalámico-pituitario-adrenal (HPA). Como parte importante del sistema neuroendocrino, el eje HPA controla las reacciones al estrés y desempeña una función importante como regulador de los procesos del cuerpo incluyendo la digestión, el sistema inmunológico y el uso de energía.

Cada vez hay más evidencia que sugiere que los efectos negativos de la hipersecreción (sobreproducción de esteroides) de glucocorticoides (GC), que aparecen cuando se activa el eje HPA, tienen como consecuencia una variedad de enfermedades como obesidad, Alzheimer, sida, demencia y depresión. Por suerte, existen suplementos específicos, descritos más adelante, que nos pueden ayudar a conservar en equilibrio el eje HPA.

CÓMO LAS CÉLULAS ENVEJECEN ANTES DE TIEMPO

Todos sabemos que cuando tenemos que enfrentarnos al exceso de estrés nos sentimos más viejos de lo que realmente somos. Un estudio realizado en la University of California en San Francisco sugiere que no se trata de tan sólo una sensación, el estrés realmente *acelera* el ritmo al que envejecen las células. Es un dato comprobado que el estrés genera envejecimiento prematuro, pero hasta hace poco no se conocía bien el mecanismo subyacente.

De acuerdo con este estudio, el estrés afecta los telómeros, tiras de DNA que están en los extremos de los cromosomas que al parecer protegen y estabilizan los extremos de los cromosomas. (Un cromosoma es una estructura de DNA, similar a un hilo con proteínas asociadas, que se encuentra en el núcleo de la célula.) Los cromosomas transportan información genética en forma de genes. Estas piezas clave de DNA también tienen que ver en la división celular. Cada vez que una célula se divide, el telómero se acorta hasta que ya no queda nada y, entonces, la división celular es menos segura y aumenta el riesgo de padecer desordenes relacionados con la edad.

Los científicos tomaron muestras de sangre de 58 mujeres premenopáusicas para hacer un análisis de DNA de los telómeros. También midieron los niveles de una enzima llamada telomerasa que construye y conserva los telómeros en células inmunes.

Diecinueve de las mujeres estudiadas tuvieron hijos sanos y el resto tuvieron hijos que padecían de enfermedades crónicas. El trabajo como médico en todas sus versiones es una situación de elevado estrés, y no fue sorprendente que los investigadores descubrieran que las mujeres que habían tenido los niveles más altos de estrés psicológico fueron las que se encargaban del cuidado de niños enfermos, y fueron justo ellas las que tenían telómeros más cortos. De hecho, la diferencia equivalía a más de una década de envejecimiento en comparación con las mujeres que sufrían menores niveles de estrés.

También se informó que el grupo de mayor estrés tenía menor nivel de telomerasa en las células inmunes. De acuerdo con la doctora Elissa Epel, directora del equipo de investigación, este resultado indicaba que las células inmunes no funcionarían bien y podrían morir antes. También se descubrió que las mujeres con niveles más altos de estrés tenían niveles más altos de estrés oxidativo, daño acumulado causado por radicales libres. Estudios en laboratorio han confirmado que el estrés oxidativo acelera el acortamiento de los telómeros.

Los investigadores añadieron que no quedaba claro *cómo* afectaba el estrés a los telómeros, pero sugirieron que cambios en los niveles de las hormonas del estrés podrían ser una posible causa.

El Estrés tiene Dientes

Pero las madres de niños con enfermedades crónicas no son las únicas que tienen padecimientos de salud relacionados con altos niveles de estrés. Un estudio fascinante publicado por la revista *Psychosomatic*

Medicine descubrió que los esposos de las personas que trabajan con pacientes con Alzheimer suelen presentar un índice el *doble* de lo normal de desarrollar gingivitis, inflamación de las encías, que sus compañeros que realizan el trabajo. Dado que la diferencia en la higiene bucal entre ambos grupos es mínima, los investigadores creen que la diferencia se debe al estrés. (Los autores del estudio también señalaron que la relación entre el estrés crónico y enfermedades graves de las encías se observó por primera vez en las trincheras de la primera guerra mundial, de ahí el término *boca de trinchera*.) Las enfermedades de las encías son importantes en sí mismas. Pueden provocar la destrucción del hueso y la pérdida de dientes. Pero, como veremos, también pueden generar enfermedades graves que amenazan la vida.

El doctor Peter Vitalino director de investigación de la escuela de medicina de la University of Washington, en Seattle, menciona al respecto: "A nivel práctico, [los resultados del estudio] indican que hay una relación entre el estrés crónico y la salud bucal en la población en general y sugiere que es independiente del cuidado bucal. Indica que los encargados de proporcionar servicios de salud están en riesgo de padecer problemas bucales de salud y no sólo problemas de salud físicos".

Los investigadores no sólo evaluaron las enfermedades de las encías de los sujetos del estudio, sino que midieron los componentes clave del síndrome metabólico:

- Niveles de insulina en la sangre.
- Obesidad.
- Grasa intraabdominal.

La pareja del encargado de los servicios de salud tuvo una puntuación más alta en todas estas medida, poniéndolos en riesgo de padecer diabetes tipo dos.

MÁS RAZONES PARA USAR HILO DENTAL

Además del efecto de deterioro en la salud que representa el estrés, incluyendo la salud bucal, la American Academy of Periodontology ha encontrado relación entre las enfermedades periodontales (de las encías) y las del corazón. Una teoría que proponen es que las bacterias orales, producidas por las enfermedades de las encías, pueden afectar al corazón cuando entran al flujo sanguíneo, adhiriéndose en pequeñas placas a las arterias coronarias (vasos sanguíneos del corazón) y contribuyendo a la formación de coágulos.

La enfermedad de las arterias coronarias se caracteriza por un engrosamiento de las paredes en las arterias, debido a la acumulación de proteínas grasas. Los coágulos sanguíneos pueden obstruir el flujo normal, limitando el acceso a la cantidad de nutrientes y de oxígeno que se necesitan para el buen funcionamiento del corazón. Esto puede provocar ataques al corazón.

También proponen que la inflamación causada por la enfermedad periodontal incrementa la acumulación de sarro, lo que puede contribuir a la inflamación de las arterias. Los investigadores han descubierto que las personas que padecen enfermedad periodontal tienen el *doble* de posibilidad de padecer de las arterias coronarias que aquellas que no tienen enfermedad periodontal. Ésta puede empeorar las condiciones preexistentes del corazón. Esto puede ser un vínculo importante entre el estrés y las enfermedades del corazón: causa y efecto; el estrés exacerba las enfermedades de las encías que, a su vez, pueden causar enfermedades del corazón.

Otros estudios han relacionado las enfermedades de las encías con los infartos. Los investigadores han descubierto que el riesgo de padecer un infarto es 2.8 veces mayor en un individuo que padece enfermedad periodontal que en aquellos que no la padecen. Queda claro que existe un significativo componente inflamatorio que enlaza todos estos síndromes y enfermedades, algo de gran importancia cuando nos damos cuenta de que la inflamación afecta directamente el desarrollo de la enfermedad de las encías, el corazón y la arterioesclerosis.

Nuestro Sistema Inmunológico: La Llave del Rejuvenecimiento Celular del Cerebro

Las últimas investigaciones indican que las células inmunes ayudan al funcionamiento de la capacidad del cerebro para conservar la habilidad cognitiva y la renovación celular a lo largo de la vida. Hasta hace poco se pensaba que cada individuo nace con un número fijo de células nerviosas en el cerebelo, y que las células se descomponen y mueren a lo largo de la vida de una persona y no se pueden sustituir. Esto es realmente alarmante si pensamos que los altos niveles crónicos de cortisol inducidos por el estrés, tan comunes hoy en día, provocan que el cerebro se encoja.

Sin embargo, esta teoría fue descartada cuando los investigadores descubrieron que ciertas partes del cerebro *sí* conservan su habilidad para ayudar y promover la renovación celular (neurogénesis) a lo largo de la vida, especialmente bajo condiciones de estímulo mental y actividad física. El hipocampo, encargado de ciertas funciones de la memoria, es una de estas zonas.

Un equipo de científicos dirigido por el profesor Michal Schwartz del departamento de neurología del Weizmann Institute of Science en Rehovot, Israel, una de las instituciones de mejor calidad en cuanto a investigación multidisciplinaria, ha realizado ciertos descubrimientos que pueden tener implicaciones para retardar el deterioro cognitivo a edad avanzada. Estos hallazgos mostraron que la función principal de las células-T del sistema inmunológico (las células blancas de la sangre responsables de la inmunidad del cuerpo) es habilitar a ciertas áreas del cerebro, como el hipocampo, para que desarrollen nueva células nerviosas y conserven la función cognitiva. Aún no sabemos cómo entrega el cuerpo este mensaje, instruyendo al cerebro para que aumente su producción de células. Sin embargo, estudios realizados en animales han mostrado que la exposición a un medio ambiente con alto nivel de estimulación mental y oportunidades para la actividad física provoca una mayor formación de células nerviosas nuevas en el hipocampo. (Como sucede con los músculos, parece que la frase "Úselo o

piérdalo" también se aplica al potencial del cerebro.) Cuando los científicos experimentaron con ratones que carecían de células-T y otras
células inmunes importantes, se formó un número significativamente
menor de células.

De acuerdo con el profesor Schwartz: "Estos hallazgos otorgan un
nuevo significado a la idea de `mente sana en cuerpo sano´. Indican
que dependemos de nuestro sistema inmunológico para conservar el
funcionamiento del cerebro y abren nuevas puertas al tratamiento de
la pérdida cognitiva".

Saber que el sistema inmunológico contribuye a la renovación de
las células nerviosas tiene una importancia significativa para la población
de personas de edad avanzada porque se ha asociado el envejecimiento con la disminución de las habilidades de la memoria y la formación de células nuevas. Por tanto, puede ser posible que mediante
la manipulación y el reforzamiento del sistema inmune, se pueda prevenir, o por lo menos controlar, la pérdida de la memoria y de la
capacidad de aprendizaje relacionada con el envejecimiento.

Estrés y Colesterol

Estudios anteriores han establecido que el estrés está relacionado con
un mayor ritmo cardiaco y con un sistema inmunológico debilitado.
Ahora, los investigadores han descubierto que niveles altos de estrés
también pueden elevar los niveles de colesterol a largo plazo. Esto es
alarmante porque un nivel muy alto de colesterol es el factor principal
de riesgo de las enfermedades del corazón y de la circulación, el asesino
número uno tanto de hombres como de mujeres en Estados Unidos.

Un equipo de investigadores, dirigido por el profesor Andrew
Steptoe de la University College London, propuso tres hipótesis
sobre la manera en la que el estrés eleva los niveles de colesterol.

- El estrés puede estimular al cuerpo para que produzca más energía en forma de ácidos grados y glucosa, haciendo que el hígado

secrete más LDH-C para transportarlos a los demás tejidos del cuerpo.

- El estrés interfiere con la capacidad del cuerpo de deshacerse del exceso de colesterol.
- El estrés desata una serie de procesos inflamatorios que también aumentan la producción de colesterol.

Suplementos contra el estrés

La Life Extension Foundation (Fundación para la extensión de la vida) (www.lef.org) ha reunido la información y las investigaciones más recientes sobre suplementos nutricionales específicos y adaptógenos herbales que, junto con el ejercicio y la meditación, pueden ayudar a muchas personas a recobrar el control de una vida con alto nivel de estrés. Según la información que uno puede encontrar en ese sitio web, los siguientes suplementos pueden ayudar a mantener en equilibrio al eje HPA, a reducir los niveles de colesterol y a mejorar la salud. (Para mayor información sobre Life Extension Foundation ver la sección de Referencias al final del libro.)

VITAMINA C

Como vimos en el capítulo 4, La piel que nos cobija, la vitamina C es un regenerador del tejido conectivo y ayuda al sistema inmunológico a funcionar adecuadamente. Además, ha demostrado que ayuda a controlar los niveles elevados de cortisol generados por el estrés. Un estudio realizado en 2001 examinó los efectos de los suplementos de vitamina C en los altos niveles de cortisol debidos al estrés físico realizado por maratonistas. En un estudio controlado con placebos aleatorios, se les dio a varios grupos de maratonistas 500 miligramos al día de vitamina C, 1,500 miligramos al día de vitamina C O placebos durante siete días antes del maratón, el día de la carrera y dos días después de la carrera. Los investigadores descubrieron que los atletas que toma-

ADVERTENCIA: MICROBIOS MORTALES EN ASCENSO

Comer alimentos saludables, llevar un estilo de vida que favorezca el rejuvenecimiento celular, hacer ejercicio y reducir el estrés no servirá de nada si caemos en manos de un organismo potencialmente mortal y resistente a los antibióticos. Y las posibilidades de que esto suceda aumentan exponencialmente.

Se están presentando epidemias graves a nivel global. Desafortunadamente para todos los involucrados, la medicina no tiene la capacidad de detenerlas. Cincuenta y un millones de personas mueren en todo el mundo cada año; 31 millones de estas muertes se deben a enfermedades contagiosas. Y no es algo que sólo esté sucediendo en los países menos industrializados. Un artículo publicado hace poco en el *Journal of the American Medical Association* informó que ochenta mil personas mueren al año debido a enfermedades contraídas en hospitales estadunidenses. Aunque todos los años se gastan miles de millones de dólares en investigación para obtener nuevos medicamentos y procedimientos que permitan combatir estos problemas, la firmas farmacéuticas no han logrado desarrollar medicinas a la velocidad requerida para vencer esta creciente amenaza de resistencia microbacteriana.

Por suerte, la comunidad científica ha comenzado a reconocer que ya existen algunos agentes potentes y de amplio espectro para erradicar estos microbios mortales en la naturaleza. De hecho, nos han acompañado desde la antigüedad. Antes de que se desarrollaran los antibióticos modernos, los doctores y curanderos recetaban una amplia variedad de antisépticos naturales. Sin embargo, aunque una gran cantidad de plantas poseen acción antibacteriana, muchas son potencialmente tóxicas. Sólo se deben utilizar las que han sido probadas ampliamente en cuanto a seguridad y eficacia.

Gracias al trabajo pionero del doctor Cass Ingram, investigador y autor de veinte libros, incluyendo *Natural Cures for Killer Germs* (Curas naturales para gérmenes asesinos) y *The Cure is in the Cupboard* (La cura está en la alacena), ahora tenemos ayuda al alcance de la mano mediante el aceite del orégano silvestre, el antiséptico natural de primer nivel validado por las investigaciones modernas.

Según el doctor Ingram, el aceite de orégano posee amplias propiedades destructoras de microbios. Como lo dice Ingram: "Los poderes antisépticos del aceite de orégano son inmensos. Inhibe el desarrollo de la mayoría de las bacterias, algo que los antibióticos de prescripción médica no logran hacer". En el caso de parásitos, el aceite de orégano ha logrado neutralizar exitosamente gusanos, amibas y protozoos.

Las declaraciones del doctor Ingram han sido respaldadas por investigaciones certificadas en las universidades de medicina más importantes del país, incluyendo la Georgetown University y la Cornell University así como por la Tennessee Food Safety Initiative fundada por la FDA. Por su parte, el doctor Roby Mitchel de Amarillo, Texas, ha demostrado que el Oreganol P73, la forma comprobada y recomendada de aceite de orégano salvaje, es efectiva contra infecciones del virulento, *Staphylococcus aureus* (MRSA por sus siglas en inglés) y resistente a la meticilina, que causa toda una variedad de problemas desde lesiones superficiales en la piel hasta infecciones profundamente arraigadas. El MRSA es una de las causas principales de infecciones adquiridas en los hospitales debido a heridas quirúrgicas e infecciones asociadas con instrumental médico. Este mortal patógeno es totalmente resistente a los antibióticos y no se conoce cura alguna; sin embargo, el Oreganol P37 lo destruye por completo.

En una serie de estudios preclínicos, el doctor M. Khalid Ijaz, demostró que el Oreganol P73 solo y en combinación con aceites de comino, salvia y canela (OregaRESP) reduce significativamente la virulencia del virus de la influenza humana A2 y de la gripe aviar. Este estudio siguió a otros experimentos que demostraron que estos dos productos pueden bloquear por completo la replicación del coronavirus humano, el patógeno asociado con el síndrome respiratorio agudo severo (SARS por sus siglas en inglés), que es la causa del resfriado común. Según el doctor Ingram: "El aceite de orégano es oxidativo, lo que significa que mata gérmenes, y antioxidante, lo que significa que al mismo tiempo protege a las células. Esto lo convierte en la medicina natural más maravillosa del mundo".

Como señalan Michael A. Schmidt, Lendon H. Smith y Keith W. Sehnert en *Beyond antibiotics* (Más allá de los antibióticos): "Una de las ventajas que tienen los aceites esenciales sobre los antibióticos es que las bacterias *no desarrollan resistencia* a los estos aceites. Parece demasiado bueno para ser cierto, pero todo indica que muchos de los aceites de plantas antibacterianas funcionan porque interfieren con la capacidad respiratoria de la bacteria. Las bacterias literalmente se sofocan hasta morir".

El Oreganol P73 es al mismo tiempo un potente antibiótico natural y un poderoso luchador contra los radicales libres. En forma de concentrado obtuvo más de 3,000 unidades en la escala de ORAC (la escala estándar que usa el Departamento de Agricultura de Estados Unidos para medir la capacidad de absorción de radicales de oxígeno, como se mencionó en el capítulo 1, Rejuvenecimiento celular). Las moras tienen 2,400 de unidades ORAC, y las fresas 1,540, haciendo que el Oreganol P73 sea indispensable en cualquier régimen antienvejecimiento. Y, como sucede con el salmón, la variedad silvestre es más potente que la cultivada.

El Oreganol P73 también se recomienda para las personas que sufren de cualquier infección recurrente y para toda una variedad de padecimientos, desde los que afectan los senos nasales hasta los del aparato digestivo, incluyendo alergias bronquiales, asma, bronquitis, resfriados, congestión, gripe, garganta irritada, sinusitis, enfermedad de las encías, diarrea, flatulencia intestinal, colitis, acidez estomacal y otros problemas digestivos. Como vimos en el capítulo 4, "La piel que nos cobija", la Crema Oreganol P73 también es extraordinaria para tratar afecciones de la piel como eczema y psoriasis. El aceite de orégano puede proporcionar alivio inmediato para las picaduras de abeja y muchas otras venenosas hasta que se llegue a los servicios médicos. Puede tomarse sublingualmente (unas gotas de aceite debajo de la lengua), en forma de cápsulas o aplicada tópicamente. Para más información sobre ésta sorprendente y única sustancia terapéutica ver la sección de Referencias.

ron 1,500 miligramos de vitamina C al día tuvieron niveles más bajos de cortisol que los que tomaron 500 miligramos al día o los placebos.

Otro estudió informó a la revista *Psychopharmacology* que hay evidencia que indica que la vitamina C puede reducir los niveles de cortisol causados por estrés psicológico. En un estudio aleatorio, doble ciego y controlado con placebos, los investigadores dieron 3,000 miligramos al día de vitamina C o de placebo a 120 voluntarios que se sometieron a estrés psicológico por medio de la prueba del estrés social Trier, que consiste en quince minutos de estrés psicológico inducido mediante una entrevista falsa, seguida por un desafío mental de aritmética. Los sujetos que tomaron la vitamina C tuvieron un nivel menor de presión, de estrés subjetivo y de cortisol en comparación con los que recibieron el placebo. *Dosificación:* Tomar de 1,000 a 3,000 miligramos de vitamina C al día.

ACEITE DE PESCADO OMEGA-3

En varios capítulos anteriores vimos lo importante que es consumir suficiente ácidos grasos omega-3 en nuestra dieta para la salud en general, la pérdida de peso y la fortaleza de los huesos. Una serie de estudios clínicos han demostrado que el consumo de aceite de pescado también ayuda a controlar el estrés psicológico y a reducir los niveles de cortisol. En un estudio publicado en 2003, los investigadores les dieron a siete voluntarios 7.2 gramos al día de aceite de pescado durante tres semanas y después los sometieron a una serie de pruebas de estrés mental. Los análisis sanguíneos demostraron que estos elementos psicológicamente estresantes causaban variaciones en el ritmo cardiaco, la presión sanguínea y los niveles de cortisol de los sujetos. Después de recibir durante tres semanas suplementos de aceite de pescado, el aumento en los niveles de cortisol se vio radicalmente frenado, lo que hizo que los investigadores concluyeran que los suplementos de ácidos grasos omega-3 del aceite de pescado "inhiben la activación suprarrenal causada por el estrés mental, probablemente debido a sus efectos a nivel del sistema nervioso central".

Gracias a la gran cantidad de investigaciones que se han realizado en los últimos años, sabemos ahora que los ácidos grasos esenciales omega-3 del pescado ayudan a prevenir o aminorar una gran cantidad de desórdenes y perturbaciones mentales, que van desde la depresión, desorden bipolar y la enfermedad de Alzheimer hasta la agresión, pérdida de la memoria y dificultades para el aprendizaje. De hecho, todo indica que éstos y muchos otros padecimientos se han visto exacerbados debido a la deficiencia en la dieta estadunidense de omega-3 y no sólo a factores ambientales o genéticos.

Ahora, los resultados de un nuevo estudio clínico se suman a la evidencia existente que indica una conexión cercana entre la baja ingestión de omega-3 y el comportamiento agresivo. Nueva evidencia médica, incluyendo importantes estudios realizados por el NIH, sugiere que el bajo contenido dietético de omega-3, específicamente los grasos omega-3 conocidos como EPA (por sus siglas en inglés; ácido eicosapentaenoico) y DHA (por sus siglas en inglés; ácido docosahexaenoico), que sólo se encuentran en peces y organismos marinos, provoca estados de enojo, depresión y agresión.

Las buenas noticias son que gran parte de la evidencia clínica disponible indica que tomar omega-3 marino en suplementos puede ayudar a aliviar estos desordenes psicológicos. El estudio en cuestión se realizó en el hospital de veteranos de Brooklyn, Nueva York, y participaron veinticuatro pacientes externos con antecedentes de abuso de drogas y comportamiento agresivo. Los sujetos del estudio fueron divididos aleatoriamente en dos grupos: un grupo recibió 3 gramos (5 cápsulas) al día de aceite de pescado purificado con un contenido de 2,250 miligramos de EPA, 500 miligramos de DHA y 250 miligramos de otros ácidos grasos esenciales omega-3. El segundo grupo recibió un placebo. Los trece pacientes que recibieron el aceite de pescado notaron una significativa disminución de sus puntuaciones en cuanto a enojo en pruebas psicológicas.

Desafortunadamente, el estadunidense promedio tristemente padece de deficiencia de estas grasas. Desde hace tiempo sabemos que las personalidades "Tipo A" corren un riesgo significativamente mayor de padecer derrames cerebrales e infartos al corazón, y el hecho de que probablemente un factor causal sea los bajos niveles de omega-3 ofrece nuevas esperanzas para esta personalidad explosiva. La mera inclusión de peces de alta calidad en la dieta y las cápsulas de aceite de pescado tomadas diariamente pueden aliviar muchos de estos sentimientos y comportamientos indeseables.

Pareciera difícil creer que algo tan sencillo como unas pocas porciones de pescado o unas cápsulas de aceite de pescado puedan generar beneficios tan positivos a la salud y la cosmética. Pero la información con la que contamos indica que los humanos evolucionaron y se desarrollaron con base en dietas que tenían un alto contenido de omega-3, principalmente de alimentos del mar. Ésta es la razón por la que los ácidos grasos omega-3 marinos conforman gran parte de la grasa de las células cerebrales y son nutrientes antienvejecimiento tan importantes, así como generadores de una buena salud mental.

Bien puede ser que nuestra deprimida y obesa sociedad, plagada por enfermedades que se deben a estilos de vida inflamatorios como arteriosclerosis, diabetes, Alzheimer, obesidad y cáncer, esté sufriendo innecesariamente. Nunca antes en la historia de la humanidad han tenido las dietas tal carencia de ácidos grasos omega-3 mientras poseen un exceso de ácidos grasos proinflamatorios omega-6. De hecho, se calcula que la ingestión de omega-3 ha disminuido casi a la mitad desde la década de los cincuenta, mientras que la ingestión de ácidos grasos promotores del cáncer omega-6 ha aumentado aún más significativamente. Se trata de un desastre para la salud de dimensiones épicas que bien se puede evitar. Este desequilibrio tiene que rectificarse si queremos recuperar y conservar nuestra salud mental, física y emocional.

Para enfrentar este desequilibro en ácidos grasos hay que seguir dos sencillos pasos: primero, reducir el consumo de aceites vegetales con un alto contenido de omega-6 (aceites de maíz, soya, canola, semilla de girasol, etcétera) y sustituirlos por el saludable aceite de oliva extravirgen que tiene un alto contenido de grasas monosaturadas no inflamatorias y de potentes antioxidantes antinflamatorios. Segundo, ingerir peces grasos de agua fría como salmón silvestre, sardinas, anchoas, trucha, bacalao negro y arenque en la dieta, por lo menos tres veces por semana, y tomar diariamente cápsulas de aceite de pescado. *Dosificación:* Tomar de 1 a 4 gramos al día.

FOSFATIDILSERINA

Otro suplemento que ha demostrado gran utilidad para combatir los efectos negativos del estrés es la fostatidilserina. Este fosfolípido (cualquier variedad de grasa que contenga fósforo) constituye una parte esencial de la membrana celular. Desde la década de 1990, se han realizado estudios que demuestran que la fostatidilserina puede reducir los altos niveles de cortisol causados por el estrés mental y físico. En uno de los primeros estudios se dio 800 miligramos por día a hombres sanos y se detuvo de manera importante el aumento de cortisol causado por estrés físico. Otro artículo informó que incluso cantidades pequeñas de fostatidilserina en suplemento (de 50 a 75 miligramos administrados vía intravenosa) podían reducir la cantidad de cortisol al reaccionar ante el estrés físico. En ese estudio se analizó la sangre de ochenta hombres sanos antes y después del estrés inducido por hacer ejercicio en una bicicleta estacionaria. Si bien todos los sujetos del estudio mostraron un aumento en los niveles de cortisol, el tratamiento previo con dosis de 50 o 70 gramos de fostatidilserina redujo notablemente la respuesta de cortisol al estrés físico.

Por último, un estudio de 2004 examinó los efectos de la fostatidilserina en las reacciones endocrinas y psicológicas al estrés mental, usando la prueba de estrés social Trier, mencionada con anterioridad. Este estudio doble ciego llevó un registro de 40 hombres y 40 mujeres, entre las edades de 20 y 45 años, durante tres semanas. Los sujetos recibieron fostatidilserina (ya fuera 400 o 600 miligramos diarios) o un placebo antes de realizar la prueba de estrés social Trier. La fostatidilserina resulto efectiva en el control de la respuesta del cortisol a los factores de estrés. Las personas que tomaron 400 miligramos diarios (a diferencia, sorprendentemente, de los que consumieron 600 miligramos) de fostatidilserina mostraron una respuesta significativamente menor de cortisol. Los autores concluyeron que la fostatidilserina ayuda a controlar los efectos del estrés en el eje pituitario-suprarrenal y puede funcionar para controlar los desordenes relacionados con el estrés. *Dosificación:* Tomar 300 a 800 miligramos al día.

DHEA

Si bien los niveles de cortisol no se alteran o incluso aumentan con la edad, los niveles de otra hormona de vital importancia, DHEA, disminuyen con cada año que pasa (como vimos en el capítulo 5, Sexo para toda la vida.) Esta relación entre cortisol y DHEA ha generado la idea de que estas hormonas suprarrenales pueden desempeñar una función significativa en el proceso de envejecimiento y los efectos negativos a la salud asociados con la vejez. Un artículo publicado hace poco en *European Journal of Endocrinology* examinó los cambios relacionados con la edad en el eje HPA. Los autores demostraron que la proporción cortisol-DHEA aumenta significativamente a medida que las personas envejecen y es aún mayor en los pacientes ancianos que sufren de demencia. Sin embargo, los suplementos de DHEA fortalecen la resistencia del cerebro a cambios ocasionados por estrés, refuerza la capacidad funcional y protege de enfermedades relacionadas con la edad. Los autores concluyeron: "Las alteraciones en el equilibrio hormonal (entre cortisol y DHEA) que se presentan con el envejecimiento pueden contribuir al origen y al desarrollo de enfermedades neurodegenerativas asociadas con el envejecimiento". *Dosificación:* Tomar de 25 a 50 miligramos al día. Cualquier suplemento hormonal debe ser supervisado por un médico; lo mejor es consultarlo antes de añadir suplementos de DHEA a la dieta para asegurarse de que es adecuado.

Adaptándose con Adaptógenos Herbales

Los adaptógenos derivados de las plantas pueden ser muy útiles para combatir los esfuerzos mentales y físicos a los que nos somete la vida moderna. Los adaptógenos funcionan mediante la modulación de los niveles y la actividad de las hormonas y químicos neuronales que afectan todo el organismo, desde la actividad cardiaca hasta la percepción del dolor. Los siguientes tres adaptógenos han demostrado que son especialmente efectivos para aliviar el estrés:

- *Rhodiola rosea*. Presentada en el capítulo 5, Sexo para toda la vida, esta hierba, también conocida como raíz dorada y raíz ártica, ha sido utilizada desde hace siglos en la medicina tradicional asiática y europea por su reconocida capacidad para aumentar la resistencia a toda una variedad de factores de estrés químicos, biológicos y físicos. Aún hoy es una planta popular en los sistemas de medicina tradicional en el este de Europa y en Asia, aunque menos conocida en Estados Unidos.

  Estudios realizados en cultivos de células, animales y humanas, han demostrado la gran variedad de beneficios de la *Rhadiola*: combate la fatiga y el estrés, fortalece el sistema inmunológico y protege del cáncer y también es un estimulante sexual. Incluso protege de los efectos dañinos de la falta de oxígeno. La publicación *Rhodiola rosea: A Phytomedicinal Overview* publicada por el American Botanical Council (http://www.herbalgram.org) es una reseña completa y excelente de esta asombrosa planta. Fue recopilada por los reconocidos expertos: doctor Richard P. Brown, doctora Patricia L. Gerbarg y doctor en filosofía Zakir Ramazanov, y la recomiendo como lectura adicional.

  Múltiples estudios de la exUnión Soviética han demostrado la capacidad de la *Rhodiola* para enfrentar condiciones estresantes, tanto físicas como psicológicas. Un estudio en particular demostró la asombrosa capacidad de la *Rhodiola* para reducir de manera significativa el estrés, con tan sólo una dosis. El estudio fue único en el sentido de que examinó los efectos de sólo una dosis de adaptógenos en casos que exigen una respuesta rápida a situaciones de tensión o estrés. Se descubrió que la *Rhodiola* era muy eficaz para controlar el estrés generado por la parte del sistema de estrés conocido como sistema simpático-suprarrenal. Esto es importante porque, como señala el estudio, las medicinas estimulantes tradicionales que se usan para controlar el estrés tienen el potencial de ser adictivas. Los pacientes suelen desarrollar tolerancia, lo que hace necesario que tomen dosis cada vez mayores. Este comportamiento fácilmente lleva a la adicción no intencional, tiene efectos negativos en el sueño y causa rebote en forma de hipersomnolencia o depresión. La *Rhodiola* no sólo no produce efectos secundarios negativos sino que aumenta el funcionamiento mental y físico, según descubrieron los investigadores.

En pocas palabras, la *Rhodiola* evita la insuficiencia suprarrenal y todas las ramificaciones negativas que aparecen después de un desplome suprarrenal que puede ocurrir debido a la excesiva exposición al estrés, falta de sueño, consumo insuficiente de vitamina C, exceso de consumo de cafeína y otros estimulantes, excesivo consumo de alimentos con azúcar o almidón, las enfermedades crónicas y otros padecimientos. El estrés crónico es el mayor culpable de la insuficiencia suprarrenal.

Muchos estudios indican que la *Rhodiola* es útil como terapia en condiciones en las que el desempeño en el trabajo se ve disminuido, en casos de problemas de sueño, falta de apetito, irritabilidad, hipertensión, migrañas y fatiga, como resultado de un excesivo esfuerzo físico o intelectual, influenza y otros virus, y demás enfermedades. *Dosificación:* Tomar una cápsula de 250 miligramos de extracto de la raíz de *Rhodiola*, estandarizado a 3% rosavins (7.5 miligramos) y 1% salidrosides (2.5 miligramos).

• *Ginseng.* Esta hierba también se ha usado en Asia desde la antigüedad. Es importante saber que el ginseng es el nombre que se le da a tres plantas diferentes que se usan como adaptógenos. La planta más utilizada es *Panax ginseng*, también conocida como ginseng coreano, chino o asiático. *Panax quinquefolium*, o ginseng americano, también es considerado ginseng "verdadero". Sin embargo el ginseg siberiano (*Eleutherococcus senticosus*), que comúnmente se conoce como ginseng, no es ginseng verdadero sino una planta cercana. Pero independientemente de la especie, las tres plantas han ofrecido evidencia experimental de que satisfacen las expectativas como adaptógenos. Estudios realizados en animales han mostrado que los ginsenosidos, compuestos bioactivos de los ginseng, refuerzan la sensibilidad del eje HPA al cortisol. Además, los estudios indican que las tres plantas ofrecen protección en contra del estrés físico y psicológico.

- *Ginkgo biloba.* Durante los últimos 5,000 años, las hojas del árbol ginkgo han sido utilizadas para tratar varios padecimientos físicos. Aunque el ginkgo actualmente se utiliza para combatir los efectos debilitantes de la falta de memoria y la demencia, existe evidencia nueva que sugiere que también puede ser útil en el tratamiento de los efectos del estrés y altos niveles de cortisol. Un estudio doble ciego, controlado con placebos, publicado en el *Journal of Physiology and Pharmacology* estudió los efectos del ginkgo en el control del cortisol y los niveles de presión sanguínea en setenta hombres y mujeres sanos. Cuando fueron sometidos a factores de estrés físicos y psicológicos, los sujetos que recibieron 120 miligramos diarios de extracto estandarizado de ginkgo, notaron que los niveles de cortisol aumentaron en menor grado que los que recibieron placebos, y lo mismo sucedió con el aumento de la presión sanguínea.

Ejercicio para Ahuyentar al Estrés

En el capítulo anterior aprendimos el poder que tiene el ejercicio para influir en el rejuvenecimiento celular y el equilibrio mente-cuerpo. Ahora también conocemos los potentes efectos de protección que tiene el ejercicio en las hormonas de estrés que amenazan con descomponer nuestras células.

Son dos las fuerzas enemigas a las que nos enfrentamos cuando no hacemos suficiente ejercicio. Primero al hecho de que los seres humanos están hechos para estar en movimiento. Evolucionamos desde cazadores y recolectores, no desde seres sentados viendo la televisión. Nuestros sistemas fueron hechos para ser usados por un cuerpo físicamente activo. Cuando el cuerpo se vuelve sedentario, nuestros sistemas no funcionan al nivel que deben y no se deshacen de los desechos de forma tan eficaz como debería de ser.

La segunda fuerza que enfrentamos es la reacción natural de nuestro cuerpo de luchar o huir. Nuestras hormonas del estrés fueron diseñadas para ayudarnos a vencer ciertos elementos de estrés en forma de amenazas físicas a nuestra seguridad o, por el contrario, a huir de ellas. En la actualidad, los elementos de estrés a los que nos enfrentamos son más psicológicos que físicos, pero la producción de hormonas de estrés es aún la misma. No nos deshacemos de ellas luchando y huyendo, por el contrario, siguen circulando por nuestro cuerpo causando destrozos en nuestras células.

La mejor manera para deshacernos de estos subproductos tóxicos es el ejercicio. Siempre y cuando no se realice en exceso, el ejercicio alivia del estrés cotidiano, fortalece el funcionamiento del sistema inmunológico, mejora la circulación y nuestra capacidad para descansar durante la noche (cuestión de vital importancia, dado que como sabemos casi todo el trabajo de reparación celular sucede cuando dormimos). Y algo más sobre el sueño: un estudio fascinante ha mostrado la importancia de dormir en oscuridad total. Esto se debe a muchas razones de salud, incluyendo la reducción del riesgo de padecer cáncer de mama. Se descubrió que las mujeres que trabajaban horarios nocturnos, como enfermeras y azafatas, tenían un índice 60% mayor de cáncer de mama. Las investigaciones realizadas por el National Cancer Institute y el National Institute of Environmental Health Sciences reveló un hecho preocupante. La exposición a la luz durante las horas de sueño al parecer promueve de forma agresiva el cáncer de mama debido a que bloquea la producción de melatonina, una hormona producida por la glándula pineal. Esta hormona, que el cuerpo produce naturalmente bajo la oscuridad, es importante para el fortalecimiento del sistema inmunológico. Su presencia también impide el desarrollo de tumores cancerígenos hasta en 80%, según los resultados de la investigación.

Está en Nuestras Manos

Uno de los aspectos realmente positivos de envejecer es la sabiduría y la serenidad que llega a nuestras vidas. Y con esa sabiduría y serenidad viene el poder y el conocimiento de que las decisiones que tomamos son para nuestro beneficio. Cuando somos jóvenes, somos irresponsables, damos nuestra salud por hecho, estamos ansiosos por vivirlo todo y tomamos decisiones que más tarde, en ocasiones, lamentamos. Sentimos que tenemos todo el tiempo del mundo. Cuando cumplimos 30, 40 y más años, nos damos cuenta de que el tiempo es valioso y finito. Ahora ya podemos tomar el control de nuestra vida y concentrarnos en objetivos significativos con beneficios a largo plazo.

Como verán en este capítulo, el estrés es un asunto físico en muchas de sus manifestaciones y lo que aquí se ha descrito es, sin duda alguna, la punta del iceberg. Aprendimos lo mucho que abarcan el estrés y las emociones negativas ya que no hay parte del cuerpo que pasen por alto. Pero no debemos sentirnos impotentes, seres sin defensa, sujetos a los caprichos del mundo, esclavos del estrés mental y emocional. Tenemos muchos maestros que están dispuestos a ofrecernos herramientas para aprovechar al máximo nuestro potencial físico y mental. Sin embargo, tenemos que identificar y aceptar que somos entes poderosos y que poseemos grandes habilidades tanto para la creación como para destruirnos a nosotros mismos, a nuestra realidad y a nuestro universo. Si los estados mentales negativo pueden causar tanto daño, ¿no es buena idea aprender a controlar el estrés y a concentrarnos en pensamientos y emociones positivas para recibir aún más beneficios? Si esto es así, entonces tiene sentido que al reducir el estrés y aprender a concentrarnos en las emociones positivas tenemos a la mano la llave de un futuro más brillante, feliz y saludable para todos. Depende de nosotros que iluminemos el camino para las generaciones que siguen.

Cocina Antienvejecimiento

Cuando se trata de la comida y el antienvejecimiento, el concepto que siempre gana es el de comida rápida y fácil. Realmente nos facilita la vida de muchas maneras. Ahorramos tiempo. Nos permite salir de la cocina cuando queremos hacer otras cosas. Y, muchas veces, sabe realmente bien, aunque sepamos que nos hace daño.

Sin embargo, si ponemos más atención en la comida rápida y fácil (la que viene empaquetada o congelada, o que conseguimos en establecimientos de comida rápida e incluso en algunos restaurantes) comenzamos a darnos cuenta que lo rápido y fácil nos puede hacer más daño que bien. Esto se debe a que es más barato y fácil para los procesadores de alimentos y dueños de restaurantes y de establecimientos de comida rápida usar ingredientes que perjudican la salud. De hecho, uno se pregunta si realmente se puede clasificar como comida dado que fue creada en el laboratorio y no existe en la naturaleza (por ejemplo, jarabe de maíz alto en fructuosa, grasas hidrogenadas, edulcorantes artificiales, saborizantes, colorantes, cubiertas de crema batida).

Además, los métodos para cocinar que se usan en la mayoría de los establecimientos de comida rápida (como freír los alimentos) son peligrosos debido al alto nivel de grasas dañinas que producen y al exceso de calor que se usa para freír carbohidratos que generan subproductos tóxicos como acrilamida (un químico que tiene varios usos industriales). Los alimentos como las papas fritas (naturales o en bolsa) contienen grandes cantidades de acrilamida.

Elegir el Aceite Adecuado para Cocinar y Aderezar Ensaladas

Pareciera que no tiene importancia si sazonamos las ensaladas con aceite de maíz o con aceite de oliva pero, de hecho, es realmente de primordial importancia.

La grasa es uno de los nutrientes que nuestro cuerpo recibe junto con proteínas, carbohidratos y vitaminas. Las grasas y los aceites están constituidos a partir de ácidos grasos, que ya mencionamos con anterioridad. Estos ácidos grasos conocidos como EFA son grasas que nuestro cuerpo no produce; tenemos que obtenerlos de la comida. Estos EFA pueden ser los omega-6 que se conocen como ácido linoleico omnipresente en la dieta estadunidense. También tenemos la versión EFA de los omega-3: el AAL. Lo podemos encontrar en alimentos naturales como el salmón silvestre, aceite de pescado y res alimentada con hierbas. Aunque el aceite de oliva sólo tiene un contenido mínimo de estos ácidos esenciales, ofrece grandes beneficios al cuerpo y es importante incluirlo en la dieta diaria. El aceite de oliva contiene cierta cantidad de ácido linoleico (omega-6) y algo de AAL (omega-3); sin embargo, también contiene aproximadamente 75% de ácido graso monoinsaturado no esencial llamado ácido oleico.

El ácido oleico forma parte de la familia de los omega-9. A diferencia de los ácidos grasos omega-3 y omega-6, los ácidos grasos omega-9 no se clasifican como EFA debido a que el cuerpo los puede producir a partir de grasa insaturada y, por tanto, no son esenciales en la dieta. Sin embargo, esto puede ser engañoso. El ácido oleico es el que se asegura de que los vitalmente importantes EFA omega-3 penetren a la bicapa de lípidos de la membrana celular. Como hemos visto, la función de las membranas celulares es garantizar que los nutrientes y el oxígeno entren a la célula, que los dañinos radicales libres se queden fuera y que se eliminen los desechos y el dióxido de carbono. Por lo tanto, tiene sentido incluir fuentes ricas de ácido oleico (como aceite de oliva extravirgen) en nuestra dieta para garantizar que se realicen estas funciones. La capacidad del ácido oleico de fortalecer la absorción de los EFA garantiza el funcionamiento de la membrana de plasma de la célula, conservándola adaptable y flexible. Esto resulta absolutamente necesario si queremos tener una piel hermosa y juvenil, y un cuerpo sano. De hecho, también existe evidencia de que el aceite de oliva puede reducir los niveles de triglicéridos, reducir la presión sanguínea, la adherencia de las plaquetas y reduce el riesgo de padecer ataques al corazón y las complicaciones consiguientes.

La próxima vez que vayan a comprar el aderezo para ensalada "libre de grasas" recuerden estos datos. El aceite de oliva favorece la absorción de todos los ácidos grasos cuya deficiencia produce toda una variedad de problemas de salud como:

- Eczema (padecimiento inflamatorio de la piel caracterizado por irritación, comezón, supuración de lesiones vesiculares que se endurecen o convierten en costras).
- Pérdida del cabello.
- Problemas de hígado.

- Problemas de riñón.
- Pensamiento errático y confuso.
- Sensibilidad a las infecciones.
- Curación retardada de heridas.
- Esterilidad en los hombres.
- Abortos.
- Padecimientos similares a la artritis.
- Problemas del corazón y circulatorios.
- Depresión.

El Dilema Omega-6-Omega-3

¿QUÉ ACEITES?

Los aceites vegetales, baratos y altamente refinados, que usa la mayoría de los consumidores (y de los fabricantes de alimentos empaquetados, preparados y cocinados en restaurantes) tienen un alto contenido de EFA inflamatorios omega-6 y muy poco de antinflamatorios omega-3. Entre éstos se encuentran los aceites de maíz, soya, canola, girasol, cártamo, cacahuate y semillas de algodón.

Aunque los aceites de canola y soya se publicitan como fuentes de omega-3, contienen mayor cantidad de omega-6. Por lo tanto, en realidad sólo aumentan el exceso de omega-6 que ya tiene la dieta estándar estadunidense, que contiene de 25 a 40 partes de omega-6 a una parte de omega-3. En contraste, investigadores de los EFA recomiendan, casi por unanimidad, que las personas consuman aproximadamente tres partes de omega-6 a una parte de omega-3. De hecho, el consumo actual de omega-6 es el doble de lo que era en 1940. Por el contrario, el consumo de omega-3 ha disminuido en más de 50% desde mediados del siglo XIX.

Las cantidades excesivas de omega-6 son perjudiciales para la salud porque generan inflamación y mayor retención de agua, además de elevar la presión sanguínea y contribuir a la existencia de enfermedades de largo plazo como padecimientos cardiacos, cáncer, asma, artritis, diabetes y depresión.

LA RAZÓN IDEAL

Es virtualmente imposible consumir la razón ideal de 3 a 1 de omega-6 a omega-3, ya que se requiere de un consumo absurdo y excesivo de aceite de pescado. En términos prácticos, la porción adecuada de EFA adecuada sólo se consigue si reducimos drásticamente la ingestión de aceites vegetales estandarizados. Yo recomiendo eliminarlos por completo debido a que los EFA omega-6 prevalecen en la dieta occidental en muchas otras variantes como la carne de res alimentada con granos. Como mencioné en otra parte de este libro, si los animales se alimentan de hierbas (su dieta natural), la carne tendrá un alto contenido de los antinflamatorios omega-3. Desafortunadamente, la dieta de la mayoría de las personas consiste en carne de reses que consumen granos; una elección menos saludable y que provoca deficiencia de omega-3.

Yo prefiero los aceites con bajo contenido de omega-6 y alto contenido de ácidos grasos insaturados que ayudan a reducir los niveles el colesterol LDH (malo) y aumentar los del colesterol HDL (bueno). Los ácidos grasos monoinsaturados también ayudan a la membrana celular a retener los beneficios de los omega-3 y pueden reducir el riesgo de generar resistencia a la insulina y ayudar al control de la diabetes en la sangre.

Recomiendo cinco opciones en orden descendiente de preferencia:

- El *aceite de oliva extravirgen* tiene un promedio de 75% de EFA omega-9 mono-insaturado y, a diferencia del aceite comercial, tiene un rico contenido de potentes antioxidantes que generan comprobados beneficios a la salud vascular.
- El *aceite de nueces de macadamia*, a diferencia del aceite de oliva, tiene un alto contenido de ácidos grasos monoinsaturados, incluyendo ácido oleico omega-9 y ácido palmitoléico omega-7, tiene una temperatura de "punto de humo" mayor que el aceite de oliva extravirgen (232°C contra 154°C), lo que significa que soporta temperaturas más elevadas antes de descomponerse. Es más versátil que el aceite de oliva y tiene un sabor más neutro.
- Los *aceites de cártamo o de semillas de girasol altamente oleicos* provienen de plantas con alto contenido de ácido oleico, la misma grasa monoinstaurada que predomina en el aceite de oliva. Los aceites de cártamo y semillas de girasol comerciales son indeseables, ya que tienen un alto contenido de EFA antinflamatorios omega-6 y poca grasa monoinsaturado. Como el aceite de nuez de macadamia, los aceites de cártamo o semillas de girasol son más versátiles que el aceite de oliva ya que el sabor es casi neutro.
- El *aceite de aguacate* tiene un alto contenido de ácidos grasos monoinsaturados, pero es muy costoso y difícil de conseguir.
- El *aceite sin refinar de canola (de nabina)* tiene un contenido relativamente bajo de omega-6, contiene una cantidad sustancial de grasas omega-3 y alto nivel de ácidos grasos monoinsaturados. Mientras que el aceite de canola de nabina contiene niveles tóxicos de ácido erúsico, el aceite de canola proviene de una híbrido de nabina que tiene menos de 2% de ácido erúsico. No hay evidencia confiable para creer que el aceite de canola es más perjudicial que sus contrapartes que se venden en el supermercado. Sin embargo, sólo se conoce desde hace algunas cuantas décadas y tiende a producir un sabor desagradable cuando se caliente, por lo que sería el último recurso.

Los ácidos grasos de la mayoría de los aceites que se usan para cocinar (soya, canola, semillas de girasol, cártamo, semillas de algodón) están conformados básicamente por el EFA antinflamatorio omega-6 llamado ácido alfa linoleico (de 75 a 90%), mientras que el resto consiste de EFA omega-9 monoinsaturados (de 10 a 15%). Y estos aceites sólo contienen una proporción muy pequeña de EFA omega-3 (ácido alfa-linoleico) en relación a los EFA omega-6 (ácido alfa-linoleico). Los únicos aceites con un contenido relativamente bajo de de EFA omega-6 son los aceites de oliva, de cártamo y canola.

También es importante que sepan que los aceites vegetales refinados suelen contener cantidades sustanciales de ácidos grasos trans potencialmente perjudicales, que se generan cuando los fabricantes quieren extender la vida de sus productos sometiéndolos a un proceso conocido como deodorización, que convierte cerca de 5% del frágil omega-3 y omega-6 del aceite vegetal en grasas trans. Investigaciones recientes indican que las grasas trans pueden producir inflamación en el interior de las arterias, creando complicaciones para las personas que padecen del corazón, diabetes y otras enfermedades.

ACEITE VEGETAL	EFA OMEGA-6 (%)	EFA OMEGA-3 (%)	ÁCIDOS GRASOS MONOINSATURADOS (%)	ÁCIDOS GRASOS SATURADOS (%)
Cártamo (HO)	14	1	77	78
Cártamo	78	0	13	79
Semillas de girasol	78	1	82	79
Maíz	71	1	16	12
Frijol de soya	57	1	29	13
Semillas de algodón	54	8	23	15
Canola	54	0	19	27
Oliva	21	117	61	77
Cacahuate	79	1	75	15

EFA: Ácido graso esencial (siglas en inglés); HO:alto nivel oleico.

Una Nota Especial Acerca del Aceite de Coco

Desde hace mucho tiempo en Estados Unidos se piensa que el aceite de coco es un grasa poco saludable, aunque en el resto del mundo se disfruta ampliamente, especialmente donde florece el árbol de la palma. En esos países es un componente clave de la alimentación diaria.

Sin embargo, en occidente comenzamos a revalorar esta idea dado que hay sólidos argumentos científicos que contradicen esta arraigada opinión. El aceite de coco es grasa saturada, y una dieta saludable está conformada por no más de 6% de grasa saturada. Sin embargo, casi todo lo que consumimos en Estados Unidos son grasas saturadas de cadena larga derivadas de animales que tapan las arterias. Los ácidos grasos de cadena media que se derivan de las plantas o los triglicéridos de cadena media (MCT por sus siglas en inglés) se digieren generalmente rápido, produciendo energía y estimulando el metabolismo. Una serie de estudios han mostrado que los MCT del aceite de coco no se convierten rápidamente en grasa saturada, ya que el cuerpo no puede usar fácilmente las grasas de cadena larga para hacer moléculas de grasa. Ahora, todo indica que si sustituimos las grasas perjudiciales como la margarina, manteca y los aceites vegetales convencionales por aceite de coco, no sólo almacenaremos menos grasa corporal sino que aceleraremos nuestro metabolismo. El perfil de ácido graso del coco se debe principalmente a los ácidos caprílicos y láuricos, que respaldan el funcionamiento inmune. Los investigadores también han descubierto que la fracción de ácido láurico en el aceite de coco tiene propiedades antivirales y antimicrobianas.

El aceite de coco no tiene prácticamente sabor, lo que significa que no altera los sabores de los otros alimentos.

Alimentos Proenvejecimiento que hay que Evitar

La comida rápida y fácil generalmente viene empacada con un trío de elementos indeseables que, juntos, perjudican la salud:

Aceites Hidrogenados y Parcialmente Hidrogenados

Para hacer los aceites hidrogenados (conocidos como manteca vegetal) se transforma a los EFA de los aceites vegetales como la semilla de algodón o de la soya, mediante una conversión catalítica, en ácidos grasos saturados. El objetivo es que los aceites de los alimentos procesados sean más resistentes a la oxidación (nivel de rancio) durante los meses que están en los estantes o refrigeradores. Cuando los aceites vegetales son hidrogenados, el resto de los ácidos grados insaturados se convierten a la forma *trans*. Desafortunadamente, estos ácidos grasos saturados e insaturados creados por el hombre provocan inflamación, arteriosclerosis y enfermedades cardiovasculares.

AZÚCARES Y ALMIDONES

Los seres humanos han sido programados por milenios de presiones evolutivas a buscar el azúcar, que es la forma de combustible más fácil de usar para las células del cerebro y los músculos. Por suerte, fuera de tropezarse de vez en cuando con un panal nuestros antecesores cazadores y recolectores no encontraban azúcar fácilmente. Desafortunadamente, lo que ocurre ahora es lo contrario: los fabricantes de alimentos y encargados de restaurantes agregan azúcar y otras formas proenvejecimiento de edulcorantes a los alimentos bajo varias excusas. Tristemente, esta práctica común ha arruinado el paladar de los estadunidenses, empezando en la infancia y acostumbrándolos a esperar un sabor dulce no sólo en postres y caramelos sino en alimentos y bebidas de todo tipo. Quizá la manera más rápida de acelerar el proceso de envejecimiento es comer alimentos o tomar bebidas que rápidamente se convierten en azúcar al momento de ingerirse.

ADITIVOS SINTÉTICOS

No encuentro el sentido de ingerir aditivos sintéticos en ninguna de sus formas. *Sintético* significa "producido artificialmente y que no es de origen natural". ¿Cuáles son los riesgos potenciales a corto y largo plazo de estos químicos? En general, los aditivos sintéticos los usan sólo los fabricantes y vendedores de comida fácil y rápida para ampliar la duración de los alimentos o para sustituir conservadores naturales (antioxidantes potentes como el romero, etcétera), sabores y colores (pigmentos que tienen efectos antioxidantes) más costosos.

Para Beber, Sólo Yo

Las personas me preguntan si está bien que se tomen un trago. También quieren saber si hay un tipo de alcohol que sea menos dañino que otro.

No veo el problema de recomendar una copa de vino tinto con una comida porque, a diferencia del vino blanco, contiene antioxidantes antienvejecimiento muy potentes llamados flavonoles y sobre los que aprendimos en el capítulo 1, "Rejuvenecimiento celular": pigmentos azul-rojo-morados que protegen al cuerpo de muchas formas. Estudios realizados hace poco muestran que tomar una copa de vino tinto al día bien puede tener ciertos beneficios a la salud debido, en parte, al alto contenido de antioxidantes. Algunos de ellos son:

- Protección contra el cáncer.
- Protección contra las enfermedades del corazón.
- Efecto positivo en los niveles de colesterol y presión sanguínea.

Si les gusta el vino, les sugiero que tomen sólo una copa y siempre con una comida, en lugar de hacerlo antes, para frenar los efectos de inflamación y estrés que tiene el alcohol en el hígado.

Licor Fuerte: Acelerador Proinflamatorio de la vejez

La ingestión de bebidas con mayor contenido de alcohol, en contraposición a una copa de vino en la cena, provoca muchos problemas al cuerpo en términos inflamatorios. El alcohol se desintoxica en el hígado, y en algunos licores el contenido de alcohol es demasiado alto.

Los productos metabólicos del alcohol son moléculas indeseables conocidas como aldehídos. Además de tener efectos inflamatorios, los aldehídos también dañan varias partes del interior de la célula. Si van a beber licores fuertes, recuerden que el azúcar que contienen los jugos o refrescos con los que se mezclan también son proinflamatorios y envejecen la piel. Lo mejor es evitarlos y usar agua sola o mineral. En resumen, disfrutar del vino tinto con moderación es aceptable, incluso saludable, pero mejor eviten los martinis y cosmopolitans.

El Alcohol Altera el Sueño

Dado que el sueño es tan importante para el rejuvenecimiento de la piel y de todo el cuerpo, es esencial que hagamos todo lo posible para fortalecerlo. Por ello, es mejor *no* beber alcohol con el estómago vacío y mantenernos bien hidratados con agua.

Es posible que cuando tomemos algunos tragos en la tarde nos sintamos adormilados, pero al poco rato, el alcohol precipita la irrupción de noreprinefina, un neurotransmisor tipo hormonal que se secreta como reacción al estrés o la excitación. Horas después de tomar un trago, una irrupción de noreprinefina puede interrumpir el ciclo del sueño e incluso despertarnos. Esto no sólo significa pasar una mala noche, sino que la piel queda hinchada y opaca al día siguiente.

Por Qué el Alcohol no se Lleva con la Belleza

Mientras que los resultados de muchos estudios científicos indican que el alcohol en pequeñas cantidades puede tener beneficios para la salud cardiovascular, hay muchos peligros asociados con el consumo excesivo de alcohol incluyendo daño a la piel.

Las personas generalmente piensan que el alcohol es malo para la piel porque nos deshidrata. Creen que pueden enfrentarlo bebiendo grandes cantidades de agua. Sin embargo, por importante que sea rehidratarse, el alcohol genera inflamación en todo el cuerpo, incluyendo la piel, con efectos que van más allá de la deshidratación. El alcohol altera el flujo de la sangre a la piel y crea una apariencia poco saludable durante los días que siguen después del exceso. Este efecto puede mostrarse como opacidad, poros agrandados, decoloración, complexión hinchada y rojiza, inflamación alrededor de los ojos, pérdida de los contornos, flacidez y pérdida de resistencia. Estos efectos negativos ocurren porque el alcohol hace que los pequeños vasos sanguíneos de la piel se hinchen, dejando que más sangre fluya cerca de la superficie de la piel. Además de este color rojizo y de la sensación de calor, la dilatación de los vasos sanguíneos puede romper los vasos capilares del rostro. El alcohol también deshidrata la piel, y la piel seca tiene mayor tendencia de mostrar líneas finas que cuando está hidratada.

Cuando somos jóvenes a veces eludimos algunas de las manifestaciones físicas y visibles del exceso de alcohol, es decir, no aparecen tan marcadas como en las personas mayores porque los jóvenes tienen mayor elasticidad física. Pero los efectos son acumulativos y terminarán por pasarnos la factura. Si combinamos el daño causado por el alcohol con el causado por el sol estamos preparando el escenario para un acelerado envejecimiento y para la destrucción de la piel, incluyendo la descomposición del colágeno que se necesita para conservar la firmeza y elasticidad.

Arsenal Antienvejecimiento: Alimentos que hay que Tener a la Mano

La prioridad número uno al planear una cocina antienvejecimiento es tomar buenas decisiones en cuanto a los alimentos. Una buena regla a seguir es "tan natural como sea posible". Una manera de comprar alimentos saludables es evitar los pasillos centrales de los supermercados. Mejor, concéntrense en el perímetro de la tienda, donde están las verduras y frutas frescas, la comida de mar, las aves, los lácteos así como hierbas, especias, alubias, leguminosas, nueces y semillas y quesos importados. Si llenan su alacena y refrigerador con los alimentos correctos, la posibilidad de que coman bien es mayor. Éstos son algunos mis alimentos antienvejecimiento favoritos:

GÉNERO ALLIUM

- *Mejores opciones*: cebollas, ajo.
- *Buenas decisiones*: cebollín, poros, chalotes, cebolletas.
- *Beneficios antienvejecimiento*: con alto contenido de compuestos de azufre y antioxidantes antinflamatorios que fortalecen la salud cardiovascular, acaban con microbios infecciosos y reducen el riesgo de padecer cáncer del estómago.

Remedios para la Resaca de Adentro hacia Fuera

Si por alguna razón se exceden en el consumo de alcohol, una manera de reparar el daño interno y externo es tomar agua pura y fresca y tomar la combinación correcta de suplementos nutricionales la mañana siguiente. Mi recomendación es beber un vaso de agua grande con 1,000 miligramos de vitamina C, 1,200 miligramos de N-acetilcisteína, 100 miligramos de ALA, 1,000 miligramos de glutamina, 500 miligramos de aceite pantoténico, y suplementos del complejo B. El café no es un antídoto del alcohol, de hecho sólo ¡los hará sentir peor! Los alimentos verdes que presenté en el capítulo 1, "Rejuvenecimiento celular", ayudan a neutralizar los efectos de los aldehídos, que posiblemente son los responsables de los efectos tan dañinos del alcohol en el hígado, así como de esa desagradable sensación conocida como resaca y que tenemos la mañana siguiente después de una noche de alcohol. La cúrcuma, sustancia que tiene un característico color amarillo intenso, detiene los cambios producto del exceso en el consumo de alcohol y que causan daños al hígado. Recomiendo mezclar un cuarto de cucharadita de cúrcuma con agua. Esta asombrosa especia reducirá el nivel de azúcar y dará protección antioxidante.

Después de beber mucho alcohol hay ciertos tratamientos específicos de aplicación tópica, como fórmulas con éster de vitamina C, DMAE y AAL, que mejorarán su apariencia de muchas maneras:

- Conserva la apariencia sonrosada de juventud y salud.
- Revive la piel opaca, sin vida.
- Reduce al mínimo la decoloración e irritación de la piel.
- Reduce la hinchazón alrededor de los ojos.
- Reduce los círculos oscuros alrededor de los ojos.
- Disminuye la apariencia de líneas finas y arrugas.
- Protege a la piel del daño de radicales libres.

Ricos Peces de Agua Fría

No hay comida más sencilla o sana que la que consiste en abrir una lata de atún, sardinas o salmón silvestre. Y si están pensando *¿cómo puedo tener pescado fresco a la mano?*, es importante que sepan que el pescado congelado es, usualmente, más fresco que el pescado "fresco" que ¡es todo menos fresco! Casi todo el pescado "fresco" lleva varios días o semanas en los puestos de hielo del supermercado, donde pueden estar hasta que alguien los compra. Por el contrario, el pescado para congelar se limpia y congela al instante a las pocas horas de la pesca, una práctica que lo conserva en estado realmente fresco. Al elegir pescado congelado pueden tener varias opciones en el congelador. Una vez descongelado, el sabor será como si lo acabaran de pescar y lo hubieran cocinado a las pocas horas. Para acelerar el proceso sólo hay que sumergir el pescado congelado, dentro de la bolsa resistente al agua en la que vienen empacados, en agua fresca durante una o dos horas hasta que esté flexible.

- *Mejores opciones:* Salmón silvestre (rosado, rey/chinook, Coho/plateado, naranja, chum). El rosado es el que ofrece el nivel más alto de omega-3 de cualquier clase de pescado.

  Nota: El salmón silvestre es más saludable que sus primos cultivados en granjas. Ambos tienen un alto contenido de ácidos grasos omega-3 antinflamatorios que tanto faltan en la dieta occidental y que nos hacen sentir mejor, fortalecen el funcionamiento del cerebro, controlan el peso y la salud del corazón. Pero a diferencia del salmón silvestre, el salmón cultivado también tiene alto contenido de ácidos grasos proinflamatorios omega-6 que abundan en la dieta estadunidense. Un estudio realizado en Noruega indica que el consumo de salmón cultivado hace que suban los niveles en la sangre de químicos inflamatorios, asociados con el riesgo de padecer enfermedades cardiovasculares, una situación realmente irónica dada la reputación del pescado como saludable para el corazón.
- *Buenas decisiones:* Pez sable (bacalao negro), sardinas, anchoas, arenques, atún, caballa del Atlántico norte, trucha, róbalo, camarón, mejillones, ostiones, hipogloso.

  La mujeres embarazadas en el periodo de lactancia y los niños pequeños deben seguir los lineamientos de consumo establecidos por la FDA y la Agencia de Protección Ambiental y consumir cápsulas de aceite de pescado de alta calidad para asegurar que consumen los EFA omega-3 marinos de cadena larga que parecen fortalecer el desarrollo del cerebro y ojo en los fetos e infantes.

  La caballa del Atlántico norte usualmente tiene bajo contenido de mercurio pero eviten el que proviene del Golfo de México o del Atlántico sur, que a veces se conoce como caballa española o rey.

  El atún enlatado *light* tiene un contenido relativamente bajo de mercurio, mientras que el atún albacore del Pacífico, joven y bajo peso, casi no tiene mercurio (véase la sección de Referencias). Las mujeres embarazadas y en periodo de lactancia deben reducir al mínimo su consumo (o evitarlo del todo) del atún enlatado común.
- *Beneficios antienvejecimiento:* Con alto contenido de ácidos grasos omega-3, mejora el humor, el funcionamiento mental, la salud cardiovascular y pueden controlar el peso, reducir el riesgo de padecer Alzheimer e inhibir el desarrollo de cánceres comunes.

FRUTAS FAVORITAS

- *Mejores opciones*: manzanas, moras, toronja.
- *Buenas decisiones*: peras, duraznos, ciruelas, ciruela pasa, cerezas, naranjas.
- *Beneficios antienvejecimiento*: ricas en fibra y antioxidantes antinflamatorios que fortalecen la salud cardiovascular; pueden reducir el riesgo de padecer ciertos cánceres.

FRUTOS "MONO": AGUACATE, OLIVOS, COCO, ACAI

Los frutos mono contienen grasas saludables monoinsaturadas.

- *Beneficios antienvejecimiento*: con alto contenido de fibra, antioxidantes antinflamatorios (olivos y acai), y ácidos grasos antinflamatorios/antiadiposos, que inhiben la inflamación y pueden ayudar a controlar el peso.

PICOSOS CONSUMIDORES DE CALORÍAS: CHILES, PIMIENTA DE CAYENA, POLVO DE CHILE

- *Beneficios antienvejecimiento*: con alto contenido de fibra y de antioxidantes antinflamatorios pueden inhibir el apetito y ayudar a controlar el peso.

NUECES Y SEMILLAS

- *Mejores opciones*: almendras, pistaches, nueces de nogal, avellanas, semillas de calabaza, semillas de sésamo y mantequilla de sésamo (tahini), linaza, semillas de girasol.
- *Beneficios antienvejecimiento*: ricos en fibra y en saludables grasas antinflamatorias y antioxidantes antinflamatorios que pueden ayudar a controlar el peso.

PRODUCTOS LÁCTEOS BAJOS EN GRASA: YOGUR, KÉFIR, LECHE PROBIÓTICA

- *Beneficios antienvejecimiento*: ricos en calcio, proteína de suero y bacterias saludables, una combinación que fortalece la salud de los huesos, la inmunidad y el control de peso. El yogur griego, especialmente el de leche de oveja o de cabra, es particularmente saludable y tiene una textura cremosa. Muchas personas no toleran la leche de vaca y los yogures de leche oveja o de cabra son ideales para ellas.

ALUBIAS: FAMILIA DE LAS LEGUMINOSAS

- *Mejores opciones:* chana dal (aka Bengal gram dal o cholar dal), lentejas, garbanzos.

   Nota: chana gram dal viene de una variedad de la misma planta de los garbanzos (*Cicer arietinum*), pero las alubias chana dal son más pequeñas y oscuras y tienen mayor contenido de fibra y fitocéuticos. En la India, estos dos tipos de garbanzos se llaman *desi* (chana dal) y *kabuli* (garbanzos). Esta diferencia es importante porque los garbanzos tienen un índice glicémico más alto (aunque bajo en términos relativos) que el chana dal.
- *Buenas decisiones:* frijoles mung, hummus (puré de garbanzo), alubias, alubias navy, frijoles pinto, frijoles negros.
- *Beneficios antienvejecimiento:* ricos en fibra soluble y (sólo las variedades más coloridas) antioxidantes antinflamatorios que obstaculizan el desarrollo de procesos degenerativos que pueden causar padecimientos comunes de la salud como enfermedades cardiovasculares, diabetes, cáncer.

GRANOS ENTEROS: AVENA, CEBADA SIN CÁSCARA, TRIGO SARRACENO

- *Beneficios antienvejecimiento:* la avena y la cebada tienen alto contenido de fibras que favorecen el control de peso y frenan el desarrollo de enfermedades cardiovasculares; la fibra beta-glucano (moléculas compuestas que se engendran en la membrana plasmática celular así como en los carbohidratos complejos) de la avena y la cebada tiene importantes efectos antiglicémicos ayudando a estabilizar el azúcar en la sangre.

   El trigo sarraceno es más bien una semilla y no un grano y tiene muchas propiedades benéficas para la salud. El trigo sarraceno es, por mucho, el alimento con mayor contenido de compuestos de carbohidratos raros llamados fagopiritoles, especialmente el *chiro*-inositol, que, en ratas diabéticas, reduce el nivel del azúcar en la sangre de manera considerable. Pero también son ricos en antioxidantes antinflamatorios.

ESPECIAS CONTRA EL AZÚCAR: CANELA, ALHOLVA, CLAVOS

Las personas con diabetes deben consultar a un médico antes de usar alimentos o suplementos para controlar el nivel de azúcar en la sangre.

- *Beneficios antienvejecimiento:* ricos en fitonutrientes (alholva) y antioxidantes antinflamatorios (canela y clavo), que ayudan a controlar el peso y evitan el desarrollo de condiciones degenerativas (por ejemplo, enfermedades cardiovasculares, diabetes, cáncer). La canela también es un magnífico estabilizador del azúcar como vimos en el capítulo 2, "El peso de la vida".

VERDURAS ANTIENVEJECIMIENTO "ARCO IRIS"

- *Mejores opciones:* espinaca, kale, acelga, coles, escarola, col de bruselas, verduras verdes de raíz (nabo, raíz de mostaza, remolacha), verduras del mar (algas marinas).
- *Buenas decisiones:* coles de brusleas, brócoli en ramo y en brote, pimientos, cebolla y ajo (género allium), berenjena, col verde o morada (la morada tiene mayor capacidad antioxidante), lechugas (diversos tipos; lo mejor es multicolo)
- *Beneficios antienvejecimiento:* ricos en fibra, antioxidantes antinflamatorios, y otros fitonutrientes que ayudan a controlar el peso y evitan el desarrollo de los padecimientos degenerativos más comunes (por ejemplo, enfermedades cardiovasculares, diabetes, cáncer).

ESPECIAS Y HIERBAS ANTINFLAMATORIAS: JENGIBRE, CÚRCUMA, GALANCAL, HIERBA LIMÓN, HIERBAS AROMÁTICAS

Las hierbas aromáticas son perejil, menta, eneldo, mejorana, orégano, romero, tomillo y albahaca.

- *Beneficios antienvejecimiento:* Tienen un contenido realmente alto de antioxidantes antinflamatorios y otros fitonutrientes antinflamatorios. El pigmento amarillo de la cúrcuma es rico en antioxidantes (curcuminoides) que han demostrado tener efectos potentes en animales con Alzheimer. La cúrcuma (como la canela) también tiene efectos importantes en la estabilización del azúcar en la sangre y puede detener los cambios causados por el consumo excesivo de alcohol que causan daño al hígado.

En pruebas clínicas, el jengibre y la cúrcuma han demostrado que tienen el potencial de aliviar los síntomas de la artritis, ya que actúan en las mismas vías de dolor e inflamación que la fórmula inhibidora COX- 2 (por ejemplo, Vioxx y Celebrex), pero sin los perjudiciales efectos secundarios asociados con esos medicamentos.

ACEITE DE OLIVA EXTRAVIRGEN, ACEITE DE NUEZ DE MACADAMIA Y ACEITE DE CÁRTAMO O GIRASOL CON ALTO ÍNDICE OLEICO

- *Beneficios antienvejecimiento:* Estos aceites tienen un alto índice de ácidos grasos monoinsaturados saludables para el corazón y bajo contenido de los inflamatorios ácidos grasos omega-6 que predominan en casi todos los aceites para cocinar (por ejemplo, canola, maíz, cártamo y girasol comunes, soya). El aceite de oliva extravirgen es único en cuanto que contiene potentes antioxidantes llamado *hydroxitirisol*. (No es el caso de los otros tipos de aceite de oliva.)

Seleccionar Inteligentemente los Utensilios para la Cocina

La cocina debe ser un placer que no tiene por qué verse manchado por preocupaciones sobre los utensilios. Si bien, los tipos más populares poseen riesgos importantes a la salud, hay excelentes alternativas con las que puede proteger a su familia. Y lo mejor es que darán mejores resultados en cuanto a sabor.

UTENSILIOS QUE HAY QUE EVITAR

Son dos los tipos de utensilios que hay que evitar por razones de salud.

- *Revestimientos plásticos antiadherentes.* Hay una gran controversia sobre la seguridad de las superficies antiadherentes que se suelen aplicar a las ollas de aluminio y acero. Según la Cookware Manufacturers Association (Asociación de Fabricantes de Utensilios para Cocina) cerca de 90% de los utensilios de aluminio que se vendieron en Estados Unidos en 2001 estaban bañados con superficies adherentes sintéticas.

    Las superficies antiadherentes sintéticas se dañan fácilmente provocando que las astillas de plástico penetren en la comida. Cuando se calienta, los utensilios revestidos con Teflón y otros materiales antiadherentes emiten gases que, se sabe, matan a las aves domésticas. Estas desafortunadas víctimas aviares fueron las que desataron la alarma de lo que sucedía en la cocina.

    Según un estudio realizado por la compañía 3M, se encontraron vestigios de un químico que se usa en la fabricación del Teflón llamado ácido perfluorooctanoico o PFOA (por sus siglas en inglés) en la sangre de 90% de estadunidenses. De los 600 niños examinados, 90% tenían PFOA en la sangre. Como el PFOA no se descompone, se queda permanentemente en el medio ambiente.

    Si bien no se sabe qué cantidad de este PFOA proviene de los utensilios antiadherentes (también se usa para revestir las bolsas de palomitas de maíz y los platos para microondas, entre otros usos) se piensa que la fuente primaria son los utensilios de cocina. El toxicólogo Tim Kropp de Environmental Working Group (grupo dedicado al medio ambiente) le comentó a *The New York Times* en 2005: "Cualquier cantidad de PFOA que se ingiera puede representar un problema porque no sabemos qué niveles son seguros".

    DuPont, el fabricante de Teflón, llegó a un acuerdo de 16.5 millones de dólares con la Environmental Protection Agency (Departamento de Protección del Medio Ambiente) debido a que la compañía no cumplió con el informe sobre los riesgos a la salud que representa el PFOA. El grupo Environmental Working Group informó que en sus pruebas el Teflón emite gases cuando alcanza la temperatura de 162°, mientras que DuPont sostiene que resiste temperaturas menores a 348°.

En lo que a mí respecta, la evidencia de que existe la posibilidad de que cause daño a la salud es suficiente para seguir utilizando las superficies tradicionales. Les recomiendo que escuchen la advertencia que implica el acuerdo entre DuPont y el Departamento para sustituir inmediatamente sus utensilios de cocina.

- *Aluminio (normal, no-anodizado):* Algunos estudios que se han realizado indican que los pacientes de Alzheimer tienen niveles por arriba de lo normal de placas de la proteína amiloide del aluminio que es una característica de la enfermedad, aunque aún no queda claro si esta acumulación es un factor causal o un efecto de la enfermedad.

El aluminio ligero que se usa para las ollas normales se transfiere fácilmente a los alimentos y esto significa posibles riesgos neurológicos, además de darle a los alimentos un sabor metálico. Todo esto hace que no recomiende el uso de las ollas de aluminio normales. Es probable que las ollas de aluminio anodizado sean más seguras, como veremos más adelante.

UTENSILIOS PREFERIDOS

Mientras las alternativas disponibles pueden no ser tan convenientes en ciertas circunstancias, darán mejores resultados en la cocina y realmente no implican ningún daño a la salud.

- *Hierro forjado con esmalte de porcelana es mi primera elección.* La afamada articulista de *The New York Times*, Marian Burros, recomienda las ollas de hierro forjado con esmalte de porcelana porque en lo que respecta a efectos culinarios dan excelentes resultados, suelen ser muy duraderas y funcionan en todo tipo de fuentes de calor. Una vez que se calienta, el hierro forjado con esmalte de porcelana requiere un fuego muy bajo para cocer los alimentos. Y a excepción de los que tienen mangos de madera, la mayoría se puede usar en todo tipo de quemadores, en el horno y en el asador.

Además, la superficie de esmalte vítrea (que contiene vidrio) es inmune a todo tipo de ácidos o químicos, por tanto puede usarse para alimentos crudos o marinados e incluso guardarse en el refrigerador o congelador.

Una de mis marcas favoritas es Le Creuset. Es más costosa que otros tipos de utensilios pero garantiza muchos años de fiel servicio. También tiene una variedad de bellos colores para elegir.

Cuisinart ofrece Chef´s Classic Ceramic Bakeware hecho con un resistente gres de calidad comercial que fácilmente pasa del horno al asador y de la mesa al congelador. El esmalte no es poroso y no absorbe humedad u olores, por tanto, los alimentos que se enfrían y sirven en estos utensilios conservan su sabor y jugo natural.

- *Acero inoxidable.* Cuando la revista *Cook´s Illustrated* hizo una reseña de los sartenes para freír en 2001, eligieron los sartenes de acero inoxidable sobre los modelos antiadherentes y descubrieron que rendían mejores resultados. Esta maravillosa opción también permite dorar los alimentos mejor que las superficies antiadherentes. Y, pruebas realizadas por una importante revista de consumidores indican que las ollas de acero inoxidable y de acero y aluminio son las más fáciles de limpiar.

Para que las ollas de acero inoxidable sean casi totalmente antiadherentes puede seguir el siguiente procedimiento:

- Ponga dos cucharadas de aceite de oliva o aceite de cártamo o girasol con alto índice oleico y dos cucharadas de sal en la olla.
- Caliente la olla al punto en el que el aceite comience a emitir humo y deje que se enfríe lentamente.
- Talle la sal en la olla usando un papel o una toalla para cocina limpia.
- Limpie la olla, vuelva a bañarla en aceite, vuelva a limpiarla y habrá creado una capa antiadherente.

Este proceso se debe hacer cuando la olla está nueva, y se debe repetir periódicamente. Como con la olla de hierro forjado, hay que limpiarla con un poco de agua caliente sin usar jabón o detergente. Si algún pedazo de comida se adhiere a la olla, entonces puede usar detergente, pero después vuelva a tratar la olla.

Los Finalistas en Utensilios de Cocina

Si bien estas opciones tienen sus desventajas, todo indica que son más seguras que las ollas que tienen capa antiadherente.

- *Hierro forjado.* Este antiguo conocido puede precalentarse a temperaturas lo suficientemente altas como para dorar carne y también soporta temperaturas muy por encima de las que se consideran seguras para las ollas antiadherentes. El hierro forjado es muy durable y puede curarse para darle una superficie suave y antiadherente o puede comprarse ya curado.

Sin embargo, recomiendo que se use lo menos posible y, si se puede, evitarlo si en su familia hay antecedentes de problemas cardiacos. El hierro forjado penetra en los alimentos y el exceso de hierro actúa como agente que favorece la peligrosa oxidación del colesterol.

- *Titanio y cerámica*. Estas ollas se producen haciendo un enlace permanente entre una superficie de titano y cerámica que contiene una sustancia sintética antiadherente con una olla de aluminio forjado a alta presión. El compuesto de cerámica y titanio se adhiere a la base de la olla y después se impregna con una fórmula antiadherente libre de PFOA, el material tóxico que se usa para hacer Teflón. Como la fórmula no se conoce, es difícil saber si es tan segura como se dice. Y el fabricante más importante, Scanpan admite que la superficie antiadherente comienza a descomponerse y emitir gases a temperaturas de 260°C o mayores.
- *Aluminio anodizado*. Las ollas de aluminio anodizado, como la popular línea Calphalon, se hacen mediante un tratamiento electroquímico a las superficies de cocción para aumentar su dureza y reducir el ritmo normal al que el aluminio se transfiere a los alimentos. El aluminio anodizado no es, sin embargo, resistente a raspaduras, así que la superficie acaba por desgastarse con el tiempo y sale a la luz el aluminio que tiene debajo. *Nota:* De acuerdo con unas pruebas realizadas por una revista para consumidores, el aluminio anodizado "infundido" no es más resistente al uso que las ollas de aluminio anodizado normales.

MENÚS

Y

RECETAS

Para la sección de recetas de la cocina antienvejecimiento he creado menús especiales como homenaje a las cuatro estaciones del año: primavera, verano, otoño e invierno. Cada menú está formado por recetas que tienen que ver con lo que la naturaleza nos ofrece en estas épocas especiales del año.

Asegúrese de comprar los ingredientes más finos y frescos y siempre orgánicos: carnes, verduras y condimentos, y siempre que sea posible elija alimentos cultivados orgánicamente. Su valiosa salud y vida no serán los únicos beneficiados sino todo el planeta: sus ríos, lagos, océanos, tierras, vida vegetal, insectos y animales, grandes y pequeños. Una decisión sencilla en el supermercado tendrá efectos mayúsculos.

Nuestro primer menú es un homenaje a la primavera mediante espárragos frescos y salmón al horno. Como gratificación especial: cada una de las recetas con salmón funciona igual de bien con pechuga de pollo deshuesada (recuerden elegir pollos alimentados orgánicamente y que no hayan estado confinados) o tofu duro.

Una de las maravillas de la primavera, además del regreso del petirrojo y las flores primaverales, son los espárragos frescos. Esta verdura, nutritiva y deliciosa, es una rica fuente de ácido fólico, también conocido como folato.

Si las mujeres embarazadas consumen suficiente cantidad de ácido fólico, esto puede reducir el riesgo de que ocurran defectos de nacimiento neuronales como espina bífida. Esto explica por qué, en 1998, la FDA decretó que los productos de grano deberían ser enriquecidos con ácido fólico. El Servicio de Salud Pública de Estados Unidos recomienda que todas las mujeres en edad de procrear y que puedan embarazarse consuman 0.4 miligramos (400 microgramos) de ácido fólico por día para reducir el riesgo de que sus bebés padezcan defectos de nacimiento neuronales. El ácido fólico también es fundamental para el desarrollo de las células y su crecimiento, así como para evitar enfermedades del hígado.

Todo indica que esta poco apreciada vitamina B también ayuda a prevenir infartos. Los resultados de un estudio reciente revelan que los índices de mortalidad por infartos, tanto en Estados Unidos como en Canadá, han decaído drásticamente después de que se puso en marcha el decreto de la FDA.

Pero, ¿por qué consumir alimentos procesados, fortalecidos sintéticamente cuando podemos disfrutar frutas y verduras frescas que también nos ofrecen antioxidantes antinflamatorios y toda una diversidad de fitonutrientes antienvejecimiento? La mejor fuente de ácido fólico son los espárragos y las verduras de hojas verde oscuro, como la espinaca y las coles. Una porción de 120 gramos de espárragos (unos ocho tallos medianos) nos brinda 178 microgramos de ácido fólico que equivale a 45% de la ración diaria recomendada de 400 microgramos.

Gracias a su alto contenido de nutrientes, fibra, bajo nivel de sodio y contenido de calorías, el espárrago es una decisión nutritivamente sabia (y deliciosa).

Propiedades principales de los espárragos

- Bajo en calorías, con sólo 26 calorías por 120 gramos o menos de cuatro calorías por tallo.
- No tiene grasa ni colesterol.
- Muy bajo en sodio.
- Excelente fuente de ácido fólico (178 microgramos por ración de 120 gramos).
- Buena fuente de potasio.
- Fuente significativa de tiamina.
- Fuente significativa de vitamina B_6.
- Fuente de fibra (2.4 gramos por ración de 120 gramos).
- Una de las fuentes más ricas de rutina. Este compuesto bioflavonoide antio-

xidante fortalece y puede ayudar a evitar la rotura de pequeños vasos capilares de la piel.

• Una de las fuentes más ricas de glutation, un tripéptido antioxidante que contiene nuestras células. Es una de las defensas más importante del cuerpo en contra de los radicales libres que dañan las células y es una parte constitutiva de nuestro sistema de defensa antioxidante. El glutatión también sirve para desintoxicar ciertos cancerígenos y nos protege de químicos que causan transformaciones celulares o muerte celular.

Una fuente significativa de nutrientes esenciales proporciona 10% o más de la dosis recomendada diaria, una buena fuente proporciona 25% o más y una fuente excelente proporciona 40% o más. Una fuente de fibra proporciona dos gramos o más por ración, una buena fuente contiene cinco gramos o más y una fuente excelente contiene 8 gramos o más.

Homenaje a la Generosa Primavera

• M E N Ú •

Filete de salmón al horno con espárragos y salsa de limón
sazonada con alcaparras

Ensalada de espinaca con frambuesas frescas

Platón de queso feta, nueces tostadas y pera fresca

Pinot Noir

El Pinot Noir es un maravilloso vino para acompañar el salmón porque los pinot noirs tienen suficiente acidez para mitigar el contenido graso del salmón de Alaska que tiene un elevado nivel de aceite. También suelen tener bajos niveles de taninos, por lo que no generan ese resabio amargo de algunos vinos tintos. El Pinot noir (y Pinot gris, su primo en versión blanco) es un gran equilibrio para el salmón.

FILETE DE SALMÓN AL HORNO CON ESPÁRRAGOS Y SALSA DE LIMÓN SAZONADA CON ALCAPARRAS

Para cuatro personas

2	cucharadas de jugo de limón fresco
2	cucharadas de chalote finamente picado (puede sustituirse con cebolla morada)
1	cucharada de alcaparras drenadas, picadas
1	cucharadita de tomillo fresco picado
1/2	cucharadita de ralladura de cáscara de limón (usar sólo orgánico, si no omitir de la receta)
	sal marina y pimienta negra molida al gusto
680	gramos de filete de salmón silvestre (rebanadas de 3.5 a 4 cm de ancho; sin piel)
1/2	kilo de espárragos
1	cucharada de aceite de oliva extravirgen
	rebanadas de limón

- Precaliente el horno a 230°. Mezcle rápidamente los primeros 5 ingredientes en un recipiente pequeño hasta que estén bien incorporados. Sazonar al gusto con la sal y la pimienta.

- Haga tres hendiduras de un cm de profundidad diagonalmente en el salmón (como si lo dividiera en cuatro pedazos iguales), pero no corte completamente.

- Acomode los espárragos en una capa en una charola para hornear. Rocíe con aceite de oliva por ambos lados. Rocíe con sal y pimienta.

- Coloque el salmón encima de los espárragos; rocíe con sal y pimienta. Horneé hasta que el salmón comience a opacarse en el centro, unos veinte minutos.

- Transfiera los espárragos y el salmón a un platón. Bañe con la salsa. Corte en cuatro rebanadas a lo largo de las hendiduras, adorne con rebanadas de limón y sirva.

Esta encantadora entrada es tan fácil que se puede hacer todos los días pero también es lo suficientemente elegante para una cena formal. El sabor punzante de las alcaparras resalta el sabor distintivo pero delicado del salmón salvaje y los espárragos frescos. Las alcaparras son un ingrediente sobresaliente para convertir cualquier platillo en algo sublime: sin la necesidad de añadir calorías o grasa.

ENSALADA DE ESPINACA CON FRAMBUESAS FRESCAS

Para cuatro personas

INGREDIENTES PARA EL ADEREZO

2 cucharadas de vinagre de frambuesa (disponible en tiendas especializadas y algunos supermercados)
1 cucharada de vinagre balsámico
1 cucharada de pasta de tamari baja en sodio (salsa de soya)
3/4 de cucharadita de mostaza Dijon
1½ cucharaditas de raíz de jengibre sin cáscara, finamente picada
1 diente de ajo, machacado para formar una pasta con 1/4 de cucharadita de sal
1/4 cucharadita de chile en polvo
1/4 cucharadita de pimienta negra molida, o al gusto
1/3 de taza de aceite de oliva extravirgen

INGREDIENTES PARA LA ENSALADA

1/2 kilo de espinaca baby, descartando tallos gruesos y con las hojas bien lavadas y secas
16 jitomates cherry
2/3 de taza de frambuesas frescas (limpias y secas)
4 cebollinos, finamente picados
1/4 de taza de nueces de nogal, tostadas y cortadas en trozo

Para preparar el aderezo: mezcle en un recipiente todos los ingredientes excepto el aceite. Vierta el aceite en hilo, batiendo hasta emulsionar. (El aderezo se puede preparar dos días antes, y dejar tapado en el refrigerador.)

• Combine en un recipiente los ingredientes para la ensalada, excepto las nueces, y bañe con el aderezo. Rocíe las nueces como adorno.

Las frambuesas transforman esta ensalada de algo delicioso a algo divino.

Platón de Queso Feta, Nueces Tostadas y Pera Fresca

1/4 kilo de queso feta, cortado en rebanadas de un centímetro
3 peras, peladas, sin corazón y en rebanadas de un centímetro
pimienta negra fresca
1 taza de nueces tostadas

- Acomode las rebanadas de feta en el centro de un platón grande.
- Acomode las rebanadas de pera alrededor del queso.
- Ralle la pimienta negra fresca encima del queso; rocíe con las nueces tostadas y sirva.

El queso feta es un queso blando, cremoso e intenso de Grecia, originalmente hecho con leche de oveja, ahora muchos se hacen con leche de cabra o una mezcla de las dos. Si es posible, compre queso feta de leche de cabra u oveja. Es superior al queso hecho con leche de vaca.

Homenaje a la Generosidad del Verano con Nuestra

SALUDABLE PARRILLADA PARA LAS VACACIONES

• M E N Ú •

Brocheta de salmón, pollo o tofu con marinada de
limón fresco y romero

Brocheta de verduras a la parrilla

Parfait arco iris

Amarone della Valpolicella Classico Riserva

Té verde helado con ramitas de menta fresca y
rebanadas de limón

Cuando se trata de parrilladas los expertos recomienda un vino tinto intenso que pueda soportar los potentes sabores de las salsas y las marinadas. Uno de mis favoritos es el amarone, un vino excepcional de Veneto, la misma región del noreste de Italia que produce el valpolicella. Es un vino bien equilibrado, complejo, suave y elegante en el paladar con sabores de cereza y uva pasa. Delicioso para acompañar la comida, incluyendo el salmón, el amarone se puede disfrutar solo, en cualquier momento del día o para acompañar una buena conversación con buenos amigos.

Si su idea de una parrillada perfecta en el verano consta de hamburguesas y salchichas grasas y llenas de químicos, este menú es el antídoto ideal. Las verduras a la parrilla son un acompañamiento ideal para el salmón, el pollo o tofu a la parrilla.

El salmón silvestre es grandioso cuando se cocina a la parrilla y tiene mayores beneficios nutricionales que el salmón cultivado. El salmón silvestre tiene un alto contenido de los antinflamatorios ácidos grasos omega-3, que tanta falta hacen en la dieta occidental. Si los omega-3 mejoran el humor, el funcionamiento mental, controlan el peso y la salud del corazón, ¿por qué nos sorprendemos de que tantos de nosotros estemos deprimidos y obesos? Las deliciosas brochetas de salmón proporcionan una dosis saludable de omega-3 y tienen un gran sabor. Otra razón para buscar el salmón silvestre es que el salmón cultivado tiene un alto contenido de inflamatorios ácidos grados omega-6, que es algo que abunda en la dieta estándar estadunidense.

Si busca salmón silvestre de la mejor calidad y sabor, especialmente el salmón rojo que es el que tiene mayor contenido de omega-3, les recomiendo Vital Choice Seafood (http://www.vitalchoice). Véase la sección de Referencias para mayor detalle.

Esta receta también resulta maravillosa con camarones, vieiras, pechuga de pollo deshuesada y un tofu de textura firme.

Brocheta de Salmón, Pollo o Tofu con Marinada de Limón Fresco y Romero

Para cuatro personas

INGREDIENTES PARA LAS BROCHETAS

4   (170 gramos cada uno) filetes de salmón silvestre sin piel y sin espinas, pechugas de pollo deshuesadas, o bloques de tofu duro
sal y pimienta negra molida al gusto

INGREDIENTES PARA LA MARINADA

2   dientes de ajo exprimidos
2   ramitas de romero, sin tallo, las hojas bien picadas
7   cucharadas de aceite de oliva extravirgen
2   cucharadas de jugo de limón recién exprimido (use limones orgánicos para evitar los residuos de pesticidas que se acumulan en la cáscara)
rebanadas de limón
ramitas de romero

- Enjugue el salmón, pollo o tofu y seque. Corte en cubos grandes para brocheta.
- Coloque los cubos de salmón, pollo o tofu en un platón para hornear y rocíelos con sal de mar y pimienta.
- Ponga los ingredientes de la marinada en un recipiente pequeño y bata hasta que se incorporen.
- Vierta la marinada encima del salmón, pollo o tofu y deje marinar durante diez minutos, por lo menos.
- Precaliente el asador a temperatura media-alta.
- Inserte el salmón, pollo o tofu en las rochetas y ponga en el asador durante cinco minutos, volteando una vez.
- Mientras el salmón (pollo o tofu) se cocina, ponga la marinada en una olla pequeña en la estufa y caliente a fuego medio.
- Para servir: divida en cuatro platos y vierta un poco de marinada sobre cada uno. Adorne los platos con algunas rebanadas de limón y ramitas de romero y sirva.

Nota: si usa brochetas de madera, remójelos en agua durante veinte minutos.

Brocheta de Verduras a la Parrilla

Para cuatro o seis personas

1/4 de kilo de champiñones pequeños
2 pimientos verdes o rojos grandes
680 gramos de calabaza japonesa cortada en rebanadas de 2.5 centímetros
12 a 16 jitomates cherry
1 cebolla amarilla grande en rebanadas de 2.5 centímetros

SALSA PARA MARINAR

1/3 de taza de chalotes picados
1/3 de taza aceite de oliva extravirgen
3 cucharadas de mostaza Dijon
3 cucharadas de jugo de limón fresco
2 cucharadas de tomillo fresco picado
1 cucharadita de ralladura de cáscara de limón (usar sólo orgánico, u omitir
de la receta)
sal marina y pimienta negra recién molida al gusto

- Ponga en un recipiente los ingredientes para la marinada y mezcle hasta que estén bien incorporados.
- Limpie los champiñones retirando los tallos. Lave los pimientos, quite las semillas y venas y corte en rebanadas de 2.5 centímetros. Seque y ponga los champiñones, las rebanadas de calabaza, los pimientos, la cebolla y los jitomates cherry en la marinada.
- Opcional: Deje que las verduras se marinen en el refrigerador durante cuatro horas. Si no es posible, báñelas con la marinada mientras se cocinan.
- Drene las verduras pero guarde la marinada. Inserte las verduras alternadamente en las brochetas. Cocine en el asador a fuego medio durante unos diez minutos, dando vuelta y bañándolas con la marinada. Las brochetas de verduras asadas son un acompañamiento perfecto para las brochetas de salmón, pollo o tofu.

PARFAIT ARCO IRIS

Para cuatro o seis personas

2   tazas de bolitas de melón galia de un centímetro (de un melón de aproximadamente 1.5 kilos sin semillas)
2   tazas de bolitas de melón dulce de un centímetro (de un melón de aproximadamente 1.5 kilos sin semillas)
1   taza de arándanos silvestres orgánicos (ver la sección de Referencias)
1/4 de taza de jugo de limón fresco
    ramitas de menta fresca

- Con cuidado, acomode en capas las rebanadas de melón y los arándanos en copas para parfait.
- Rocíe cantidades iguales de jugo de limón en cada copa de fruta.
- Adorne con una ramita de menta fresca.

Homenaje a la Cosecha del Otoño

UNA CORNUCOPIA DE DELICIAS CULINARIAS

Muchos cometemos nuestros peores errores dietéticos durante las vacaciones. De hecho, las estadísticas indican que durante el día de Acción de Gracias es cuando más subimos de peso. Aquí encontrarán un menú para el día de Acción de Gracias que ofrece varias alternativas a los alimentos de alto contenido de grasa y carbohidratos. El RS de los garbanzos que se usan para hacer el hummus se encargará de que el nivel de azúcar en la sangre no suba a niveles perjudiciales para la salud. Lo mismo hará la canela que contienen las tartas.

EL DÍA DE ACCIÓN DE GRACIAS PERRICONE

•MENÚ•

Entrada: Hummus y dip de kéfir de albahaca con verduras frescas

Platillo principal: Pavo y acompañamientos

Postre: Tartas de calabaza y manzana

Châteauneuf-du-Pape

El Châteauneuf-du-Pape es un maravilloso vino que se produce en la región del Rhône de Francia. Es un vino robusto que combina especialmente bien con los alimentos del otoño y el invierno. Aunque lo usual es acompañar el pollo y los mariscos con vino blanco, un "gran" vino tinto, como Châteauneuf-du-Pape, es un delicioso acompañamiento para la tradicional cena de Acción de Gracias.

ENTRADA: HUMMUS Y DIP DE KÉFIR Y ALBAHACA CON VERDURAS FRESCAS

HUMMUS

4	dientes de ajo, molidos
1	cucharadita de sal
	dos latas de 540 gramos de garbanzo, colado y enjuagado
2/3	de taza de tahini bien mezclado
1/4	de taza de aceite de oliva extravirgen, o al gusto
1/4	de taza de hojas de perejil fresco
2	cucharadas de piñones, ligeramente tostados

Mezcle todos los ingredientes en un procesador de alimentos hasta tener una textura cremosa.

DIP DE KÉFIR Y ALBAHACA

1/4	de kilo de albahaca fresca, pasada por agua
1/2	litro de kéfir natural o bajo en grasas (o yogur)
2	cucharadas de jugo de limón fresco
	Sal y pimienta al gusto

Mezcle los ingredientes y refrigere.

VERDURAS FRESCAS

Pepino en juliana
Calabaza japonesa
Brócoli
Pimientos rojos
Coliflor
Tomates cherry
Manzanas rebanadas
Peras rebanadas
Moras frescas
Aceitunas variadas
Galletas de semilla de lino
Recipiente con almendras, avellanas y nueces de nogal

Sirva todos los artículos acomodados en un platillo con recipientes de hummus y de dip de kéfir y albahaca

Platillo Principal:
Pavo y Acompañamientos del Pavo

un pavo entero de 71/2 kilos, de preferencia fresco (orgánico y criado libre)
3/4 de aceite de oliva extravirgen
1/3 de taza de jugo de limón recién exprimido
6 a 8 dientes de ajo fresco, pelados
1   cucharada de raspadura de limón
1   cucharadita de sal
1   cucharadita de pimienta negra molida
rebanadas de limón

- Retire los menudillos y el cuello del pavo; reserve. Enjuague el pavo con agua fría corriente y seque bien.

- Combine en la licuadora el aceite de oliva y jugo de limón. Aún encendida, agregue los dientes de ajo, uno a la vez. Añada, poco a poco, la raspadura de limón. Siga mezclando hasta que se forme un puré.

- Con una jeringa especial inyecte la marinada en todo el pavo. (Cuele la marinada si no pasa por la jeringa.)

- Con cuidado, dé un masaje al pavo para distribuir la marinada.

- Coloque el pavo en una bolsa grande de plástico (bolsa para cocinar o de uso para comida). Cierre la bolsa y refrigere durante una noche.

- Precaliente el horno a 162°C.

- Saque el pavo de la bolsa, cuele y elimine el exceso de marinada. No vuelva a usar la marinada.

- Doble la piel del cuello y asegúrela con uno o dos palillos. Doble las alas debajo de la espalda del pavo. Regrese las patas a su posición.

- Coloque el pavo, con la pechuga hacia arriba, en una bandeja para hornear de aproximadamente siete pulgadas de hondo. Ponga sal y pimienta al pavo.

- Inserte un termómetro para horno en la parte más gruesa del muslo del pavo, fijándose que la punta del termómetro no toque el hueso.

- Hornee el pavo durante unas 3 horas y 45 minutos. Durante la última hora, bañe el pavo con el caldo de la bandeja. Si es necesario, cubra con papel aluminio para evitar que el pavo se queme.

- Siga horneando hasta que el termómetro registre 80°C en el muslo o 76°C en la pechuga. Saque al pavo del horno y deje que descanse unos quince o veinte minutos antes de rebanar.

- Coloque el pavo en un platón grande caliente adornado con hierbas frescas y rebanadas de limón.

SALSA DE JUGO DE POLLO *(1.5 TAZAS)*

1/2 taza de cebolla finamente picada
2   cucharadas de perejil fresco picado
21/2 tazas de caldo de pollo bajo en grasa
1   cucharada de maicena
      pimienta al gusto

- Cocine la cebolla y el perejil en media taza de caldo hasta que la cebolla esté transparente.
- En un recipiente, combine la maicena, la pimienta y una taza de caldo, y revuelva bien hasta que esté integrado.
- Agregue la mezcla a la bandeja con el resto del caldo y remueva vigorosamente. Hierva durante dos minutos.

RELLENO DE TRIGO SARRACENO

1   taza de trigo sarraceno (grano grueso o mediano)
1   huevo, ligeramente batido
1/4 de taza de mantequilla
1   taza de cebolla
1   taza de apio
2   tazas de manzanas con piel en trozos
1/2 cucharadita de salvia molida
2   tazas de caldo de pollo o de pavo hirviendo
      sal y pimienta al gusto

- Combine el trigo sarraceno y el huevo.
- Caliente una sartén untada con aceite (con tapa); fría el trigo sarraceno hasta que el huevo esté cocido (de 2 a 3 minutos); saque de la sartén.
- Añada mantequilla a esa misma sartén; salteé la cebolla, el apio, las manzanas y sazone con salvia.
- Regrese el trigo a la sartén y con cuidado agregue el caldo hirviendo; baje el fuego y hierva a fuego lento, tapado, hasta que se absorba el líquido (de 8 a 11 minutos). Sazone con sal al gusto.
- Hornee por separado en una cacerola tapada a 176°C durante 45 minutos.

SALSA DE ARÁNDANO

2   tazas de arándanos frescos, lavados
1/2 taza de agua

1/4 taza de néctar de edulcorante vegetal
1   naranja, pelada y en gajos, sin semillas ni membranas, y hecha puré

- Coloque las moras y el agua en una olla y cocine a fuego alto hasta que las moras comiencen a abrirse. No deje de revolver para evitar que se peguen.
- Agregue la cantidad deseada de edulcorante vegetal para endulzar las moras y hacer un jarabe.
- Cuando se haya disuelto todo, agregue las naranjas y mezcle.
- Refrigere.

PURÉ DE COLIFLOR

1   cabeza de coliflor
1/8 de taza de leche descremada
1/2 taza de queso gruyère, rallado
     sal y pimienta
     paprika

- Precaliente el horno a 176°C.
- Cocine la coliflor hasta que esté tierna.
- Coloque la coliflor (en pedazos), la leche, queso, sal y pimienta en una licuadora. Bata hasta que esté suave.
- Vierta la mezcla de coliflor en una bandeja pequeña para hornear. Rocíe con paprika y horneé hasta que comience a hervir.

COLES DE BRUSELAS AL HORNO CON MANZANAS

Para dos personas

3   tazas de coles de bruselas, limpias y enteras
1   manzana pelada, sin corazón y cortada en octavos
1   cucharadita de aceite de oliva extravirgen

- Precaliente el horno a 190°C. Mezcle en un recipiente las coles de bruselas, la manzana y el aceite.
- Cubra una charola para horno con papel aluminio; acomode la mezcla de manzanas y coles. Hornee hasta que esté ligeramente dorada.

CALABAZA INVERNAL CON ESPECIAS E HINOJO

Para cuatro personas

680 gramos de calabaza mexicana, pelada, partida a la mitad, sin semillas, y cortada hasta formar rebanadas de dos centímetros

1 centro de hinojo, en rebanadas de tres centímetros

1 cebolla grande con la raíz intacta, cortada a lo largo en rebanadas de 1.5 centímetros

3 cucharadas de aceite de oliva extravirgen

1 cucharadita de comino

1 cucharadita de canela

1 cucharadita de chile en polvo

1/2 cucharadita de cúrcuma

sal y pimienta al gusto

- Coloque la reja del horno en el tercio inferior y precaliente el horno a 230ºC.

- Mezcle la calabaza, hinojo y cebolla en una charola grande para hornear. Agregue aceite y bañe las verduras.

- Mezcle todas las especias en un recipiente pequeño. Rocíe la mezcla de especias en las verduras y revuelva. Rocíe sal y una cantidad generosa de pimienta.

- Hornee las verduras, volteándolas una vez, durante unos 45 minutos hasta que estén tiernas y doradas. Sirva en un plato hondo.

Postres: Tartas de Calabaza y Manzana

Para 8 personas (por tarta)

MASA PARA TARTA

1	taza de láminas de avena
10	almendras
1	taza de harina de arroz integral
1/2	cucharadita de sal
2	cucharadas de aceite de sésamo
2/3	taza agua helada

- Precaliente el horno a 177°C.
- Mezcle la avena con las almendras en una licuadora hasta formar una harina.
- Mezcle en un recipiente con la harina de arroz y sal; añada aceite y combine; agregue agua y mezcle hasta hacer una masa suave.
- Presione la masa en un recipiente para tarta ligeramente aceitado. Presione del centro hacia fuera; corte el exceso de las orillas con un tenedor o con los dedos humedecidos.
- Hornee la masa de 10 a 15 minutos a 177°C y deje enfriar antes de añadir el relleno.

RELLENO PARA LA TARTA

	Una lata de 450 gramos de calabaza (aproximadamente 1 3/4 de taza)
240	mililitros de leche desgrasada
3	huevos
1/2	taza de miel de agave
	Condimento de calabaza para tarta al gusto
	Canela al gusto

- Precaliente el horno a 218°C.
- Mezcle la calabaza, la leche y los huevos hasta que queden suaves.
- Incorpore poco a poco la miel de agave (1/4 de taza a la vez).
- Agregue el condimento de calabaza, pruebe, añada más si gusta.
- Vierta la mezcla en la corteza y extienda.
- Hornee durante 15 minutos, baje la temperatura a 177°C y hornee durante otros 45 minutos (el tiempo varía según el horno).
- Rocíe canela sobre la tarta y deje enfriar.

Tarta de manzana

MASA PARA TARTA (SIN PREHORNEAR):
VER RECETA ANTERIOR

RELLENO PARA LA TARTA

2   manzanas para tarta, firmes, peladas, sin corazón y en rebanadas
1/3   de taza de uvas pasa (opcional)
4   huevos grandes
1/2   taza de miel de agave
1   taza de yogur natural
1   cucharadita de extracto puro de vainilla
1/4   de cucharadita de canela
1/4   de cucharadita de sal

- Precaliente el horno a 190°C.
- Extienda las manzanas y uvas pasa en la corteza para tarta sin prehornear.
- En una licuadora mezcle los huevos, la miel de agave, el yogur, el extracto de vainilla, la canela y sal, y mezcle hasta que quede cremoso.
- Vierta la mezcla sobre las manzanas y hornee durante 1 hora o hasta que esté cuajado. Deje enfriar antes de servir.

Homenaje al Asombroso Invierno

Cena Romántica de San Valentín

PARA DOS

· MENÚ ·

El día de San Valentín es otra festividad en la que nuestro decoro alimenticio usual suele extraviarse a medida que disfrutamos de ricos postres y fina champaña. Aquí les ofrezco una cena para San Valentín para dos que dejará satisfechos todos los sentidos sin necesidad de sacrificio.

Elegí estas recetas por dos razones, porque las dos incluyen alimentos sanos que nutrirán al cuerpo y al espíritu y porque crearán el ambiente para una perfecta velada. Además del aspecto nutritivo, estas recetas también incluyen alimentos con potentes propiedades antinflamatorias que pueden proteger al cuerpo y al cerebro de los dañinos efectos del envejecimiento.

• MENÚ •

Salmón silvestre con corteza de almendras
en una cama de lechugas

Pilaf de avena con perejil y azafrán

Cabernet Sauvignon

Chocolate orgánico oscuro con arándanos

Té verde

El Cabernet Sauvignon es la uva predominante en la famosa región Bordeaux de Francia y es el vino tinto de uva de mejor calidad del mundo. Usualmente se combina con otras variedades, como Merlot, para hacer vinos más complejos. Cuando pensamos en los mejores vinos tintos del mundo, solemos pensar en vinos de uva Cabernet Sauvignon. Además de las características del sabor de Cabernet que son cereza, cedro, tabaco, grosella negra; esta uva roja tiene mayor concentración de antioxidantes que cualquier otra uva. Para saber más sobre este y otros vinos finos, visite www.cellarnotes.net.

SALMÓN SILVESTRE CON CORTEZA DE ALMENDRAS EN UNA CAMA DE LECHUGAS

Para dos personas

1/2 taza de almendras molidas grueso
1/4 de taza de perejil fresco picado
1 cucharada de ralladura de cáscara de limón (usar sólo limón orgánico; la cáscara de los otros limones está tratada con fungicidas)
1 pizca de sal y pimienta fresca
2 cucharadas de aceite de oliva extravirgen
4 tazas de lechuga orgánica mixta (arúgula, mesclun, espinaca, etcétera.)
Rebanadas de limón

Se puede usar avellanas, nueces de nogal o semillas de girasol en vez de almendras.

- Muela las almendras en una moledora de café o en un procesador de alimentos, no muela en exceso para que no tenga textura de pasta.

- Mezcle las almendras molidas, perejil, ralladura, sal y pimienta en un plato.

- Seque el salmón; báñelo por ambos lados con la mezcla de almendras.

- Caliente el aceite en una sartén grande a fuego medio.

- Agregue el salmón y deje cocer unos 5 minutos por lado, hasta que esté cocido en el centro.

- Acomode una taza de lechugas (como espinaca, mezcla de verduras con lechuga baby, arúgula, hojas de nabo o mostaza, hierbas, endivia y escarola) en dos platos.

- Transfiera los filetes de salmón calientes al plato.

- Adorne con las rebanadas de limón y sirva inmediatamente.

PILAF DE AVENA CON PEREJIL Y AZAFRÁN

Para 4 personas

2   tazas de agua o caldo de verduras
1/8 de cucharadita de azafrán molido
2   cucharadas de aceite de oliva extravirgen
1   ajo grande, picado
1   cebolla amarilla mediana en cuadritos
1   taza de granos de avena enteros, lavados (tienen la apariencia de arroz integral
y los puede encontrar en tiendas de productos naturales)
1/2 taza de perejil fresco
2   tallos de romero fresco (o una cucharadita de romero seco)
4   cucharadas de queso parmesano o romano (si es posible, consiga queso impor-
tando y rállelo antes de usarlo para disfrutar más el sabor)
     pimienta negra molida

- Hierva media taza de agua o caldo y mezcle el azafrán. Deje reposar.
- Caliente el aceite en una olla grande. Sazone el ajo y la cebolla a fuego medio unos 5 minutos.
- Agregue la avena y mezcle bien. Cocine a fuego medio durante unos 5 minutos, revolviendo de vez en cuando.
- Agregue una y media taza de agua o caldo a la avena; añada la mezcla de azafrán y ponga a hervir. Baje el fuego, tape y cueza unos 45 minutos o hasta que toda el agua se haya absorbido.
- Quite las hojas de romero del tallo y píquelas. Tire los tallos, pique las hojas de perejil.
- Quite la tapa de la olla, con un tenedor esponje la avena, incorpore el romero y el perejil, y sirva de inmediato.
- Rocía cada plato con una cucharada de queso parmesano o romano rayado y con pimienta negra. Yo prefiero usar queso parmigiano-reggiano importado por su excelente sabor.

Alimentos para los Amantes... y para una Larga y Feliz Vida

Una mirada más de cerca de los ingredientes principales explica por qué elegí estas recetas para la cena del día de San Valentín.

SALMÓN SILVESTRE. Es probablemente la fuente de proteínas más saludable que existe para el corazón en el mundo. Tiene un alto contenido de EFA omega-3 de cadena larga (el tipo más beneficioso) que protege la salud del corazón, inhibe la inflamación, actúa como un antidepresivo natural, refuerza la sensación de bienestar y ayuda a conservar la piel joven, suave y radiante.

NUECES Y SEMILLAS. Las avellanas, nueces de nogal y almendras tienen un alto contenido de EFA omega-3 de cadena corta que inhiben la acumulación de grasas en las paredes de las arterias que producen angina, derrames cerebrales e infartos. Las nueces también tienen un contenido importante del aminoácido arginina, que estimula al cuerpo a liberar hormonas vitales, incrementaa la sexualidad, aumenta la masa muscular libre de grasa, reduce el colesterol y fortalece el sistema inmunológico.

PILAF DE AVENA. Ésta es una maravillosa manera de disfrutar los carbohidratos complejos que contiene este extraordinariamente saludable grano entero, que no sólo genera energía a largo plazo sino que estimula la producción de serotonina, un neurotransmisor clave que puede mejorar el humor y acabar con la necesidad de consumir carbohidratos. La avena contiene grandes cantidades de minerales, lignanos fibrosos y fotoquímicos que nos protegen de enfermedades del corazón, cáncer, diabetes y de toda una variedad de padecimientos.

LECHUGAS DE HOJAS VERDE OSCURO. Estas lechugas contienen pigmentos antioxidantes propios de las plantas como los carotenoides que refuerzan la reacción inmunológica, protegen a las células de la piel de la radiación UV, y cuidan las enzimas del hígado que neutralizan los cancerígenos y otras toxinas. Sus importantes efectos antioxidantes y antinflamatorios reducen el riesgo de padecer enfermedades del corazón bloquean la inflamación inducida por los rayos del sol a la piel (que provoca arrugas, y puede generar cáncer) y protege los ojos (especialmente la luteína que se encuentra en la espinaca y el kale), y puede evitar las cataratas y la degeneración macular.

CABARNET SAUVIGNON. El vino tinto contiene resveratrol, un antioxidante antienvejecimiento anticancerígeno saludable para el corazón. Todo indica que el resveratrol protege a la piel de la radiación UV del sol. Muchos estudios han sugerido que beber alcohol con moderación puede reducir la posibilidad de sufrir enfermedades cardiacas. Pero parece ser que el vino, en especial vinos tintos como el Cabernet Sauvignon, interfieren con la producción de químicos en el cuerpo que causan que se tapen las arterias y que aumente el riesgo de padecer infartos. El vino blanco y el rosé no proporcionan la misma protección.

CHOCOLATE EXTRAOSCURO. Este tipo de chocolate, especialmente el que contiene 80% de cocoa sólida o más, es único en cuanto a su contenido de antioxidantes favon-3-ol que son tan beneficiosos para la salud del corazón. De hecho, la cocoa contiene el doble de flavon-3-ol que el mismo contenido de vino tinto y cinco veces más que el té verde. El chocolate también contiene arginina, cuyos beneficios vimos en "Nueces y semillas". El chocolate también es una buena fuente de varios elementos que fortalecen el humor como el triptofano (precursor de la serotonina), anandamida (químico natural del cerebro, muy similar a los cannabinoides de la marihuana), teobromina (primo más suave de la cafeína), feniletilamina y magnesio. Si bien la cantidad de estos elementos es mínima y no parecerían capaces de alterar el humor de las personas, su combinación sí lo hace y produce sentimientos de alegría, incluso éxtasis, en los individuos más sensibles.

TÉ VERDE. Disfruten una taza de té verde después de su comida y no se preocupen por la cafeína, ya que un compuesto del té verde, la treonina, bloquea los efectos negativos de la cafeína y al mismo tiempo fortalece naturalmente el humor y genera sensación de bienestar. Debido a que el té verde contiene muchos antioxidantes polifenoles, puede combatir la inflamación y los radicales libres que aceleran el envejecimiento, también protege contra las enfermedades del corazón y el cáncer, fortalece las defensas naturales del cuerpo y tiene efectos antivirales y antibacteriales.

LA MAGIA DEL MAGNESIO. Muchos alimentos de nuestras recetas son fuentes excelentes de magnesio, un mineral de vital importancia del que la mayoría no obtenemos la cantidad suficiente. Gracias a sus efectos tranquilizantes en el sistema nervioso, el magnesio puede aliviar la ansiedad, fomentar el alivio del estrés, reducir los niveles de cortisol (la hormona del estrés) y ayudar a que tengamos una buena noche de sueño y descanso.

Una Nota Final sobre la Cocina Antienvejecimiento

Si están enojados o molestos, lo mejor es no cocinar o preparar una comida, si es posible. Es bien sabido que muchos de nosotros usamos los alimentos para lidiar con los sentimientos. Esto significa que si están enojados cuando cocinan, lo más seguro es que estén picando mientras preparan la comida, hagan más de lo que su familia necesita, se inclinen por alimentos con mayor contenido de azúcar o almidón e incluso desencadenen una parranda de comida. Un estudio realizado en la Ohio State University en 2000 reveló que cuando nos enojamos suben los niveles de homocisteína en la sangre, un aminoácido asociado con las enfermedades cardiovasculares y el endurecimiento de las arterias. La buena noticia es que si añade folato a su dieta (probando los deliciosos espárragos que mencioné antes, por ejemplo) puede aliviar los efectos dañinos de la homocisteína.

La creación de salud y longevidad es una disciplina tanto mental y espiritual como física, si no es que más. Si incorporamos una actitud positiva y agradecida a las más mundanas y tediosas labores, rápidamente no percataremos de que podemos disfrutarlas. Recuerden que, en muchos sentidos, la cocina es el corazón y el alma del hogar, un lugar perfecto para concentrar toda la energía positiva. Y así como es importante usar agua pura, tomar decisiones saludables sobre la comida, y usar utensilios seguros, quizá el ingrediente más importante que podemos incorporar a la cocina antienvejecimiento es un espíritu de amor y alegría.

Lleven una lista de los mejores alimentos a escoger cuando compren provisiones para su cocina antienvejecimiento. *Una nota especial*: Guarden la fruta más dulce para el final de la comida y así conservarán equilibrados los niveles de azúcar en la sangre.

Acedera
Aceite de oliva (aceite extravirgen es la variedad recomendada)
Aceitunas de olivo (negras y verdes)
Albahaca
Alcachofas
Almejas y mejillones cultivados (A diferencia del pez cultivado, las almejas y los mejillones no requieren ser alimentados. Estos moluscos se cultivan en un ambiente ecológico, con respecto a las versiones silvestres en las que para cultivarlas se destruye su hábitat. Los moluscos se alimentan de agua que ellos mismos filtran eliminando la necesitad de alimentos adicionales y además dejan el agua limpia durante el proceso).
Almendras
Alubias adzuki
Alubias del norte
Alubias europeas
Alubias gigantes
Alubias Lupini
Alubias Mung

Alubias Navy
Alubias Trout
Anasaki
Apio
Appaloosa
Arúgula
Arveja cometodo llana
Arvejas
Avellanas
Avena en cereal (de cocción lenta)
Avena, granos
Bacalao
Berenjena
Bok Choy
Brócoli
Brócoli rabe
Brotes de bambú
Brotes de brócoli
Brotes de soya
Cacahuates
Calabaza
Camarones
Canela
Cangrejo Dungeness
Cannelllini

Castañas de agua
Cebada
Cebollín
Cerezas
Chalote
Chiles (cherry, serrano jalapeño, etcétera.)
Cilantro
Ciruelas
Clavo
Col
Col china
Col suiza
Coles
Coles de Bruselas
Coliflor
Comino
Cúrcuma
Ejotes
Endivia
Eneldo
Escarola
Espárragos
Espinaca
Frijol de soya
Frijoles negros
Frijoles rojos
Garbanzos
Granada
Guisantes negros
Habas
Hierbas y especias culinarias
Hinojo
Hojas de diente de león
Huevos (con omega-3 de pollos criados libres)
Jitomates
Langosta
Lechuga romana
Limas
Mantequilla (en moderación)
Mantequilla de almendra

Mantequilla de nueces y semillas (evite la mantequilla de cacahuate comercial)
Mariscos
Mejorana
Melón dulce
Melón y melón tuna
Menta
Moluscos
Moras (arándanos, arándanos agrios, fresas, etcétera.)
Nabo sueco
Nabos
Naranjas (temple, mandarina, amarilla, navel, etcétera.)
Natto (producto de soya fermentado con alto contenido de vitamina K2)
Nueces
Nueces de Brasil
Nueces de macadamia
Nueces pecanas
Nuez de castaña
Nuez moscada
Orégano
Ostiones
Pavo
Pepinos
Peras
Perejil
Perifollo
Pescado blanco (Halibut)
Pimientos rojos, verdes, amarillos y naranjas
Piña
Piñón
Pistaches
Pollo (criado libremente sin hormonas ni antibióticos naturales y sin ser alimentado con productos derivados de animales)
Productos lácteos (orgánicos y bajos en grasa de animales alimentados con hierbas)

Queso (en especial parmigiano-reggiano y quesos de leche de oveja o cabra, como feta y pecorino romano)
Queso cottage
Queso de granja
Quinoa
Rábano
Rábano Daikon
Radicchio
Raíz de apio
Raíz de jengibre
Res y cordero alimentado con hierbas
Ricotta
Romero
Ruibarbo
Salvia
Salmón de Alaska
Sandía
Semillas de calabaza

Semillas de cilantro
Semillas de girasol
Semillas de sésamo
Setas
Soba (fideo sarraceno)
Suero de leche
Tahini
Tangerina
Té verde
Tofu
Tomillo
Toronja
Trigo sarraceno
Vaina de habichuelas
Vegetales del mar (nori, Kelp, arame. dulse, etcétera.)
Vieiras
Yogur

Y a continuación una breve muestra de los alimentos que causan inflamación y, por lo tanto, aceleran el envejecimiento. Esto se debe a que tienen un alto índice glicémico (es decir, causan que suba el nivel de azúcar en la sangre o de la insulina) o tienen un alto contenido de grasas saturadas que pueden ser inflamatorias.

Aderezos
Alimentos fritos
Alimentos rápidos
Arroz
Azúcar (blanca y morena)
Bagel
Caramelo
Cereales (excepto avena de cocción lenta)
Cerveza
Comida chatarra (papas fritas, pastelitos de maíz o de arroz)
Chocolate (excepto el oscuro)
Fideos
Galletas

Galletas saladas
Granola
Helado, yogur congelado, nieves italianas
Hojaldre
Hot cakes
Hot dogs
Jarabe de maíz
Jugo de fruta
Maicena
Mangos
Margarina
Melazas
Mermelada, jalea, conservas
Miel

Muffins
Palomitas de maíz
Pan de maíz
Panes, pan pita, rollos, productos de
     panadería
Papas
Papas fritas
Pasta
Pastel
Pizza
Pretzels
Pudín
Refrescos
Sherbet
Tacos
Tartas (comerciales)
Tocino (excepto el de pavo)
Tortillas
Waffles

Advertencias en torno a la Caralluma fimbriata

DR. HARRY G. PREUSS, MACN, CNS
Profesor de Fisiología, Medicina y Patología
Georgetown University Medical Center

Fuente de Información

Gran parte del material informativo de la *Caralluma fimbriata* fue proporcionado por Gencor Pacific. Esta información ha sido de gran utilidad, especialmente los informes sobre el uso seguro de *Caralluma fimbriata*. Se puede encontrar información adicional en PubMed (http://ncbi.nlm.nih.gov/entrez/quey.fcgi) y realizando búsquedas en internet.

Uso Seguro de *Caralluma Fimbriata* y su Extracto

Además de la larga historia que el cacto tiene como alimento seguro para el consumo, una prueba más es la que se hizo a su extracto mediante un estudio toxicológico oral en ratas y dos estudios clínicos más. El primero se realizó en el departamento de farmacología de St. John´s Medical College en Banalore, India. Se dieron por medio de una sonda a ratas, dosis de 2 gramos por kilogramo de peso corporal y dosis de 5 gramos por kilogramo de peso. Todos los animales sobrevivieron hasta la fecha destinada para la necroscopia al final de catorce días. La histología no reveló ningún dato anormal en los diversos órganos.

Vistazo General a *Caralluma Fimbriata* y su Extracto

He revisado el informe de Gencor Pacific sobre Caralluma fimbriata y me parece que la información es correcta y precisa. Por lo tanto, toda la evidencia hasta el momento indica que el consumo del extracto de Caralluma fimbriata en las dosis recomendadas es seguro.

Pienso que la *Caralluma Fimbriata* es segura para el consumo en las dosis recomendadas debido a que:

- Estos cactus han formado parte de la cadena alimenticia de la India desde hace años y no se ha visto que tenga efectos adversos secundarios significativos.
- *Caralluma fimbriata* se elista como uno de los alimentos de la Riqueza de la India, en caso de hambruna y aparece en varios sitios de internet como un alimento seguro para el consumo.
- Existen varios testimonios de doctores y científicos que confirman su seguridad.
- Hay testimonios de individuos que consumen el producto regularmente y lo describen como alimento seguro.
- La dosis diaria del extracto contiene la misma concentración de ingredientes que cualquier vegetal crudo de consumo diario.
- Un estudio realizado para determinar el LD_{50} (la cantidad de una sustancia que resulta tóxica para la mitad de los animales que fueron expuestos a ella en experimentos) no demostró signo de toxicidad, se informó que el LD_{50} sólo excedía los 5 gramos por kilogramo de peso corporal.
- Dos estudios clínicos conformados por 44 individuos que consumieron el extracto no demostraron efectos adversos significativos.

Para mayores referencias ver la sección Bibliografía correspondiente al capítulo 2.

Abreviaturas y Acrónimos

2"-0-GIV	2"-0-glicosilisovitexina
AAL	ácido alfa lipoico
AGL	ácido gamma linoleico
AI	consumo adecuado (siglas en inglés)
ALC	acetil-L-carnitina
AP-1	proteína activadora 1 (siglas en inglés)
AR	almidón resistente
ARN	ácido ribonucleico
ATP	trifosfato de adenosina (siglas en inglés)
CLA	ácido linoleico conjugado (siglas en inglés)
Co-Q$_{10}$	coenzima Q10
COX-2	ciclooxigenasa-2
CH-OSA	ácido ortosílico estabilizado con colina
DHA	ácido docosahexaenoico (siglas en inglés)
DHEA	dehidroespiandrosterona (siglas en inglés)
DHLA	ácido dihidrolipoico (siglas en inglés)
DMAE	dimetilaminoetanol
DMO	densidad mineral ósea
DNA	ácido desoxirribonucleico
EEM	electroestimulación muscular
EFA	ácidos grasos esenciales (siglas en inglés)
EOR	especies de oxígeno reactivo
EPA	ácido eicosapentaenoico (siglas en inglés)
GC	glucocorticoides
HCH	hormona de crecimiento humana

HPA, *eje*	eje hipotalámico-pituitario-adrenal
JMAF	jarabe de maíz de alta concentración de fructosa
LDH-C	lipoproteína de colesterol de baja densidad
MHC	histocompatibilidad (siglas en inglés)
MRSA	resistente a la meticilina Staphylococcus aureus (siglas en inglés)
NFkB	factor nuclear kappa B
NIH	National Institutes of Health
ORAC	Capacidad de absorbencia de radicales de oxígeno (siglas en inglés)
PTH	parathormona
R-DHLA	R-ácido dihidrolipoico (siglas en inglés)
RLA	R-ácido lipoico (siglas en inglés)
SARS	síndrome respiratorio agudo severo (siglas en inglés)
SIDA	síndrome de inmunodeficiencia adquirida
SOD	superóxido dismutasa
SP	sustancia P
UV	ultravioleta
VNO	órgano vomeronasal (siglas en inglés)

Referencias

Si desea recibir información actualizada sobre todo lo que se refiere a salud, belleza y antienvejecimiento (y más) que se ha mencionado en el libro *Los 7 secretos de belleza, salud y longevidad del doctor Perricone* visite www.perriconesecrets.com.

PRODUCTOS PARA LA PIEL: ANTIOXIDANTES TÓPICOS, ANTIENVEJECIMIENTO, ANTINFLAMATORIOS

- N.V. Perricone, M.D., Ltd., en 888-823-7837 o www.nvperriconemd.com
- N.V. Perricone, M.D., Ltd. tienda central, en 791 Madison Avenue (y 67th Street), Nueva York, Nueva York
- Nordstrom
- Sephora
- Tiendas selectas Saks
- Tiendas selectas Neiman Marcus
- Henri Bendel
- Clyde's, en 926 Madison Avenue y 74th Street, Nueva York, Nueva York
- Tiendas selectas Bloomingdale's

Máscarilla de terapia de luz
- N.V Perricone, M.D., Therapeutics, en 888-823-7837 o www.nvperriconemd.com
- N.V. Perricone, M.D., Ltd. tienda central, en 791 Madison Avenue (y 67th Street), Nueva York, Nueva York

Guante de electroestimulación muscular
- N.V Perricone, M.D., Therapeutics, en 888-823-7837 o www.nvperriconemd.com
- N.V. Perricone, M.D., Ltd. tienda central en 791 Madison Avenue (y 67th Street), Nueva York, Nueva York

Productos para la Inflamación de la Piel Incluyendo Acné

Mascarilla de terapia de luz
- N.V Perricone, M.D., Therapeutics, en 888-823-7837 o www.nvperriconemd.com
- N.V. Perricone, M.D., Ltd. tienda central en 791 Madison Avenue (y 67th Street), Nueva York, Nueva York

Sistema de respaldo nutricional para piel suave
- N.V Perricone, M.D., Therapeutics, en 888-823-7837 o www.nvperriconemd.com
- N.V. Perricone, M.D., Ltd. tienda central en 791 Madison Avenue (y 67th Street), Nueva York, Nueva York

Protección solar sin químicos para rostro y cuerpo: Humectante activo con FPS 15
- N.V Perricone, M.D., Therapeutics, en 888-823-7837 o www.nvperriconemd.com
- N.V. Perricone, M.D., Ltd. tienda central en 791 Madison Avenue (y 67th Street), Nueva York, Nueva York
- Nordstrom
- Sephora
- Tiendas selectas Saks
- Tiendas selectas Neiman Marcus
- Henri Bendel
- Clyde's, en 926 Madison Avenue y 74th Street, Nueva York, Nueva York
- Tiendas selectas Bloomingdale's

Para Fortalecer la libido, Energía y Bienestar

Fragancia terapéutica antienvejecimiento con neuropéptidos y feromonas
Se trata de una fórmula patentada que es una combinación única de feromonas y fragancia compuesta por terapéuticas esencias botánicas. El resultado es una terapia que no sólo enriquece el estado de ánimo y la libido, sino que también fortalece la memo-

ria, alivia la depresión, refuerza la autoconfianza y nos hace más atractivos al sexo opuesto.

Y debido a que la porción límbica del cerebro es la encargada de controlar la actividad autónoma del cuerpo, estas fragancias también pueden bajar la presión sanguínea, aumentar el flujo de sangre al cerebro (eliminando la confusión que suele afectar a las personas mayores), aumenta las destrezas para resolver problemas, reduce los niveles de las hormonas del estrés, cortisol y adrenalina, y realmente aminora el ritmo del proceso de envejecimiento.

- N.V Perricone, M.D., Therapeutics, en 888-823-7837 o www.nvperriconemd.com
- N.V. Perricone, M.D., Ltd. tienda central en 791 Madison Avenue (y 67th Street), Nueva York, Nueva York

Productos botánicos para fortalecer la salud sexual y la libido
MacaPure rhodiola, tongkat ali y otros ingredientes botánicos han permitido la creación de fórmulas especiales para hombres y mujeres por las marcas Hot Plants for Her and Hot Plants for Him por Enzymatic Therapy (www.enzy.com).

El extracto MacaPure también está disponible como Better World MacaTru en Enzymatic Therapy (www.enzy.com).

También puede encontrar Tongkat ali como extracto en LJI00, disponible en www.herbalpowers.com.

Rhodiola rosea también está disponible como extracto en Rhodiola Energy por Enzymatic Therapy (www.enzy.com).

SUPLEMENTOS PARA EL CONTROL DE PESO Y LA ESTABILIZACIÓN DEL AZÚCAR EN LA SANGRE

Suplementos para el control de peso
- *Caralluma fimbriata*
- Cromo en la marca Chromate
- Extracto de Maitake D-Fraction y SX Fraction
- Ácido linoleico conjugado
- Coenzima Q_{10}
- Carnitina y acetil-L-carnitina
- Ácido alfa lipoico
- Ácido gamma linoleico
- Polvo de L-glutamina

Todo lo anterior está disponible en N.V Perricone, M.D., Therapeutics, en 888-823-7837 o www.nvperriconemd.com y en N.V Perricone, M.D., Ltd. tienda central en 791 Madison Avenue (y 67th Street), Nueva York, Nueva York.

Cápsulas de aceite de pescado de alta calidad
- N.V Perricone, M.D., Therapeutics, en 888-823-7837 o www.nvperriconemd.com
- N.V. Perricone, M.D., Ltd. tienda central en 791 Madison Avenue (y 67th Street), Nueva York, Nueva York
- Vital Choice Seafood, en 800-608-4825 o www.vitalchoice.com
- Optimum Health International en 800-228-1507 o www.opthealth.com

SUPLEMENTOS NUTRICIONALES, REJUVENECEDORES DE MITOCONDRIAS Y SUPLEMENTOS ANTINFLAMATORIOS Y ANTIENVEJECIMIENTO

Suplementos nutricionales para la piel y todo el cuerpo, formulados por el doctor N. V. Perricone están disponibles en:

- N.V. Perricone, M.D., Ltd., en 888-823-7837 o www.nvperriconemd.com
- N.V. Perricone, M.D., Ltd. tienda central en 791 Madison Avenue (y 67th Street), Nueva York, Nueva York
- Nordstrom
- Sephora
- Tiendas selectas Saks
- Tiendas selectas Neiman Marcus
- Henri Bendel
- Clyde's, en 926 Madison Avenue y 74th Street, Nueva York, Nueva York
- Tiendas selectas Bloomingdale's

Suplementos de astaxantina AstaREAL
AstaREAL se puede conseguir en N.V Perricone, M.D., Therapeutics, en 888-823-7837 o www.nvperriconemd.com.

Suplementos para la salud de los huesos y fortalecimiento cardiovascular
Vitamina K$_2$ y compuestos para los huesos están disponibles en:

- Advanced Biosolutions, 1-888-887-7498 o www.drsinatra.com
- Jarrow Formulas, www.jarrow.com: ácido ortosilícico estabilizado con colina (ch-OSA) y BioSil

Oreganol P73 y productos relacionados
El aceite de orégano es un producto herbal que se ha utilizado desde la antigüedad. En la Grecia antigua se usaba con fines medicinales. El aceite de orégano es un potente antiséptico, es decir, mata gérmenes. Las investigaciones han demostrado que es realmente eficiente para acabar con toda una extensa variedad de hongos, levaduras

y bacteria, incluyendo *Staphylococcus aureus*, resistente a la meticilina, y la gripe aviar, así como parásitos y virus. Se puede conseguir en North American Herb & Spice, 800-243-5242 o www.oreganol.com.

Lecturas recomendadas
Natural Cures for Killer Germs y *The Cure Is in the Cupboard*
del doctor Cass Ingram
Disponibles en www.amazon.com

ALIMENTOS RECOMENDADOS

Salmón silvestre y productos del mar
Puede conseguir salmón silvestre y otros productos del mar (hamburguesas de salmón de Alaska, vieiras, pescado blanco, pescado sable, atún del Pacífico bajo en mercurio, salmón silvestre en lata, así como atún y sardinas, en Vital Choice Seafood. El salmón silvestre de Alaska tiene un perfil de ácidos más saludable que el salmón cultivado. Contiene niveles más bajos de grasas omega-6, saturadas e inflamatorias, y la proporción de ácidos grasos omega-3 a grasas saturadas omega-6 es mucho menor. En Vital Choice Seafood los peces se atrapan en el mar, se congelan de inmediato, se empacan en hielo seco y se entregan vía mensajería a precios razonables. La mayoría de los productos de Vital Choice Seafood han sido clasificados como kosher.

Note: Las zonas pesqueras de salmón silvestre y pescado blanco del Pacífico han sido certificadas por el Marine Stewardship Council. La zona pesquera Weathervane Scallop de Alaska funciona bajo la regulación estatal y federal que rige con fines de conservación ecológica. Vital Choice sólo ofrece atún pequeño, pescado con cebo y de bajo contenido de mercurio.

Contact Vital Choice Seafood en www.vitalchoice.com o 800-608-4825.

Fruta Acai del Amazonas con alto nivel de antioxidantes
La fruta Acai tiene más antioxidantes que los arándanos silvestres, la granada o el vino tinto; también contiene omegas esenciales (grasas saludables), aminoácidos, calcio y fibra.

Super Berry Powder con Acai es una bebida en polvo de moras con alto contenido de antioxidantes y antinflamatorias. Estas propiedades ayudan a conservar la salud celular, sirven como protección del daño causado por radicales libres y sirve de apoyo para el mejor funcionamiento del cuerpo.

- N.V. Perricone, M.D., Ltd., en 888-823-7837 o www.nvperriconemd.com
- N.V. Perricone, M.D., Ltd. tienda central en 791 Madison Avenue (y 67th Street), Nueva York, Nueva York
- Tiendas Whole Foods Market y Wild Oats en todo el país y en www.sambazon.com: Sambazon brand acai beverages

Aguacate
Si desea conseguir recetas e información relacionada con la salud visite el sitio en internet del California Avocado Board en www.avocado.org.

Alubias y lentejas
Westbrae Natural se dedica al comercio nacional de alubias orgánicas certificadas, incluyendo las variedades más originales en www.westbrae.com/products/index.html o llame al 800-434-4246.

Aceite de coco
Spectrum Organic Products ofrece aceite de coco en www.spectrumorganics.com.

Galletas de linaza Foods Alive Organic Golden Flax (sin granos)
Foods Alive ofrece galletas de linaza orgánicas en www.foodsalive.com.

Goji Bernj
Toda la mora goji es procesada por la oficina de la Tibetan Goji Berry Company (866-328-4654 o www.gojiberrycom). Esta fuente oficial única funge como control ecológico con fines de conservación botánica y para proteger a la mora goji del exceso de cosecha de una especie limitada.

Res alimentada con hierbas
Eatwild.com es la fuente más confiable para obtener carne segura, saludable, natural y nutritiva de cordero, oveja, bisonte, puerco y productos lácteos. El sitio de internet tiene tres objetivos:

• Servir de referencia a los consumidores con información de abastecedores confiables de productos totalmente naturales, deliciosos y alimentados con hierbas.
• Ofrecer información en general y precisa sobre los beneficios de la crianza de animales en pastizales.
• Ofrecer un centro de comercio para los granjeros que crían animales en pastizales, desde que nacen hasta que llegan al mercado, y que promueven el bienestar de sus animales y la salud de la tierra.

Neff Family Ranch (www.nfrnaturalbeef.com) ofrece carne de res 100% alimentada con hierbas en pastizales orgánicos.

Lectura recomendada
Pasture Perfect: The Far-Reaching Benefits of Choosing Meat, Eggs, and Dairy Products from Grass-Fed Animals
Por Jo Robinson
Disponible en www.eatwild.com

The Omnivore's Dilemma
Por Michael Pollen
disponible en librerías, www.amazon.com y www.eatwild.com

Alimentos verdes
Hierba de cebada orgánica certificada y polvo Green Magma powder, además de otros suplementos, están disponibles en tiendas naturistas incluyendo Whole Foods and Wild Oats. Para información adicional visite www.greenfoods.com.

Té verde
Si desea obtener té de la más alta calidad (verde, blanco y negro) y brotes de té con alto contenido de polifenol, contacte la Red Blossom Tea Company en 415-395-0868 o www.redblossomtea.com.

Kéfir y yogur
• Helios Nutrition es una pequeña lechería orgánica que está en Sauk Centre, Minnesota. Hacen diversos kéfir de diversos sabores con FOS (polisacáridos prebióticos). Para más información llame a 888-3-HELIOS o www.heliosnutrition.com/html/where_to_buy.html.
• El yogur Stonyfield Farm está disponible en muchos mercados de alimentos. Para encontrar una tienda en su zona visite www.stonyfield.com/storelocator/.
• El yogur Horizon Organic está disponible en muchos mercados de alimentos. Para encontrar una tienda en su zona visite www.horizonorganic.com/stores/index.html.
• Diamond Organics vende yogur orgánico directamente a consumidores en www.diamondorganics.com/prod_detail_list/41 161 o 1 -888-ORGANIC (888-674-2642).

Moras, condimentos, aceites y té orgánicos en la puerta de su casa
Vital Choice Seafood es un proveedor de alimentos del mar de alta calidad y también ofrece alimentos orgánicos certificados. Visite www.vitalchoice.com o llame a 800-608- 4825.

Frutas y verduras orgánicas en la puerta de su casa
Diamond Organics vende moras orgánicas certificadas (en estación, mayo a octubre) directamente a consumidores. Visite www.diamondorganics.com o llame al 888-ORGANIC (888-674-2642).

Mercados orgánicos a nivel nacional
Para conseguir pez, carne, pollo, huevos, frutas, verduras, cebada, avena, trigo sarraceno, alubias y lentejas, chiles, nueces, semillas, aceite de oliva extravirgen, hierbas, especias, agua de manantial, té (verde, blanco y negro), suplementos nutricionales, kéfir, yogur y otros productos véase:

- Whole Foods Market tiene una gran variedad de alimentos naturales y orgánicos. Visite el sitio en internet para encontrar una tienda cerca a su domicilio en www.wholefoods.com.
- Wild Oats es otra cadena nacional que ofrece una excelente selección de alimentos orgánicos y naturales. Para encontrar una tienda cerca de su hogar, visite wwwwildoats.com.

Productos alimenticios polisacáridos péptidos (antinflamatorios y antienvejecimiento)
- N.y Perricone, M.D., Ltd., en 888-823-7837 o www.nvperriconemd.com
- N.V. Perricone, M.D., Ltd. tienda central en 791 Madison Avenue (y 67th Street), Nueva York, Nueva York

Pistaches
Puede encontrar mayor información sobre los pistaches de California en www.everybodysnuts.com y los puede adquirir en tiendas de abarrotes.

Jugo y concentrado de granada (posee un extremadamente elevado nivel de antioxidantes)
Puede encontrar tiendas que tengan POM Wonderful disponible llamando al 510-966-5800 o visitando www.pomwonderful.com. El jugo y el concentrado también están disponibles en supermercados y tiendas de alimentos naturistas.

Agua de manantial pura
- El agua de manantial Poland Spring puede encontrarse en tiendas de abarrotes de todo el país.
- FIJI Water, agua natural artesanal embotellada en la fuente en las islas Fiji Islands también está disponible en tiendas de abarrotes y cadenas comerciales. El agua FIJI también está disponible en entrega a domicilio en Estados Unidos en www.fijiwater.com.

Verduras del mar
- Maine Coast Sea Vegetables (www.seaveg.com)
- Eden Foods (www.edenfoods.com)

Brotes
La International Sprout Growers Association en www.isga-sprouts.org es la asociación profesional de personas dedicadas al cultivo de brotes y de compañías que abastecen estos productos y también de servicios a la industria de brotes. Visite el sito en internet para obtener información, recetas y notas sobre la salud.

Cúrcuma
- Las tiendas Mew Chapter venden extracto altamente potente de cúrcuma bajo la marca Turmericforce. Visite www.new-chapter.com o llame al 800-545-7279.

• Casi todas las tiendas naturistas y de abarrotes tienen raíz fresca de cúrcuma.

Utensilios para Cocinar y Hornear Recomendados

No debe de sorprenderles que mis utensilios de cocina favoritos provengan de Francia, uno de los países más renombrados por su cocina. Los utensilios que elijan son muy importantes para su salud y también para el sabor de los alimentos. Los utensilios con porcelana y esmalte no interactúan con sus alimentos; esto es importante cuando se trata de alimentos como vinagre y limón. Como lo he mencionado, evite utensilios antiadherentes. Aunque los artículos que recomiendo tienen un costo mayor, con el cuidado adecuado están garantizados para durar toda la vida: una inversión inteligente que sólo tendrá que hacer una vez.

Utensilios Emile Henry
La región de la Borgoña, en el corazón de Francia, es el hogar de los utensilios para cocina de Emile Henry. Desde 1850, cinco generaciones de la familia Henry han fabricado a mano la línea más famosa de utensilios para horno. Emile Henry es el fabricante más grande de alfarería en Francia. Desde que se produjo por primera vez, los beneficios de los utensilios que van del horno a la mesa se han debido a su capacidad de distribuir gradualmente el calor y de manera pareja en los alimentos, de tal forma que las fibras se suavizan sin endurecerse. Los utensilios de cocina están disponibles en tiendas finas como Williams-Sonoma. Si desea conocer una lista completa de tiendas y ventas en internet visite www.emilehenry.com.

Le Creuset
Le Creuset es el fabricante más importante del mundo de utensilios de cocina de hierro forjado y esmalte. Como Emile Henry, Le Creuset es una línea bella y funcional. El único problema que representa comprar artículos de Le Creuset es elegir el color. Todos los utensilios de Le Creuset están hechos con hierro forjado esmaltado. El hierro forjado se ha utilizado en la cocina desde la Edad Media. La fábrica de Le Creuset se ubica en Fresnoy-le-Grand, en el norte de Francia.

En 1925, la fundición comenzó a producir hierro forjado vertiendo a mano hierro fundido en moldes de arena, la etapa más delicada del proceso de producción. Incluso en la actualidad, después del fundido, cada molde se destruye y el utensilio es bruñido a mano e inspeccionado en busca de imperfecciones. Una vez que los artículos son aprobados para el esmalte, los utensilios son rociados con dos capas independientes de esmalte y horneados, después de cada uno de los procesos, a temperatura de 800° centígrados. El esmalte se endurece y es altamente durable, lo que lo hace casi totalmente resistente al uso diario. Debido a que gran parte del acabado se realiza a mano, cada utensilio de hierro forjado de Le Creuset es una pieza única.

Productos Recomendados para el Hogar

Sun & Earth www.sunandearth.com

Seventh Generation
Existe una alternativa a los limpiadores tóxicos y el papel y plástico perjudiciales para el medio ambiente. Yo recomiendo Seventh Generation, que ofrece una línea completa de productos no tóxicos para el hogar. Todos sus productos están diseñados de tal manera que funcionan igual que sus contrapartes tradicionales, pero están hechos de ingredientes renovables, no tóxicos, libres de fosfatos y biodegradables, que nunca han sido probados en animales. No dañan el planeta, como tampoco dañan a la personas, no emiten gases o dejan residuos que podrían afectar la salud de la familia o de sus mascotas. Los productos de Seventh Generation están disponibles a nivel nacional. Para mayor información y para localizar una tienda cerca de su hogar, visite www.seventhgeneration.com.

Información sobre la Educación de la Salud

Los siguientes sitios de internet ofrecen información interesante sobre temas como la nutrición, sanación natural, alimentos y salud holística:

- Para información científica al día de suplementos alimenticios y nutricionales, vea www.lef.org.
- Para información científica sobre alimentos y temas relacionados con alimentos dirigida a los medios de información, a los profesionales de la salud y la nutrición, educadores y líderes de opinión, visite el sitio en internet del European Food Information Council, una organización sin fines de lucro, en www.eufic.org.
- Para información sobre el índice glicémico, visite: www.glycemicindex.com.
- Para información general sobre la salud y nutrición, incluyendo diferentes tipos de carne y azúcares, véase www.mercola.com.
- Para información sobre los fitonutrientes que ayudan a prevenir el cáncer y que se encuentran en frutas y verduras, visite el sitio de internet del American Institute for Cancer Research en www.aicr.org.
- Para información relevante sobre los beneficios de varios tipos de ejercicios, incluyendo información detallada e ilustraciones, visite los sitios en internet del President's Council on Physical Fitness (wwwfitness.gov) y del National Institute on Aging (www.niapublications. org).

Los beneficios a la salud del aceite de oliva
Información sobre los beneficios a la salud del aceite de oliva puede encontrarse en www.internationaloliveoil.org/oliveworld_mediet.asp.

Edulcorantes no glicémicos
- Para conocer más sobre los beneficios y daños de los edulcorantes, tanto naturales como químicos, visite www.holisticmed.com/sweet/.
- Para información sobre stevia, visite www.stevia.net.
- Para información sobre ZSweet sustituto natural del azúcar, visite www.zsweet.com.

Alimentos de soya
Para información completa sobre alimentos de soya, visite www.soyfoods.com.

Seguridad en los alimentos del mar
- Union of Concerned Scientists: www.ucsusa.org
- Sitio en internet de la U.S. Food and Drug Administration sobre el manejo seguro de alimentos de mar: www.cfsan.fda.gov/-frf/sea-mehg.html
- Environmental Protection Agency: www.epa.gov/ost/fish, www.epa.gov/mercury

Ejercicio antienvejecimiento para mente y cuerpo
Para información detallada lea *Chi Kung: The Chinese Art of Mastering Energy*, de Yves Réquéna, publicado por Healing Arts Press. Está disponible en www.innertraditions.com.

T-Tapp
Aprenda más sobre T-Tapp, el innovador programa de bienestar que incorpora diferentes elementos para el desarrollo de tejido muscular equilibrado con fortaleza y flexibilidad en www.t-tapp.com o lea *Fit and Fabulous in 15 Minutes* de Teresa Tapp, publicado por Ballantine Books y disponible en la mayoría de las librerías.

Bibliografía

Capítulo 1

Aggarwal, B. B., Kumar, A. y Bharti, A. C., "Anticancer potential of curcumin, preclinical and clinical studies", Anticancer Research, núm. 23 (lA), 2003, pp. 363-398, arbitrado.

— y Shishodia, S., "Suppression of the nuclear factor-kappaB activation pathway by spice-derived phytochemicals: reasoning for seasoning", Annals of the New York Academy of Sciences, núm. 1030, 2004, pp. 434-441, arbitrado.

Aggarwal, S., Ichikawa, H., Takada, Y., Sandur, S. K., Shishodia, S. y Aggarwal, B. B., "Curcumin (diferuloylmethane), down-regulates expression of cell proliferation and anti-apoptotic and metastatic gene products through suppression of IkappaBalpha kinase and Akt activation", Molecular Pharmacology, núm. 69 (1), 2006, pp. 195-206, publicación electrónica 11 de octubre de 2005.

Agmon, Y., Khandheria, B. K., Meissner, I., Petterson, T. M., O'Fallon, W. M., Wiebers, D. O., Christianson, T. J., McConnell, J. P., Whisnant, J. P., Seward, J. B. y Tajik, A. J., "C-reactive protein and atherosclerosis of the thoracic aorta: a population-based transesophageal echocardiographic study", Archives of Internal Medicine, núm. 164 (16), 2004, pp. 1781-1787.

Allen, R. G. y Tresini, M., "Oxidative stress and gene regulation", Free Radical Biology & Medicine, núm I, 28 (3), 2000, pp. 463-499, arbitrado.

Amato, P., Morales, A. J. y Yen, S. S., "Effects of chromium picolinate supplementation on insulin sensitivity serum lipids, and body composition in healthy nonobese, older men and women", The Journals of Gerontology-Series A, Biological Sciences and Medical Sciences, núm. 55 (5), 2000, pp. M 260-263.

Ames, B. N., "Delaying the mitochondrial decay of aging", Annals of the New York Academy of Sciences, núm. 1019, 2004, pp. 406-411, arbitrado.

— y Liu, J., "Delaying the mitochondrial decay of aging with acetylcarnitine", *Annals of the New York Academy of Sciences*, núm. 1033, 2004, pp. 108-116, arbitrado.

Anderson, R. A., "Effects of chromium on body composition and weight loss", *Nutrition Reviews*, núm. 56, 1998, pp. 266-270.

"Anti-inflammatory effect may help explain fish benefit: best results seen among people who ate more than half a pound of fish each week", leído el 8 de julio de 2005 en http://www.acc.org/media/releases/highlights/2005/july05/fish.htm

"Aquaxan™ HD algal meal use in aquaculture diets: enhancing nutritional performance and pigmentation", informe técnico 2102. 001., en http://www.fda.gov/ohrms/dockets/ dailys/00/jun 00/061900/rpt0065_tab6.pdf

Arab, L. y Steck, S., "Lycopene and cardiovascular disease", *American Journal of Clinical Nutrition*, núm. 71, 2000, pp. 1691S-1695S.

Arafa, H. M., "Curcumin attenuates diet-induced hypercholesterolemia in rats", *Medical Science Monitor*, núm. 11 (7), 2005, pp. BR228-BR234, publicación electrónica 29 de junio de 2005.

Arimoto, T., Ichinose, T., Yoshikawa, T. y Shibamoto, T., "Effect of the natural antioxidant 2"-O-glycosylisovitexin on superoxide and hydroxyl radical generation", *Food and Chemical Toxicology*, núm. 38 (9), 2000, pp. 849-852.

Arita, M., Bianchini, F., Aliberti, J., Sher, A., Chiang, N., Hong, S., Yang, R., Petasis, N. A. y Serhan, C. N., "Sterochemical assignment, antiinflammatory properties, and receptor for the omega-3 lipid mediator resolvin E1", *Journal of Experimental Medicine*, núm. 201, 2005, pp. 713-722.

Arroyo-Espliguero, R., Avanzas, P., Cosin-Sales, J., Aldama, G., Pizzi, C. y Kaski, J. C., "C-reactive protein elevation and disease activity in patients with coronary artery disease", *European Heart Journal*, núm. 25 (5), 2004, pp. 401-408.

Atalay, M., Gordillo, G., Roy, S., Rovin, B., Bagchi, D., Bagchi, M. y Sen, C. K., "Antiangiogenic property of edible berry in a model of hemangioma", *FEBS Letters*, núm 544 (1-3), 2003, pp. 252-257.

Aviram, M., "11th biennial meeting of the Society for Free Radical Research International", Paris, 2002.

— y Dornfeld, L., "Pomegranate juice consumption inhibits serum angiotensin converting enzyme activity and reduces systolic blood pressure", *Atherosclerosis*, núm. 158 (1), 2001, pp. 195-198.

— Dornfeld, L., Kaplan, M., Coleman, R., Gaitini, D., Nitecki, S., Hofman, A., Rosenblat, M., Volkova, N., Presser, D., Attias, J., Hayek, T. y Fuhrman, B., "Pomegranate juice flavonoids inhibit low-density lipoprotein oxidation and cardiovascular diseases: studies in atherosclerotic mice and in humans", *Drugs Under Experimental and Clinical Research*, 2002, núm. 28 (2-35), pp. 49-62, arbitrado.

— Dornfeld, L., Rosenblat, M., Volkova, N., Kaplan, M., Coleman, R., Hayek, T., Presser, D. y Fuhrman, B., "Pomegranate juice consumption reduces oxidative stress, atherogenic modifications to LDL, and platelet aggregation: studies in humans and in atherosclerotic apolipoprotein E-deficient mice", *American Journal of Clinical Nutrition*, núm. 71 (5), 2000, pp. 1062-1076.

Bagchi D., Bagchi, M., Balmoori, J., Ye, X. y Stohs, S. J., "Comparative induction of oxidative stress in cultured J774A.1 macrophage cells by chromium picolinate and chromium nicotinate", *Research Communications in Molecular Pathology and Pharmacology*, núm. 97 (3), 1997, pp. 335-346, errata en: *Research Communications in Molecular Pathology y Pharmacology*, núm. 99 (2), 1998, p. 240.

— Bagchi, M., Stohs, S. J., Das D. K., Ray, S. D., Kuszynski C. A., Joshi S. S. y Pruess H. G., "Free radicals and grape seed proanthocyanidin extract: importance in human health and disease prevention". *Toxicology*, núm. 148 (2-3), 2000, pp. 187-197.

— Bagchi, M., Stohs, S., Ray, S. D., Sen, C. K. y Preuss, H. G., "Cellular protection with pro-anthocyanidins derived from grape seeds", *Annals of the New York Academy of Sciences*, núm. 957, 2002, pp. 260-270, arbitrado.

— Sen, C. K., Bagchi, M. y Atalay, M., "Anti-angiogenic, antioxidant, and anticarcinogenic properties of a novel anthocyanin-rich berry extract formula", *Biochemistry Biokhimila*, núm. 69 (1), 2004, pp. 75-80.

Bagga, D., Wang, L., Farias-Eisner, R., Glaspy, J. A. y Reddy, S. T., "Differential effects of prostaglandin derived from omega-6 and omega-3 polyunsaturated fatty acids on COX-2 expression and IL-6 secretion", *Proceedings of the National Academy of Sciences of the United States of America*, núm. 100, 2003, pp. 1751-1756.

Bahadori, B., Wallner, S., Schneider, H., Wascher, T. C. y Toplak, H., "Effect of chromium yeast and chromium picolinate on body composition of obese, non-diabetic patients during and after a formula diet", *Acta Med Austriaca*, núm. 24 (5), 1997, pp. 185-257. Alemania.

Bassuk, S. S., Rifai, N. y Ridker, P. M., "High-sensitivity C-reactive protein: clinical importance", *Current Problems in Cardiology*, núm. 29 (8), 2004, pp. 439-493, arbitrado.

Bast, A. y Haenen, G. R., "Interplay between lipoic acid and glutathione in the protection against microsomal lipid peroxidation", *Biochimica et Biophysica Acta*, núm. 963(3), 1988, pp. 558-561.

Baynes, J. W., "The role of AGEs in aging: causation or correlation", *Experimental Gerontology*, núm. 36 (9), 2001, pp. 1527-1537, arbitrado.

— y Thorpe, S. R., "Glycoxidation and lipoxidation in atherogenesis", *Free Radical Biology and Medicine*, núm. 28 (12), 2000, pp. 1708-1716, arbitrado.

Beal, M. E., "Bioenergetic approaches for neuroprotection in Parkinson's disease", *Annals of Neurology*, núm. 53 (supl. 3), 2003, pp. 39-47, discusión pp. S47-S48, arbitrado.

— "Mitochondria, oxidative damage, and inflammation in Parkinson's disease", *Annals of the New York Academy of Sciences*, núm. 36 (4), 2003, 1991, pp. 120-131, arbitrado.

— "Mitochondrial dysfunction and oxidative damage in Alzheimer's and Parkinson's diseases and coenzyme Q_{10} as a potential treatment", *Journal of Bioenergetics and Biomembranes*, núm. 36 (4), 2004, pp. 381-386, arbitrado.

Becker, E. W., Jakober, B., Luft, D., *et al*, "Clinical and biochemical evaluations of the alga Spirulina with regard to its application in the treatment of obesity A double-blind cross-over study", *Nutrition Reports International*, núm. 35, 1986, pp. 565-574.

Bell, J. G., Henderson, R. J., Tocher, D. R. y Sargent, J. R., "Replacement of dietary fish oil with increasing levels of linseed oil: modification of flesh fatty acid compositions in Atlantic salmon *(Salmo salar)*, using a fish oil finishing diet", *Lipids*, núm. 39 (3), 2004, pp. 223-232.

— Tocher, D. R., Henderson, R. J., Dick, J. R. y Crampton, V. O., "Altered fatty acid compositions in Atlantic salmon *(Salmo salar)*, fed diets containing linseed and rape-seed oils can be partially restored by a subsequent fish oil finishing diet", *Journal of Nutrition*, núm. 133 (9), 2003, pp. 2793-2801.

Bertram, J. S. y Vine, A. L., "Cancer prevention by retinoids and carotenoids: independent action on a common target", *Biochimica et Biophysica Acta*, núm. 1740 (2), 2005, pp. 170-178, publicación electrónica 25 de enero de 2005, arbitrado.

Beyer, R. E., "An analysis of the role of coenzyme Q in free radical generation and as an antioxidant", *Biochemistry and Cell Biology*, núm. 70 (6), 1992, pp. 390-403, arbitrado.

Bharti, A. C., Donato, N., Singh, S. y Aggarwal, B. B., "Curcumin (diferuloylmethane), down-regulates the constitutive activation of nuclear factor-kappa B and Ikappa-Balpha kinase in human multiple myeloma cells, leading to suppression of proliferation and induction of apoptosis", *Blood*, núm. 101 (3), 2003, pp. 1053-1062, publicación electrónica 5 de septiembre, 2002.

Bhattacharya, A., Lawrence, R. A., Krishnan, A., Zaman, K., Sun, D. y Fernandes, G., "Effect of dietary n-3 and n-6 oils with and without food restriction on activity of antioxidant enzymes and lipid peroxidation in livers of cyclophosphamide treated autoimmune-prone NZB/W female mice", *Journal of the American College of Nutrition*, núm. 22 (5), 2003, pp. 388-399.

Bhosale, P. y Bernstein. P. S., "Microbial xanthophylls", *Applied Microbiology and Biotechnology*, núm. 68 (4), 2005, pp. 445-455, publicación electrónica 26 de octubre de 2005, arbitrado.

Bianchini, F. y Vainio, H., "Wine and resveratrol: mechanisms of cancer prevention", *European Journal of Cancer Prevention*, núm. 12 (5), 2005, pp. 417-425, arbitrado.

Bierhaus, A., Chevion, S., Chevion, M., Hofmann, M., Quehenberger, P., Illmer, T., Luther, T., Berentshtein, E., Tritschler, H., Muller, M., Wahl, P., Ziegler, R. y Nawroth, P. P., "Advanced glycation end product-induced activation of NF-kappaB is suppressed by alpha-lipoic acid in cultured endothelial cells", *Diabetes*, núm. 46 (9), 1997, pp. 1481-1490.

Biewenga, G. P., Haenen, G. R. y Bast, A., "The pharmacology of the antioxidant lipoic acid", *General Pharmacology*, núm. 29 (3), 1997, pp. 315-331.

— Veening-Griffloen, D. H., Nicastia, A. J., Haenen, G. R. y Bast, A., "Effects of dihydro-lipoic acid on peptide methionine sulfoxide reductase. Implications for antioxidant drugs", *Arzneimittelforschung*, núm. 48 (2), 1998, pp. 144-148.

Blankenberg, S., Rupprecht H. J., Bickel, C., Peetz, D., Hafner, G., Tiret, L. y Meyer, J., "Circulating cell adhesion molecules and death in patients with coronary artery disease", *Circulation*, núm. 104 (12), 2001, pp. 1336-1342.

— Tiret, L., Bickel, C., Peetz, D., Cambien, F., Meyer, J. y Rupprecht, H. J., "Athero-Gene Investigators. Interleukin-18 is a strong predictor of cardiovascular death in stable and unstable angina", *Circulation*, núm. 106 (1), 2002, pp. 24-30.

Blinkova, L. P., Gorobets, O. B. y Baturo, A. P., "Biological activity of Spirulina", *Zhumal mikrobiologii, epidemiologii, immunobiologii*, núm. 2, 2001, pp. 114-118, edición en ruso.

Block, G., Patterson, B. y Subar, A., "Fruit, vegetables, and cancer prevention: a review of the epidemiological evidence", *Nutrition and Cancer*, núm. 18 (1), 1992, pp. 1-29, arbitrado.

Bordin, L., Prianti, G., Musacchio, E., Giunco, S., Tibaldi, E., Clari, G. y Baggio, B., "Arachidonic acid-induced IL-6 expression is mediated by PKC-á activation in osteoblastic cells", *Biochemistry*, núm. 42, 2003, pp. 4485-4491.

Bourre, J. M., "Where to find omega-3 fatty acids and feeding animals with diet enriched in omega-3 fatty acids to increase nutritional value of derived products for human: what is actually useful?", *Journal of Nutrition, Health & Aging*, núm. 9 (4), 2005, pp. 232-242, arbitrado.

Breinholt, V., Arbogast, D., Loveland, P., Pereira, C., Dashwood, R., Hendricks, J. y Bailey, G., "Chlorophyllin chemoprevention: an evaluation of reduced bioavailability *vs.* target organ protective mechanisms", *Toxicology and Applied Pharmacology*, núm. 158, 1999, pp. 141-151.

— Hendricks, J., Pereira, C., Arbogast, D. y Bailey, G., "Dietary chlorophyllin is a potent inhibitor of aflatoxin B1 hepatocarcinogenesis in rainbow trout", *Cancer Research*, núm. 55, 1995, pp. 57-62.

Brouet, I. y Ohshima, H., "Curcumin, an anti-tumour promoter and anti-inflammatory agent, inhibits induction of nitric oxide synthase in activated macrophages" *Biochemical and Biophysical Research Communications*, núm. 206 (2), 1995, pp. 533-540.

Burke, J. D., Curran-Celentano, J. y Wenzel, A. J., "Diet and serum carotenoid concentrations affect macular pigment optical density in adults 45 years and older", *Journal of Nutrition*, núm. 135 (5), 2005, pp. 1208-1214.

Burros, M., "Farmed salmon looking less rosy", *The New York Times*, 28 de mayo de 2003.

Bustamante, J., Lodge, J. K., Marcocci, L., Tritschler, H. J., Packer, L. y Rihn, B. H., "Alpha-lipoic acid in liver metabolism and disease", *Free Radical Biology & Medicine*, núm. 24 (6), 1998, pp. 1023-1039, arbitrado.

Caballero-George, C., Vanderheyden, P. M., De Bruyne, T., Shahat, A. A., Van den Heuvel,

H., Solis, P. N., Gupta, M. P., Claeys, M., Pieters, L., Vauquelin, G. y Vlietinck, A. J., "In vitro inhibition of [3H]-angiotensin II binding on the human AT1 receptor by proanthocyanidins from *Guazuma ulmifolia* bark", *Planta Medica*, núm. 68 (12), 2002, pp. 1066-1071.

Cakatay, U., Telci, A., Kayali, R., Sivas, A. y Akcay, T., "Effect of alpha-lipoic acid supplementation on oxidative protein damage in the streptozotocin-diabetic rat", *Research in Experimental Medicine*, núm. 199 (4), 2000, pp. 243-251.

Cal, C., Garban, H., Jazirehi, A., Yeh, C., Mizutani, Y. y Bonavida, B., "Resveratrol and cancer: chemoprevention, apoptosis, and chemo-immunosensitizing activities", *Current Medicinal Chemistry Anti-cancer Agents*, núm. 3 (2), 2003, pp. 77-93, arbitrado.

Calabrese, V., Scapagnini, G., Colombrita, C., Ravagna, A., Pennisi, G., Giuffrida, Stella A. M., Galli, F. y Butterfield, D. A., "Redox regulation of heat shock protein expression in aging and neurodegenerative disorders associated with oxidative stress: a nutritional approach", *Amino Acids*, núm. 25 (3-4), 2003, pp. 437-444, publicación electrónica 7 de noviembre de 2003.

Calder, P. C., "N-3 fatty acids and cardiovascular disease: evidence explained and mechanisms explored", *Clinical Science*, núm. 107 (1), London, 2004, pp. 1-11, arbitrado.

— "N-3 polyunsaturated fatty acids and inflammation: from molecular biology to the clinic", *Lipids*, núm. 38, 2003, pp. 342-352.

Calixto, J. B. y Yunes, R. A., "Natural bradykinin antagonists" *Memorias do Instituto Oswaldo Cruz*, núm. 86 (supl. 2), 1991, pp. 195-202, arbitrado.

Camandola, S., Leonarduzzi, G., Musso, T., Varesio, L., Carini, R., Scavazza, A., Chiarpotto, E., Baeuerle P. A. y Poli, G., "Nuclear factor $_K$B is activated by arachidonic acid but not by eicosapentenoic acid", *Biochemical and Biophysical Research Communications*, núm. 229, 1996, pp. 643-647.

Campbell, W. W., Joseph, L. J., Anderson, R. A., Davey, S. L., Hinton, J. y Evans ,W. J., "Effects of resistive training and chromium picolinate on body composition and skeletal muscle size in older women", *International Journal of Sport Nutrition and Exercise Metabolism*, núm. 12 (2), 2002, pp. 125-135.

— Joseph, L. J., Davey, S. L., Cyr-Campbell, D., Anderson, R. A. y Evans ,W. J., "Effects of resistance training and chromium picolinate on body composition and skeletal muscle in older men", *Journal of Applied Physiology*, núm. 86 (1), 1999, pp. 29-39.

Cao, G., Russell, R. M., Lischner, N. y Prior, R. L., "Serum antioxidant capacity is increased by consumption of strawberries, spinach, red wine or vitamin C in elderly women", *Journal of Nutrition*, núm. 128 (12), 1999, pp. 2383-2390.

— Shukitt-Hale, B., Bickford, P. C., Joseph, J. A., McEwen, J. y Prior, R. L., "Hyperoxiainduced changes in antioxidant capacity and the effect of dietary antioxidants", *Journal of Applied Physiology*, núm. 86 (6), 1999, pp. 1817-1822.

Carson, C., Lee, S., De Paola, C., *et al.*, "Antioxidant intake and cataract in the Melbourne Visual Impairment Project (abstract)", *American Journal of Epidemiology*, núm. 139 (vol. 11), 1994, p. A65.

Cefalu, W. T., Bell-Farrow, A. D., Wang, Z. Q., Sonntag, W. E., Fu, M. X., Baynes, J. W. y Thorpe, S. R., "Caloric restriction decreases age-dependent accumulation of the glycoxidation products, N epsilon-(carboxymethyl)lysine and pentosidine, in rat skin collagen", *Journals of Gerontology, Series A, Biological Sciences and Medical Sciences*, núm. 50 (6), 1995, pp. B337-B341.

Chainani-Wu, N., "Safety and anti-inflammatory activity of curcumin: a component of turmeric (*Curcuma longa*)", *Journal of Alternative and Complementary Medicine*, núm. 9 (1), 2003, pp. 161-168, arbitrado.

Chan, K. Y., Boucher E. S., Gandhi P. J. y Silva M. A., "HMG-CoA reductase inhibitors for lowering elevated levels of C-reactive protein", *American Journal of Health-System Pharmacy*, núm. 61 (16), 2004, pp. 1676-1681, arbitrado.

Chan M. M., "Inhibition of tumor necrosis factor by curcumin, a phytochemical" *Biochemical Pharmacology*, núm. 49 (11), 1995, pp. 1551-1556.

— Huang, H. I., Fenton, M. R. y Fong, D., "In vivo inhibition of nitric oxide synthase gene expression by curcumin, a cancer preventive natural product with anti- inflammatory properties", *Biochemical Pharmacology*, núm. 55 (12), 1998, pp. 1955-1962.

Chauhan, D. P., "Chemotherapeutic potential of curcumin for colorectal cancer", *Current Pharmaceutical Design*, núm. 8 (19), 2002, pp. 1695-1706, arbitrado.

Chernomorsky, S., Segelman, A. y Poretz, R. D., "Effect of dietary chlorophyll derivatives on mutagenesis and tumor cell growth", *Terato genesis, Carcinogenesis, and Muta genesis*, núm. 19 (5), 1999, pp. 313-322.

Chew, G. T. y Watts, G. F., "Coenzyme Q_{10} and diabetic endotheliopathy: oxidative stress and the 'recoupling hypothesis", *QJM*, núm. 97 (8), 2004, pp. 537-548, arbitrado.

Chitchumroonchokchai, C., Bomser, J. A., Glamm, J. E. y Failla, M. L., "Xanthophylls and alpha-tocopherol decrease UVB-induced lipid peroxidation and stress signaling in human lens epithelial cells", *Journal of Nutrition*, núm. 134 (12), 2004, pp. 3225-3232.

Clancy, S. P., Clarkson, P. M., DeCheke, M. E., Nosaka, K., Freedson, P. S., Cunningham, J. J. y Valentine, B., "Effects of chromium picolinate supplementation on body composition, strength, and urinary chromium loss in football players", *International Journal of Sport Nutrition*, núm. 4 (2), 1994, pp. 142-153.

Conney, A. H., Lysz, T., Ferraro, T., Abidi, T. F., Manchand, P. S., Laskin, J. D. y Huang, M. T., "Inhibitory effect of curcumin and some related dietary compounds on tumor promotion and arachidonic acid metabolism in mouse skin", *Advances in Enzyme Regulation*, núm. 51, 1991, pp. 385-396.

Crane, F. L., "Biochemical functions of coenzyme Q_{10}", *Journal of the American College of Nutrition*, núm. 20 (6), 2001, pp. 591-598, arbitrado.

Curran-Celentano, J., Hammond, B. R. Jr, Ciulla, T. A., Cooper, D. A., Pratt, L. M. y Danis, R. B., "Relation between dietary intake, serum concentrations, and retinal concentrations of lutein and zeaxanthin in adults in a Midwest population", *American Journal of Clinical Nutrition*, núm. 74 (6), 2001, pp. 796-802.

Curtis, C. L., Hughes, C. D., Flannery, C. R., Little, C. B., Harwood, J. L. y Caterson, B., "N-3 fatty acids specifically modulate catabolic factors involved in articular cartilage degradation", *Journal of Biological Chemistry*, núm. 275, 2000, pp. 721-724.

— Rees, S. G., Little, C. B., Flannery, C. R., Hughes C. E., Wilson, C., Dent C. M., Otterness, I. G., Harwood, J. L. y Caterson, B., "Pathologic indicators of degradation and inflammation in human osteoarthritic cartilage are abrogated by exposure to n-3 fatty acids", *Arthritis and Rheumatism*, núm. 46, 2002, pp. 1544-1553.

D'Anci, K. E. y Rosenberg, I. H., "Folate and brain function in the elderly", *Current Opinion in Clinical Nutrition and Metabolic Care*, núm. 7 (6), 2004, pp. 659-664, arbitrado.

Dashwood, R. H., Breinholt, V. y Bailey, G. S., "Chemopreventive properties of chiorophyllin: inhibition of aflatoxin B1 (AFB1)-DNA binding in vivo and antimutagenic activity against AFB1 and two heterocydic amines in the *Salmonella* mutagenicity assay", *Carcinogenesis*, núm. 12, 1991, pp. 939-942.

Dauer, A., Hensel, A., Lhoste, E., Knasmuller, S. y Mersch-Sundermann, V., "Genotoxic and antigenotoxic effects of catechin and tannins from the bark of *Hamamelis virginiana L.* in metabolically competent, human hepatoma cells (Hep G2), using single cell gel electrophoresis", *Phytochemistry*, núm. 63 (2), 2003, pp. 199-207.

Deodhar, S. D., Sethi, R. y Srimal, R. C., "Preliminary study on antirheumatic activity of curcumin (diferuloyl methane)", *Indian Journal of Medical Research*, núm. 71, pp. 632-634.

Divecha, H., Sattar, N., Rumley, A., Cherry, L., Lowe, G. D. y Sturrock, R., "Cardiovascular risk parameters in men with ankylosing spondylitis in comparison to non-inflammatory control subjects: relevance of systemic inflammation", *Clinical Science*, núm. 109 (2), London, 2005, pp. 171-176.

Dooper, M. M., Wassink, L., M'Rabet, L. y Graus, Y. M., "The modulatory effects of prostaglandin-E on cytokine production by human peripheral blood mononuclear cells are independent of the prostaglandin subtype", *Immunology*, núm. 107, 2002, pp. 152-159.

Dorai, T., Cao, Y. C., Dorai, B., Buttyan, R. y Katz, A. E., "Therapeutic potential of curcumin in human prostate cancer. III. Curcumin inhibits proliferation, induces apoptosis, and inhibits angiogenesis of LNCaP prostate cancer cells in vivo", *Prostate*, núm. 47 (4), 2001, pp. 293-303.

Duan, C. L., Qiao, S. Y., Wang, N. L., Zhao, Y. M., Qi, C. H. e Yao, X. S., "Studies on the active polysaccharides from *Lycium barbarum L.* ", *Yao Xue Xue Bao*, núm. 36 (3), 2001, pp. 196-199, edición en chino.

Durak, I., Avci, A., Kacmaz, M., Buyukkocak, S., Cimen, M. Y., Elgun S. y Ozturk, H. S., "Comparison of antioxidant potentials of red wine, white wine, grape juice and alcohol", *Current Medical Research and Opinion*, núm. 15 (4), 1999, pp. 316-320.

Duvoix, A., Blasius, R., Deihalle, S., Schnekenburger, M., Morceau, F., Henry, E., Dicato, M. y Diederich, M., "Chemopreventive and therapeutic effects of curcumin", *Cancer Letters*, núm. 223 (2), 2005, pp. 181-90, publicación electrónica 11 de noviembre de 2004, arbitrado.

— Morceau, F., Delhalle, S., Schmitz, M., Schnekenburger, M., Galteau, M. M., Dicato, M. y Diederich, M., "Induction of apoptosis by curcumin: mediation by glutathione S-transferase P1-1 inhibition", *Biochemical Pharmacology*, núm. 66 (8), 2003, pp. 1475-1483.

Elias, M. F., Robbins, M. A., Budge, M. M., Elias, P. K., Brennan, S. L., Johnston, C., Nagy, Z. y Bates, C. J., "Homocysteine, folate, and vitamins B_6 and B_{12} blood levels in relation to cognitive performance: the Maine-Syracuse study", *Psychosomatic Medicine* núm. 68 (4), 2006, pp. 547-554.

Engler, M. M., Engler, M. B., Malloy, M., Chiu, E., Besio, D., Paul, S., Stuehlinger, M., Morrow, J., Ridker, P., Rifai, N. y Mietus-Snyder, M., "Docosahexaenoic acid restores endothelial function in children with hyperlipidemia: results from the Early study", *International Journal of Clinical Pharmacology and Therapeutics*, núm. 42 (12), 2004, pp. 672-679.

Erkkila, A. T., Lichtenstein, A. H., Mozaffarian, D. y Herrington, D. M., "Fish intake is associated with a reduced progression of coronary artery atherosclerosis in post-menopausal women with coronary artery disease", *American Journal of Clinical Nutrition*, núm. 80 (3), 2004, pp. 626-632.

Evans, J. L. y Goldfine, I. D., "Alpha-lipoic acid: a multifunctional antioxidant that improves insulin sensitivity in patients with type 2 diabetes", *Diabetes Technology & Therapeutics*, núm. 2 (3), 2000, pp. 401-413, arbitrado.

Fahey, J., Zhang, Y. y Talalay, P., "Broccoli sprouts: an exceptionally rich source of inducers of enzymes that protect against chemical carcinogens", *Proceedings of the National Academy of the Sciences of the United States of America*, núm. 94 (19), 1997, pp. 10367-10372.

Fisher, N. D., Hughes, M., Gerhard-Herman, M. y Hollenberg, N. K., "Flavanol-rich cocoa induces nitric-oxide-dependent vasodilation in healthy humans", *Journal of Hypertension*, núm. 21 (12), 2003, pp. 2281-2286.

Frances, F. J., "Pigments and other colorants", *Food Chemistry*, 2a. ed., Marcel Dekker, Inc., New York, 1985.

Flagg, E. W., Coates, R. J. y Greenberg, R. S., "Epidemiologic studies of antioxidants and cancer in humans", *Journal of the American College of Nutrition*, núm. 14, 1995, pp. 419-427.

Flower, R. J. y Perretti, M., "Controlling inflammation: a fat chance?", *Journal of Experimental Medicine*, núm. 201, 2005, pp. 671-674.

Freedman, J. E., Parker, C. III., Li, L., Perlman, J. A., Frei, B., Ivanov, V., Deak, L. R., Tafrati, M. D. y Folts, J. D., "Select flavonoids and whole juice from purple grapes inhibit platelet function and enhance nitric oxide release", *Circulation*, núm. 103, 2001, pp. 2792-2798.

Frieling, U. M., Schaumberg, D. A., Kupper, T. S., Muntwyler, J. y Hennekens, C. H., "A randomized, 12-year primary-prevention trial of beta carotene supplementation for nonmelanoma skin cancer in the physician's health study" *Archives of Dermatology*, núm. 36, 2000, pp. 179-184.

Fu, M-X., Réquéna, J. R., Jenkins, A. J., Lyons, T. J., Baynes, J. W. y Thorpe, S. R., "The advanced glycation end-product, Ne-(carboxymethyl)lysine, is a product of both lipid peroxidation and glycoxidation reactions, "*Journal of Biological Chemistry*, núm. 271, 1996, pp. 9982-9986.

— Wells-Knecht, K. J., Blackledge, J. A., Lyons, T. J., Thorpe, S. R. y Baynes, J. W., "Glycation, glycoxidation, and cross-linking of collagen by glucose. Kinetics, mechanisms, and inhibition of late stages of the Maillard reaction", *Diabetes*, núm. 45 (5), 1994, pp. 676-683.

Fuchs, J. y Milbradt, R., "Antioxidant inhibition of skin inflammation induced by reactive oxidants: evaluation of the redox couple dihydrolipoate/lipoate", *Skin Pharmacology*, núm. 7 (5), 1994, pp. 278-284.

Galli, R. L., Shukitt-Hale, B., Youdim, K. A. y Joseph, J. A., "Fruit polyphenolics and brain aging: nutritional interventions targeting age-related neuronal and behavioral deficits", *Annals of the New York Academy of Sciences*, núm. 959, 2002, pp. 128-132, arbitrado.

Genser, D., Prachar, H., Hauer, R., Haibmayer, W. M., Mlczoch, J. y Elmadfa, I., "Homocysteine, folate and vitamin B(12), in patients with coronary heart disease", *Annals of Nutrition & Metabolism*, núm. 50 (5), 2006, pp. 413-419.

Gil, M. I., Tomas-Barberan, F. A., Hess-Pierce, B., Hoicroft, D. M. y Kader, A. A., "Antioxidant activity of pomegranate juice and its relationship with phenolic composition and processing", *Journal of Agricultural and Food Chemistry*, núm. 48 (10), 2000, pp. 4581-4589.

Gilroy, D. J., Kauffman, K., Hall, R. A., Huang, X. y Chu, F. S., "Assessing potential health risks from microcystin toxins in blue-green algae dietary supplements", *Environmental Health Perspectives*, núm. 108 (5), 2000, pp. 435-439.

Giovannucci, E., "Tomatoes, tomato-based products, lycopene, and cancer: review of the epidemiologic literature", *Journal of the National Cancer Institute*, núm. 91, 1999, pp. 317-331.

Goldberg, J., Flowerdew, G., Smith, E., Brody, J. A. y Tso M. O., "Factors associated with age-related macular degeneration. An analysis of data from the first National Health and Ntrition Examination Survey", *American Journal of Epidemiology*, núm. 128, 1988, pp. 700-710.

Gorman, C. y Park A., "The fires within", *Time*, 23 de febrero de 2004.

Grant, K. E., Chandler, R. M., Castle, A. L. y Ivy J. L., "Chromium and exercise training: effect on obese women", *Medicine and Science in Sports and Exercise*, núm. 29 (8), 1997, pp. 992-998.

Haag, M., "Essential fatty acids and the brain", *Canadian Journal of Psychiatry*, núm. 48, 2003, pp. 195-203.

Hackett, A. M., En Cody, V., Middleton, E. J. Jr. y Harborne J.B. (editores), *Plant Flavonoids in Biology and Medicine: Biochemical, Pharmacological, and Structure-activity Relationships*, Harborne J. B. (eds.), New York, 1986, pp. 177-194.

Hagen, T. M., Liu, J., Lykkesfeldt, J., Wehr, C. M., Ingersoll, R. T., Vinarsky Bartholomew, J. C. y Ames, B. N., "Feeding acetyl-L-carnitine and lipoic acid to old rats significantly improves metabolic function while decreasing oxidative stress", *Proceedings of the National Academy of the Sciences of the United States of America*, núm. 99 (4), 2000, pp. 1870-1875, errata en: *Proceedings of the National Academy of the Sciences in the United States of America*, núm. 99, (10), 2002, p. 7184, arbitrado.

— Moreau, R. y Suh, J. H., "Visioli F Mitochondrial decay in the aging rat heart: evidence for improvement by dietary supplementation with acetyl-L-carnitine and/or lipoic acid", *Annals of the New York Academy of Sciences*, núm. 959, 2002, pp. 491-507.

Hager, K., Marahrens, A., Kenklies, M., Riederer, P. y Munch, G., "Alpha-lipoic acid as a new treatment option for Alzheimer type dementia", *Archives of Gerontology and Geriatrics*, núm. 32 (3), 2001, pp. 275-282.

Han, B., Jaurequi, J., Tang, B. W. y Nimni, M. E., "Proanthocyanidin: a natural croslinking reagent for stabilizing collagen matrices", *Journal of Biomedical Materials Research, Part A*, núm. 65 (1), 2003, pp. 118-124.

Han, D., Handelman, G., Marcocci, L., Sen, C. K., Roy, S., Kobuchi, H., Tritschler, H. J., Flohe, L. y Packer, L., "Lipoic acid increases de novo synthesis of cellular glutathione by improving cystine utilization", *Biofactors*, núm. 6 (3), 1997, pp. 321-338.

Han, G. y Duan, Y., "Advances in pharmacological study of natural active polysaccharides in China", *ZhongYao Cai*, núm. 26 (2), 2003, pp. 138-141, edición en chino.

Han, S. S., Keum, Y. S., Seo, H. J. y Surh, Y. J., "Curcumin suppresses activation of NF-kappaB and AP-1 induced by phorbol ester in cultured human promyelocytic leukemia cells", *Journal of Biochemistry and Molecular Biology*, núm. 35 (3), 2002, pp. 337-342.

Haramaki, N., Assadnazari, H., Zimmer, G., Schepkin, V. y Packer, L., "The influence of vitamin E and dihydro-lipoic acid on cardiac energy and glutathione status under hypoxia-reoxygenation", *Biochemistry and Molecular Biology International*, núm. 37(3), 1995, pp. 591-597.

— Packer, L., Assadnazari, H. y Zimmer, G., "Cardiac recovery during postischemic reperfusion is improved by combination of vitamin E with dihydrolipoic acid", *Biochemical and Biophysical Research Communications*, núm. 196 (3), 1993, pp. 1101-1107.

Harman, D., "Nutritional implications of the free-radical theory of aging", *Journal of the American College of Nutrition*, núm. 1 (1), 1982, pp. 27-34.

Hasegawa, T., Matsuguchi, T., Noda, K., Tanaka, K., Kumamoto, S., Shoyama, Y. y Yoshikai, Y., "Toll-like receptor 2 is at least partly involved in the antitumor activity of glycoprotein from *Chlorella vulgaris*", *International Immunopharmacology*, núm. 2 (4), 2002, pp. 579-589.

— Okuda, M., Makino, M., Hiromatsu, K., Nomoto, K. e Yoshikai, Y., "Hot water extracts of *Chlorella vulgaris* reduce opportunistic infection with *Listeria* monocytogenes in C57BL/6 mice infected with LP-BM5 murine leukemia viruses", *International Journal of Immunopharmacology*, núm. 17 (6), 1995, pp. 505-512.

Hayashi, K., Hayashi, T., Morita, N. y Kajima, I., "An extract from *Spirulina pkztensis* is a selective inhibitor of herpes simplex virus type 1 penetration into HeLa cells", *Phytotherapy Research*, núm. 7, 1993, pp. 76-80.

Hayashi, O., Katoh, T. y Okuwaki, Y., "Enhancement of antibody production in mice by dietary *Spirulina platensis*", *Journal of Nutritional Science and Vitaminology*, núm. 40, 1994, pp. 431-441.

Hayashi, T. y Hayashi, K., "Calcium spirulan, an inhibitor of enveloped virus replication, from a blue-green alga *Spirulina pkitensis*", *Journal of Natural Products*, núm. 59, 1996, pp. 83-87.

Heeschen, C., Dimmeler, S., Hamm, C. W., Fichtlscherer, S., Boersma, E., Simoons, M. L., Zeiher, A. M. y CAPTURE Study Investigators, "Serum level of the antiinflammatory cytokine interleukin-10 is an important prognostic determinant in patients with acute coronary syndromes", *Circulation*, núm. 107 (16), 2003, pp. 2109-2114, publicación electrónica 31 de marzo de 2003.

Hennekens, C. H., Buring, J. E., Manson, J.E., *et al.*, "Lack of effect of long-term supplementation with beta carotene on the incidence of malignant neoplasms and cardiovascular disease", *New England Journal of Medicine*, núm. 334, 1996, pp. 1145-1149.

Hensley, K, Robinson, K. A., Gabbita, S. F., Salsman, S. y Floyd, R. A., "Reactive oxygen species, cell signaling, and cell injury" *Free Radical Biology & Medicine*, núm. 28 (10), 2000, pp. 1456-1462, arbitrado.

Herbal/plant therapies: turmeric (*Curcuma longa* Linn.) and curcumin. University of Texas MD Anderson Cancer Center, 2002, leído el 18 de febrero de 2006, en http://www.mdanderson.org/departments/cimer/displaycfm?id=fa324b1c-b0ca-4e93-903082f85808558f&method=displayfull&pn= 6eb86a59-ebd9-11d4-810100508b603a14.

Hernandez-Corona, A., Nieves, I., Meckes, M., Chamorro, G. y Barron B. L., "Antiviral activity of *Spirulina maxima* against herpes simplex virus type 2", *Antiviral Research*, 2, núm. 56 (3), 200pp. 279-285.

Higuera-Ciapara, I., Félix-Valenzuela, L. y Goycoolea, F. M., "Astaxanthin: of its chemistry and applications", *Critical Food Science and Nutrition*, núm. 46 (2), 2006, pp. 185-196.

Hix, L.M., Lockwood, S. E. y Bertram, J. S., "Bioactive carotenoids: potent antioxidants and regulators of gene expression" *Redox Report: Communications in Free Radical Research*, núm. 9 (4), 2004, pp. 181-191.

Hoffmeister, A., Rothenbacher, D., Kunze, M., Brenner, H. y Koenig, W., "Prognostic value of inflammatory markers alone and in combination with blood lipids in patients with stable coronary artery disease", *European Journal of Internal Medicine*, núm. 16 (1), 2005, pp. 47-52.

Hofmann, M., Mainka, P., Tritschler H., Fuchs, J. y Zimmer, G., "Decrease of red cell membrane fluidity and -SH groups due to hyperglycemic conditions is counteracted by alpha-lipoic acid", *Archives of Biochemistry and Biophysics*, núm. 324 (1), 1995, pp. 85-92.

Holick, C. N., Michaud, D. S., Stolzenberg-Solomon, R., Mayne, S. T., Pietinen, E., Taylor, P. R., Virtamo, J. y Albanes, D., "Dietary carotenoids, serum beta-carotene, and retinol and risk of lung cancer in the alpha-tocopherol, beta-carotene cohort study", *American Journal of Epidemiology*, núm. 156 (6), 2002, pp. 536-547.

Hollenberg, N. K., "Flavanols and cardiovascular health: what is the evidence for chocolate and red wine?, *American Heart Association Scientific Sessions, Unofficial Satellite Symposium*, Anaheim, C. A., 11 de noviembre de 2001.

Hou, D. X., "Potential mechanisms of cancer chemoprevention by anthocyanins", *Current Molecular Medicine*, núm. 3 (2), 2003, pp. 149-159, arbitrado

— Kai, K., Li, J. J., Lin, S., Terahara, N., Wakamatsu, M., Fujii, M., Young, M. R. y Colburn, N., "Anthocyanidins inhibit activator protein 1 activity and cell transformation: structure-activity relationship and molecular mechanisms", *Carcino genesis*, núm. 25 (1), 2004, pp. 29-36, leído el 26 de septiembre de 2005.

Howell, A. B. "Cranberry proanthocyanidins and the maintenance of urinary tract health", *Critical Food Science and Nutrition*, núm. 42 (supl. 3), 2002, pp. 273-278, arbitrado.

— y Foxman, B., "Cranberry juice and adhesion of antibiotic-resistant uropathogens", *JAMA*, núm. 287 (23), 2002, pp. 3082-3083.

Hussein, G., Sankawa, U., Goto, H., Matsumoto, K. y Watanabe, H., "Astaxanthin, a carotenoid with potential in human health and nutrition", *Journal of Natural Products*, núm. 69 (3), 2006, pp. 443-449, arbitrado.

Ito, H., Kobayashi, E., Takamatsu, Y., Li, S. H., Hatano, T., Sakagami, H., Kusama, K., Satoh, K., Sugita, D., Shimura, S., Itoh, Y. e Yoshida T., "Polyphenols from *Eriobotrya japonica* and their cytotoxicity against human oral tumor cell lines", *Chemical & Pharmaceutical Bulletin (Tokyo)*, núm.48 (5), 2000, pp. 687-693.

Ito, Y., Gajalakshmi, K. C., Sasaki, R., Suzuki, K. y Shanta, V. "A study on serum carotenoid levels in breast cancer patients of Indian women in Chennai (Madras), India" *Journal of Epidemiology*, núm. 9 (5), 1999, pp. 306-314.

Iwata, K., Inayama, T. y Kato, T., "Effects of *Spirulina platensis* on plasma lipoprotein lipase activity in fructose-induced hyperlipidemic rats", *Journal of Nutritional Science and Vitaminology*, núm. 36, 1990, pp. 165-171.

Jacob, S., Henriksen, E. J., Tritschler, H. J., Augustín, H. J. y Dietze, G. J., Improvement of insulin-stimulated glucose-disposal in type 2 diabetes after repeated parenteral administration of thioctic acid, *Experimental and Clinical Endocrinology & Diabetes.*, núm. 104 (3), 1996, pp. 284-288.

Jang, M. y Pezzuto, J.M., "Cancer chemopreventive activity of resveratrol", *Drugs Under Experimental and Clinical Research*, núm. 25 (2-3), 1999, pp. 65-77.

Jeppesen, J., Hein, H. O., Suadicani, P. y Gyntelberg, F., "Relation of high TG-low HDL cholesterol and LDL cholesterol to the incidence of ischemic heart disease. An 8-year follow-up in the Copenhagen Male Study", *Arteriosclerosis Thrombosis, and Vascular Biology*, núm. 17 (6), 1997, pp. 1114-1120.

Jobin, C., Bradham, C. A., Russo, M. P., Juma, B., Njarula, A. S., Brenner, D. A. y Sartor, R. B., "Curcumin blocks cytokine-mediated NF-kappa B activation and proinflammatory gene expression by inhibiting inhibitory factor 1-kappa B kinase activity", *Journal of Immunology*, núm. 165 (6), 1999, pp. 3474-3483.

Kaats, G. R., Blum, K., Fisher, J. A. y Adelman, J. A., "Effects of chromium picolinate supplementation on body composition: a randomized, double-masked, placebo-controlled study", *Current Therapeutic Research*, núm. 57, 1996, pp. 747-756.

Kaats, G. R., Blum, K., Pultin, D., Keith, S. C. y Wood, R., "A randomized, double-masked, placebo-controlled study of the effects of chromium picolinate supplementation on body composition: a replication and extension of a previous study", *Current Therapeutic Research*, núm. 59, 1998, pp. 379-388.

Kagan, V. E., Shvedova, A., Serbinova, E., Khan, S., Swanson, C., Powell, R. y Packer, L., "Dihydrolipoic acid–a universal antioxidant both in the membrane and in the aqueous phase. Reduction of peroxyl, ascorbyl and chromanoxyl radicals", *Biochemical Pharmacology*, núm. 44 (8), 1992, pp. 1637-1649.

Kahler, W., Kuklinski, B., Ruhlmann, C. y Plotz, C., "Diabetes mellitus-a free radical-associated disease. Results of adjuvant antioxidant supplementation", *Zeitschrijl fur die gesamte innere Medizin und ihre Grenzgebiete*, núm. 48 (5), 1993, pp. 223-232.

Kakegawa, H., Matsumoto, H., Endo, K., Satoh, T., Nonaka, G. y Nishioka, L., "Inhibitory effects of tannins on hyaluronidase activation and on the degranulation from rat mesentry mast cells", *Chemical & Pharmaceutical Bulletin*, núm. 33 (11), 1985, pp. 5079-5082.

Kalmijn, S., "Fatty acid intake and the risk of dementia and cognitive decline: a review of clinical and epidemiological studies", *Journal of Nutrition, Health & Aging*, núm. 4, 2000, pp. 202-207.

Kang, G., Kong, P. J., Yuh, Y. J., Lim, S. Y., Yim, S. V., Chun, W., Kim, S. S., "Curcumin suppresses lipopolysaccharide-induced cyclooxygenase-2 expression by inhibiting activator protein 1 and nuclear factor kappaB bindings in BV2 microglial cells", *Journal of Pharmacological Sciences*, núm. 94 (5), 2004, pp. 325-328.

Kaplan, M., Hayek, T., Raz, A., Coleman, R., Dornfeld, L., Vaya, J. y Aviram, M., "Pomegranate juice supplementation to atherosclerotic mice reduces macrophage lipid per-oxidation, cellular cholesterol accumulation and development of atherosclerosis", *Journal of Nutrition*, núm. 131 (8), 2001, pp. 2082-2089.

Karunagaran, D., Rashmi, R. y Kumar, T. R., "Induction of apoptosis by curcumin and its implications for cancer therapy", *Current Cancer Drug Targets*, núm. 5 (2), 2005, pp. 117-129.

Keck, A. S. y Finley, J. W., "Cruciferous vegetables: cancer protective mechanisms of glucosinotate hydrolysis products and selenium", *Integrative Cancer Therapies*, núm. 5 (1), 2004, pp. 5-12.

Kempaiah, R. K. y Srinivasan K., "Beneficial influence of dietary curcumin, capsaicin and garlic on erythrocyte integrity in high-fat fed rats". *Journal of Nutritional Biochemistry*, núm. 17 (7), 2006, pp. 471-478.

Kempaiah, R. K. y Srinivasan, K., "Influence of dietary spices on the fluidity of erythiocytes in hypercholesterolaemic rats", *British Journal of Nutrition*, núm. 95 (1), 2005, pp. 81-91.

Khor, T. O., Keum, Y. S., Lin, W., Kim, J. H., Hu, R., Shen, G., Xu, C., Gopalakrishnan, A., Reddy, B., Zheng, X., Conney, A. H. y Kong, A. N., "Combined inhibitory effects of curcumin and phenethyl isothiocyanate on the growth of human PC-3 prostate xenografts in immunodeficient mice", *Cancer Research*, núm. 66 (2), 2006, pp. 613-621.

Kilic, F., Handelman, G. J., Serbinova, E., Packer, L. y Trevithick, J. R, "Modelling cortical cataractogenesis 17: in vitro effect of a-lipoic acid on glucose-induced lens membrane damage, a model of diabetic cataractogenesis", *Biochemistry and Molecular Biology International*, núm. 37 (2), 1995, pp. 361-370.

— Handelman, G. J., Traber, K., Tsang, K., Packer, L. y Trevithick, J. R., "Modelling cortical cataractogenesis XX. In vitro effect of alpha-lipoic acid on glutathione concentrations in lens in model diabetic cataractogenesis", *Biochemistry and Molecular and Molecular Biology International*, núm. 46 (5), 1998, pp. 585-595.

Kim, H. M., Lee, E. H, Cho, R. H. y Moon, Y. H., "Inhibitory effect of mast cell-mediated immediate-type allergic reactions in rats by spirulina", *Biochemical Pharmacology*, núm. 55 (7), 1998, pp. 1071-1076.

Kim, N. D., Mehta, R., Yu, W, Neeman, I., Livney, T., Amichay, A., Poirier, D., Nicholls, P., Kirby, A., Jiang, W., Mansel, R., Ramachandran, C., Rabi, T., Kaplan, B. y Lansky, E., "Chemoprevetive and adjuvant therapeutic potential of pomegranate *(Punica granatum)*, for human breast cancer", *Breast Cancer Research and Treatment*, núm. 71 (5), 2002, pp. 203-217.

Kim, Y. J., Kim, H. J., No, J. K., Chung, H. Y. y Fernandes, G., "Anti-inflammatory action of dietary fish oil and calorie restriction", *Life Sciences*, núm. 78 (21), 2006, pp. 2523-2532, publicación electrónica 24 de enero de 2006.

— Yokozawa, T. y Chung, H. Y., "Effects of energy restriction and fish oil supplementation on renal guanidino levels and antioxidant defenses in aged lupus-prone B/W mice", *British Journal of Nutrition*, núm. 93 (6), 2005, pp. 835-844.

— Yokozawa, T. y Chung, H. Y., "Suppression of oxidative stress in aging mice: effect of fish oil feeding on hepatic antioxidant status and guanidino compounds", *Free Radical Research*, núm. 39 (10), 2005, pp. 1101-1110.

— y Milner, J. A., "Targets for indole-3-carbinol in cancer prevention", *Journal of Nutritional Biochemistry*, núm. 16(2), 2005, pp. 65-73, arbitrado.

Knight, J. A., "The biochemistry of aging", *Advances in Clinical Chemistry*, núm. 35, 2000, pp. 1-62.

Kocak, G., Aktan, F., Canbolat, O., Ozogul, C., Elbeg, S., Yildizoglu-Ari, N. y Karasu, C., "Alpha-lipoic acid treatment ameliorates metabolic parameters, blood pressure, vascular reactivity and morphology of vessels already damaged by streptozotocin-diabetes", *Diabetes, Nutrition & Metabolism*, núm. 13 (6), 2000, pp. 308-318.

Kodentsova, V. M., Gmoshinskii, I. V., Vrzhesinskaia, O. A., Beketova, N. A., Kharitonchik, L. A., Nizov, A. A. y Mazo, V. K., "Use of the microalgae *Spirnlina platensis* and its selenium containing form in nutrition of patients with nonspecific ulcerative colitisi", *Voprosy Pitanua*, núm. 70 (5), 2001, pp. 17-21, edición en ruso.

Kohlmeier, L., Weterings, K. G. C., Steck, S. y Kok, F. J., "Tea and cancer prevention: an evaluation of the epidemiologic literature", *Nutrition and Cancer*", núm. 27, 1997, pp. 1-13.

Kollar, P. y Hotolova, H., "Biological effects of resveratrol and other constituents of winel", *Ceskaa Slovenska farmacie*, núm. 52 (6), 2003, pp. 272-281, edición en checo.

Konishi, F., Mitsuyama, M., Okuda, M., Tanaka, K., Hasegawa, T. y Nomoto, K., "Protective effect of an acidic glycoprotein obtained from culture of *Chlorella vulgaris* against myelosuppression by 5-fluorouracil", *Cancer Immunology, Immunotherapy*, núm. 42, 1996, pp. 268-274.

— Elanaka, K., Kumamoto, S., *et al.*, "Enhanced resistance against *Escherichia coli* infection by subcutaneous administration of the hot-water extract of *Chlorello vulgaris* in cyclophosphamide-treated mice", *Cancer Immunology and Immunotherapy*, núm. 52, 1990, pp. 1-7.

Kotrbacek, M., Halouzka, R., Jurajda, Y., Knotkova, Z. y Filka, J., "Increased immune response in broilers after administration of natural food supplements", *Veterinární medicína*, núm. 39 (6), 1994, pp. 321-328, edición en checo.

Kozlov, A. V., Gille, L., Staniek, K. y Nohl, H., "Dihydro-lipoic acid maintains ubiquinone in the antioxidant active form by two-electron reduction of ubiquinone and one-electron reduction of ubisemiquinone", *Archives of Biochemistry and Biophysics*, núm. 363 (1), 1999, pp. 148-154.

Krinsky, N. I., "Micronutrients and their influence on mutagenicity and malignant transformation", *Annals of the New York Academy of Sciences*, núm. 686, 1993, pp. 229-242, arbitrado.

— Landrum, J. R. y Bone, R. A., "Biologic mechanisms of the protective role of tutein and zeaxanthin in the eye", *Annual Review of Nutrition*, núm 23, 2003, pp. 171-201, publicación electrónica 27 de febrero de 2003.

Kris-Etherton, P. M. y Keen, C. L., "Evidence that the antioxidant flavonoids in tea and cocoa are beneficial for cardiovascular health", *Current Opinion in Lipidology*, núm. 13 (1), 2002, pp. 41-49, arbitrado.

Krishnaswamy, K. y Polasa, K., "Diet, nutrition & cancer-the Indian scenario", *Indian journal of Medical Research*, núm. 102, 1995, pp. 200-209, arbitrado.

Kumar, A. P., Garcia, G. E., Ghosh, R., Rajnarayanan, R. V., Alworth, W. L. y Slaga, T. J., "4-Hydroxy-3-methoxybenzoic acid methyl ester: a curcumin derivative targets Akt/NF kappa B cell survival signaling pathay: potential for prostate cancer management", *Neoplasia*, núm. 5 (3), 2003, pp. 255-266.

Kunt, T., Forst, I., Wilhelm, A., Tritschter, H., Pfuetzner, A., Harzer, O., Engelbach, M., Zschaebitz, A., Stoft, E. y Beyer, J., "Alpha-lipoic acid reduces expression of vascular cell adhesion molecule-1 and endothelial adhesion of human monocytes after stimulation with advanced glycation end products", *Clinical Science*, núm. 96 (1), London, 1999, pp. 75-82.

Kuttan, R., Donnelly, P. V. y Di Ferrante, N., "Collagen treated with (+)-catechin becomes resistant to the action of mammalian collagenases", *Experientia*, núm. 37(3), 1981, pp. 221-223.

La Vecchia, C. y Tavani, A., "Fruit and vegetables, and human cancer", *European Journal of Cancer Prevention*, núm. 7 (1), 1998, pp. 3-8, arbitrado.

Lai, C-N., "Chlorophyll: the active factor in wheat sprout extract inhibiting the bolic activation of carcinogens in vitro", *Nutrition and Cancer*, núm. 1, 1979, pp. 19-21.

— Dabney, B. J. y Shaw, C. R., "Inhibition of in vitro metabolic activation of carcinogens by wheat sprout extracts", *Nutrition and Cancer*, núm. 1, 1978, pp. 27-30.

Lambert, J. D., Hong, J., Yang, G., Liao, J. y Yang, C. S., "Inhibition of carcinogenesis by polyphenols: evidence from laboratory investigations", *American Journal of Clinical Nutrition*, núm. 81 (supl. 1), 2005, pp. 284S-291S, arbitrado.

Lamson, D. W. y Brignall, M. S., "Antioxidants and cancer; part. 3: quercetin", *Alternative Medicine Review*, núm. 5 (3), 2000, pp. 196-208, arbitrado.

— y Plaza, S. M., "Mitochondrial factors in the pathogenesis of diabetes: a hypothesis for treatment", *Alternative Medicine Review*, núm. 7 (2), 2002, pp. 94-111.

Lapenna, D., Ciofani, G., Pierdomenico, S. D., Giamberardino, M. A. y Cuccurullo, F., "Dihydro-lipoic acid inhibits 15-lipoxygenase-dependent lipid peroxidation", *Free Radical Biology & Medicine*, núm. 35 (10), 2003, pp. 1203-1209.

Lavrovsky, Y., Chatterjee, B., Clark, R. A. y Roy, A. K., "Role of redox-regulated transcripton factors in inflammation, aging and age-related diseases", *Experimental Gerontology*, núm. 35 (5), 2000, pp. 521-532, arbitrado.

Lee, E. H., Faulhaber, D., Hanson, K. M., Ding, W., Peters, S., Kodali, S. y Granstein, R. D., "Dietary lutein reduces ultraviolet radiation-induced inflammation and immunosuppression" *Journal of Investigative Dermatology*, núm. 122 (2), 2004, pp. 510-517.

Lee, I. M., Cook, N. R., Manson, J. E., *et al.*, "Beta-carotene supplementation and incidence of cancer and cardiovascular disease: the Women's Health Study", *Journal of the National Cancer Institute*, núm. 91, 1999, pp. 2102-2106.

Lee. K. W., Kim, Y. J., Kim, D. O., Lee, H. J. y Lee, C. Y., "Major phenolics in apple and their contribution to the total antioxidant capacity", *Journal of Agricultural and Food Chemistry*, núm. 51 (22), 2003, pp. 6516-6520.

— Kim, Y. J., Lee, H. J. y Lee, C. Y., "Cocoa has more phenolic phytochemicals and a higher antioxidant capacity than teas and red wine", *Journal of Agricultural and Food Chemistry*, núm. 51 (25), 2003, pp. 7292-7295.

Lenaz, G., D'Aurelio, M., Merlo Pich, M., Genova, M. L., Ventura, B., Bovina, C., Formiggini, G. y Parenti Castelli, G., "Mitochondrial bioenergetics in aging", *Biochimica et Biophysica Acta*, núm. 1459 (2-3), 2000, pp. 397-404, arbitrado.

Leu, T. H. y Maa, M. C., "The molecular mechanisms for the antitumorigenic effect of curcumin", *Current Medical Chemistry Anticancer Agents*, núm 2 (3), 2002, pp. 357-370, arbitrado.

Levy, B. D., Clish, C. B., Schmidt, B., Gronert, K. y Serhan, C. N., "Lipid mediator class switching during acute inflammation: signals in resolution", *Nature Immunology*, núm. 2, 2001, pp. 612-619.

Li, L., Aggarwal, B. B., Shishodia, S., Abbruzzese, J. y Kurzrock, R., "Nuclear factor-kappaB and IkappaB kinase are constitutively active in human pancreatic cells, and their downregulation by curcumin (diferuloylmethane), is associated with the suppression of proliferation and the induction of apoptosis", *Cancer*, núm. 101 (10), 2004, pp. 2351-2362.

Li, W. G., Zhang, X. Y., Wu, Y. J. y Tian, X., "Anti-inflammatory effect and mechanism of proanthocyanidins from grape seeds", *Acta pharmacologica Sinica*, núm. 22 (12), 2001, pp. 1117-1120.

Liacini, A., Sylvester, J., Li, W. Q., Huang, W., Dehnade, F., Ahmad, M. y Zafarullah, M., "Induction of matrix metalloproteinase-13 gene expression by TNF-alpha is mediated by MAP kinases, AP-1, and NF-kappaB transcription factors in articular chondrocytes", *Experimental Cell Research*, núm. 288 (1), 2003, pp. 208-217.

Lim, G. P., Chu, T., Yang, F., Beech, W., Frautschy, S. A. y Cole, G. M., "The curry spice curcumin reduces oxidative damage and amyloid pathology in an Alzheimer transgenic mouse", *Journal of Neuroscience*, núm. 21 (21), 2001, pp. 8370-8377.

Lin, J. K. y Lin-Shiau, S. Y., "Mechanisms of cancer chemoprevention by curcumin", *Proceedings of the National Science Council. Republic of China: Part B, Life Sciences*, núm. 25 (2), 2001, pp. 59-66, arbitrado.

— Pan, M. H. y Lin-Shiau, S. Y., "Recent studies on the biofunctions and biotransformations of curcumin", *Biofactors*, núm. 13(1-4), 2000, pp. 153-158.

Lin, Y., Rajala, M. W., Berger, J. E., Moller, D. E., Barzilai, N. y Scherer, P. E., "Hyperglycemia-induced production of acute phase reactants in adipose tissue", *Journal of Biological Chemistry*, núm. 276 (45), 2001, pp. 42077-42083.

Linetsky, M., James, H. L. y Ortwerth, B. J., "Spontaneous generation of superoxide anion by human lens proteins and by calf lens proteins ascorbylated in vitro", *Experimental Eye Research*, núm. 69 (2), 1999, pp. 239-248.

Liu, J., Atamna, H., Kuratsune, H. y Ames, B. N., "Delaying brain mitochondrial decay and aging with mitochondrial antioxidants and metabolites", *Annals of the New York Academy of Sciences*, núm. 959, 2002, pp. 133-166, arbitrado.

— Head, E., Gharib, A. M., Yuan, W., Ingersoll, R. T., Hagen, T. M., Cotman, C. W. y Ames B. N., "Memory loss in old rats is associated with brain mitochondrial decay and RNA/DNA oxidation: partial reversal by feeding acetyl-L-carnitine and/or R-alpha-lipoic acid", *Proceedings of the National Academy of Sciences of the United States of America*, núm. 99 (4), 2002, pp. 2356-2361.

— Killilea, D. W. y Ames, B. N., "Age-associated mitochondrial oxidative decay: improvement of carnitine acetyltransferase substrate-binding affinity and activity in brain by feeding old rats acetyl-L-carnitine and/or R-alpha-lipoic acid", *Proceedings of the National Academy of Sciences of the United States of America*, núm. 99 (4), 2002, pp. 1876-1881.

Liu, X. L., Sun, J. Y., Li, H. Y., Zhang, L. y Qian, B. C., "Extraction and isolation of active component for inhibiting PC3 cell proliferation in vitro from the fruit of *Lycium barbarton L.* ", *Zhongguo Zhong Yao Za Zhi*, núm. 25 (8), 2000, pp. 481-483, edición en chino.

Livolsi, J. M., Adams, G. M. y Laguna, P. L., "The effect of chromium picolinate on muscular strength and body composition in women athletes", *Journal of Strength and Conditioning Research*, núm. 15 (2), 2001, pp. 161-166.

Lockwood, S. E. y Gross, G. J., "Disodium disuccinate astaxanthin (Cardax): antioxidant and antiinflammatory cardioprotection", *Cardiovascular Drug Reviews*, núm. 23 (3), 2005, pp. 199-216, arbitrado.

López-García, E., Schulze, M. B., Manson, J. E., Meigs, J. B., Albert, C. M., Rifai, N., Willett, W. C. y Hu, F. B., "Consumption of (n-3), fatty acids is related to plasma biomarkers of inflamation and endothelial activation in women", *Journal of Nutrition*, núm. 134 (7), 2004, pp. 1806-1811.

— Schulze, M. B., Meigs, J. B., Manson, J. E., Rifai, N., Stampfer, M. J., Willett, W. C. y Hu, F. B., "Consumption of trans fatty acids is related to plasma biomarkers oil flammation and endothelial dysfunction", *Journal of Nutrition*, núm. 135 (3), 2005, pp. 562-566.

López-Vélez, M., Martínez-Martínez, F. y Del Valle-Ribes, C., "The study of phenolic compounds as natural antioxidants in wine", *Critical Reviews in Food Science and Nutrition*, núm. 43 (3), 2003, pp. 233-244, arbitrado.

Lovell, M. A., Xie, C., Xiong, S. y Markesbery, W. R., "Protection against amyloid beta pepi and ironlhydrogen peroxide toxicity by alpha lipoic acid", *Journal of Alzhcir Disease*, núm. 5 (3), 2003, pp. 229-239.

Lugasi, A. y Hovari, J., "Antioxidant properties of commercial alcoholic and nonalcoholic beverages", *Die Nahrung*, núm. 47(2), 2003, pp. 79-86.

Luo, Q., Yan, J. y Zhang, S., "Effects of pure and crude Lycium *barbarum* polysaccharides immunopharmacology", *Zhong Yao Cai*, núm. 22 (5), 1999, pp. 246-249, edición en chino.

— Yan, J. y Zhang, S., "Isolation and purification of Lycium *barbanim* polysaccharki and its antifatigue effect", *Wei Sheng Yan Jiu*, núm. 29 (2), 2000, pp. 115-117, edición en chino.

Madhusudan, S., Smart, F., Shrimpton, P., Parsons, J. L., Gardiner, L., Houlbrook, S., Talbot, D. C., Hammonds, T., Freemont, P. A., Sternberg, M. J., Dianov, G. L. y Hickson, I. D., "Isolati of a small molecule inhibitor of DNA base excision repair", *Nucleic Acids Research*, núm. 33 (15), 2005, pp. 4711-4724.

Madsen, T., Christensen, J. H., Blom, M. y Schmidt, E. B., "The effect of dietary n-3 fatty acids on serum concentrations of C-reactive protein: a dose-response study", *British Journal of Nutrition*, núm. 89 (4), 2003, pp. 517-522.

— Skou, H. A., Hansen, V. E., Fog, L., Christensen, J. H., Toft, E. y Schmidt, E. B., "C-reactive protein, dietary n-3 fatty acids, and the extent of coronary artery disease", *American Journal of Cardiology*, núm. 88 (10), 2001, pp. 1139-1142.

Malik, M., Zhao, C., Schoene, N., Guisti, M. M., Moyer, M. P. y Magnuson, B. A., "Anthocyanhri rich extract from *Aronia meloncarpa E* induces a cell cycle block, in colon cancer but not normal colonic cells". *Nutrition and Cancer*, 2003, núm. 46 (2), pp. 186-196.

Marcheselli, V. L., Hong, S., Lukiw, W. J., Tian, X. H., Gronert, K., Musto, A., Hardy, M., Gimen, J. M., Chiang, N., Serhan, C. N. y Bazan, N. G., "Novel docosanoids inhibit brain ischemia-reperfusion-mediated leukocyte infiltration and pro-inflammatory gene expression", *Journal of Biological Chemistry*, núm. 278, 2003, pp. 43807-43817.

Matsuyama, W., Mitsuyama, H., Watanabe, M., Oonakahara, K., Higashimoto, I., Osan, M. y Arimura, K., "Effects of omega-3 polyunsaturated fatty acids on inflammatory markers in COPD", *Chest*, núm. 128 (6), 2005, pp. 3817-3827.

Mazza, G., Kay, C. D., Cottrell, T. y Holub, B. J., "Absorption of anthocyanins from blueberries and serum antioxidant status in human subjects", *Journal of Agricultural and Food Chemistry*, núm. 50 (26), 2002, pp. 7731-7737.

Mazza, G. y Miniati, E., "Small fruits", *Anthocyanins in Fruits, Vegetables, and Grains*. CRC Press, Boca Raton, FL, 1993, pp. 85-130.

McAlindon, T. E., Jacques, P., Zhang, Y., Hannan, M. T., Aliabadi, P., Weissman, B., Rush, D., Levy, D. y Felson D. T. , "Do antioxidant micronutrients protect against the development and progression of knee osteoarthritis?", *Arthritis and Rheumatism*, núm. 39, 1996, pp. 648-656.

McBride, J., "High-ORAC foods may slow aging", USDA Agricultural Research, leído en: http://www.ars.usda.gov/is/pr/1999/990208. htm.

McCowen, K. C. y Bistrian, B. R. "Essential fatty acids and their derivatives", *Current Opinion in Gas troenterology*, núm. 21 (2), 2005, pp. 207-215.

McCullough, J. L. y Kelly, K. M., "Prevention and treatment of skin aging", *Annals of the New York Academy of Sciences*, núm. 1067, 2006, pp. 323-331, arbitrado

Melhem, M. F., Craven, P. A. y Derubertis, F. R., "Effects of dietary supplementation of alpha-lipoic acid on early glomerular injury in diabetes mellitus", *Journal of the American Society of Nephrology*, núm. 12 (1), 2001, pp. 124-133.

— Craven, P. A., Liachenko, J. y DeRubertis, F.R., "Alpha-lipoic acid attenuates hyperglyce-mia and prevents glomerular mesangial matrix expansion in diabetes", *Journal of the American Society of Nephrology*, núm. 13 (1), 2002, pp. 108-116.

Merchant, R. E. y Andre, C.A., "A review of recent clinical trials of the nutritional supplement *Chiorella pyrenoidosa* in the treatment of fibromyalgia, hypertension, and ulcerative colitis", *Alternative Therapies in Health and Medicine*, núm. 7, 2001, pp. 79-80 y 82-91.

— Carmack, C. A. y Wise, C. M., "Nutritional supplementation with *Chiorella pyrenoidosa* for patients with fibromyalgia syndrome: a pilot study", *Phytotherapy Research*, núm. 14, 2000, pp. 167-173.

Merin, J. P., Matsuyama, M., Kira, T., Baba, M. y Okamoto, T., "Alpha-lipoic acid blocks HIV-1 LTR-dependent expression of hygromycin resistance in THP- 1 stable transformants, *FEBS Letters*, núm. 394 (1), 1996, pp. 9-13.

Meyer, M., Pahi, H. L. y Baeuerle, P. A., "Regulation of the transcription factors NF-kappa B and AP-1 by redox changes", *Chemico-Biological Interactions*, núm. 91(2-3), 1994, pp. 91-100.

— Schreck R. y Baeuerle, P. A., "H2O2 and antioxidants have opposite effects on activation of NF-kappa B and AP-1 in intact cells: AP-1 as secondary antioxidant-responsive factor", *EMBO Journal*, núm. 12 (5), 1993, pp. 2005-2015.

Micozzi, M. S., Beecher, G. R., Taylor, P. R. y Khachik, F., "Carotenoid analyses of selected raw and cooked foods associated with a lower risk for cancer" *Journal of the National Cancer Institute*, núm. 82 (4), 1990, pp. 282-285, errata en *Journal of the National Cancer Institute*, núm. 82 (8), 1990, p. 715.

Midaoui, A. E., Elimadi, A., Wu, L., Haddad, P. S. y de Champlain, J., "Lipoic acid prevents hypertension, hyperglycemia, and the increase in heart mitochondrial superoxide produc-tion", *American Journal of Hypertension*, núm. 16 (3), 2003, pp. 173-179.

Miles, E. A., Allen, E. y Calder, P. C., "In vitro effects of eicosanoids derived from different 20-carbon fatty acids on production of monocyte-derived cytokines in human whole blood cul-tures", *Cytokine*, núm. 20, 2002, pp. 215-223.

Miller, M. J., Vergnolle, N., McKnight, W., Musah, R. A., Davison, C. A., Trentacosti, A. M., Thompson, J. H., Sandoval, M. y Wallace, J. L., "Inhibition of neurogenic inflamma-tion by the Amazonian herbal medicine sangre de grado", *Journal of Investigative Dermatology*, núm 117 (3), 2001, pp. 725-730.

Mingrone, G., "Carnitine in type 2 diabetes", *Annals of the New York Academy of Science*, 2004, núm. 1033, pp. 99-107, arbitrado

Miranda, M. S., Cintra, R. G., Barros, S. B. y Mancini Filho, J., "Antioxidant activity of the microalga *Spirulina maxima*", *Brazilian Journal of Medical and Biological Research*, núm. 31 (8), 1998, pp. 1075-1079.

Miranda, M. S., Sato, S. y Mancini-Filho, J., "Antioxidant activity of the microalga *Chlorella vulgaris* cultured on special conditions", *Bollettino Chimico Farmaceutico*, núm. 140 (3), 2001, pp. 165-168.

Mittal, A., Elmets, C. A. y Katiyar, S. K., "Dietary feeding of proanthocyanidins from grape seeds prevents photocarcinogenesis in SKH-1 hairless mice: relationship to decreased fat and lipid peroxidation", *Carcinogenesis*, núm. 24 (8), 2003, pp. 1379-1388. Leído el 5 de junio de 2005.

Moeller, S. M., Jacques, P. E. y Blumberg, J. B., "The potential role of dietary xanthophylls in cataract and age-related macular degeneration", *Journal of the American College of Nutrition*, núm. 19 (supl. 5), 2000, pp. 522S-527S, arbitrado.

Mohandas, K. M. y Desai, D. C., "Epidemiology of digestive tract cancers in India. V. Large and small bowel", *Indian Journal of Gastroenterology*, núm. 18 (3), 1999, pp. 118-121, arbitrado.

— y Jagannath, P., "Epidemiology of digestive tract cancers in India. VI. Projected burden in the new millennium and the need for primary prevention", *Indian Journal of Gastroenterology*, núm. 19 (2), 2000, pp. 74-78.

Morita, K., Matsueda, T., Lida, T. y Hasegawa, T., "Chlorella accelerates dioxin excretion in rats", *Journal of Nutrition*, núm. 129, 1999, pp. 1731-1736.

Moyer, R. A., Hummer, K. E., Finn, C. E., Frei B. y Wrolstad, R. E., "Anthocyanins, phenolics, and antioxidant capacity in diverse small fruits: vaccinium, rubus, and ribes", *Journal of Agricultural and Food Chemistry*, núm. 50 (3), 2002, pp. 519-525.

Murphy, K. J., Chronopoulos, A. K., Singh, I., Francis, M. A., Moriarty, H., Pike, M. J., Turner, A. H., Mann, N. J. y Sinclair, A. J., "Dietary flavanols and procyanidin oligomers from cocoa *(Theobroma cacao)* inhibit platelet function", *American Journal of Clinical Nutrition*, núm. 77 (6), 2003, pp. 1466-1473.

Nahata, M. C., Slencsak, C. A. y Kamp, J., "Effect of chlorophyllin on urinary odor in incontinent geriatric patients", *Drug Intelligence & Clinical Pharmacy*, núm. 17, 1983, pp. 732-734.

Nakaya, N., Homma, Y. y Goto, Y., "Cholesterol lowering effect of spirulina", *Nutrition Reports International*, núm. 37, 1988, pp. 1329-1337.

Narayan, S., "Curcumin, a multi-functional chemopreventive agent, blocks growth of colon cancer cells by targeting beta-catenin-mediated transactivation and cell-cell adhesion pathways", *Journal of Molecular Histology*, núm. 35 (3), 2004, pp. 301-307, arbitrado.

Ni, H., Qing, D., Kaisa, S. y Lu, J., "The study on the effect of LBP on Cleaning hydroxygen free radical by EPR technique", *Zhong Yao Cai*, núm. 27 (8), 2004, pp. 599-600, edición en chino.

Nishiyama, T., Hagiwara, Y., Hagiwara, H. y Shibamoto, T., "Inhibitory effect of 2"-O-glycosylisovitexin and alpha-tocopherol on genotoxic glyoxal formation in a lipid peroxidation system", *Food and Chemical Toxicology*, núm. 32(11), 1994, pp. 1047-1051.

Noda, K., Ohno, N., Tanaka, K., Kamiya, N., Okuda, M., Yadomae, T., Nomoto, K. y Shoyama, Y., "A water-soluble antitumor glycoprotein from *Chlorella vulgaris*. *Planta Medica*, núm. 62, 1996, pp. 423-426.

Novak, T. E., Babcock, T. A., Jho, D. H., Helton, W. S. y Espat, N, J., "NF-kappaB inhibition by omega-3 fatty acids modulates LPS-stimulated macrophage TNF-alpha transcription", *American Journal of Physiology*, núm. 284, 2003, pp. L84-L89.

Obrenovich, M. E. y Monnier, V. M., "Vitamin B1 Blocks damage caused by hyperglycemia", *Science of Aging Knowledge Environment*, núm. 2003 (I0), 2003, p. PE6.

O'Byrne, D. J., Devaraj, S., Grundy, S. M. y Jialal, I., "Comparison of the antioxidant effects of Concord grape juice flavonoids alpha-tocopherol on markers of oxidative stress in healthy adults", *American Journal of Clinical Nutrition*, núm. 76 (6), 2002, pp. 1367-1374. Cosponsored by Welch's Foods Inc. (Concord, MA), and the National Institutes of Health.

Omenn, G. S., Goodman, G. E., Thornquist, M. D., Balmes, J., Cullen, M. R., Glass, A., Keogh, J. P., Meyskins, F. L., Valanis, B., Williams, J. H., Barnhart, S. y Hammar, S., "Effects of a combination of beta carotene and vitamin A on lung cancer and cardiovascular disease", *New England Journal of Medicine*, núm. 334, 1996, pp. 1150-1155.

Ong, T. M., Whong, W. Z., Stewart, J. y Brockman, H. E., "Chlorophyllin: a potent antimutagen against environmental and dietary complex mixtures", *Mutation Research*, núm. 173, 1986, pp. 111-115.

Onoda, M. y Inano, H., "Effect of curcumin on the production of nitric oxide by cultured rat mammary gland", *Nitric Oxide: Biology and Chemistry*, núm. 4 (5), 2000, pp. 505-515.

Ookawara, T., Kawamura, N., Kitagawa, Y. y Taniguchi, N., "Site-specific and random fragmentation of Cu,Zn-superoxide dismutase by glycation reaction. Implication of reactive oxygen species", *Journal of Biological Chemistry*, núm. 261 (26), 1992, pp. 18505-18510.

Orsini, F., Pelizzoni, F., Verotta, L., Aburjai, T. y Rogers, C. B., "Isolation, synthesis, and antiplatelet aggregation activity of resveratrol 3 O-beta-D-glucopyranoside and related compounds", *Journal of Natural Products*, núm. 60 (11), 1997, pp. 1082-1087.

Otles, S. y Pire, R., "Fatty acid composition of *Chlorella* and *Spirulina* microalgae species", *Journal of AOAC International*, núm. 84 (6), 2001, pp. 1708-1714.

Packer, L., Kraemer, K. y Rimbach, G., "Molecular aspects of lipoic acid in the prevention of diabetes complications", *Nutrition*, núm. 17 (10), 2001, pp. 888-895, arbitrado.

— Roy, S. y Sen, C. K., "Alpha-lipoic acid: a metabolic antioxidant and potential redox modulator of transcription", *Advances in Pharmacology*, núm. 58, 1996, pp. 79-101.

— Tritschler, H. J. y Wessel, K., "Neuroprotection by the metabolic antioxidant alpha-lipoic acid", *Free Radical Biology & Medicine*, núm. 22 (1-2), 1997, pp. 359-378, arbitrado.

— Witt, E. H. y Tritschler, H. J., "Alpha-lipoic acid as a biological antioxidant", *Free Radical Biology & Medicine*, núm. 19 (2), 1995, pp. 227-250, arbitrado.

Pan, M. H., Lin-Shiau, S. Y. y Lin, J. K., "Comparative studies on the suppression of nitric oxide synthase by curcumin and its hydrogenated metabolites through down-regulation of IkappaB kinase and NFkappaB activation in macrophages", *Biochemical Pharmacology*, núm. 60 (11), 2000, pp. 1665-1676.

Pani, G., Colavitti, R., Bedogni, B., Fusco, S., Ferraro, D., Borrello, S. y Galeotti, T., "Mitochondrial superoxide dismutase: a promising target for new anticancer therapies", *Current Medicinal Chemistry*, núm. 11 (10), 2004, pp. 1299-1308.

Park, J. M., Adam, R. M., Peters, C. A., Guthrie, P. D., Sun, Z., Klagsbrun, M. y Freeman, M. R., "AP-1 mediates stretch-induced expression of HB-EGF in bladder smooth muscle cells", *American Journal of Physiology*, núm. 277 (2 Pt. I), 1999, pp. C294-C301.

Patrick, L. y Uzick, M., "Cardiovascular disease: C-reactive protein and the inflammatory disease paradigm: HMG-CoA reductase inhibitors, alpha-tocopherol, red yeast rice, and olive oil polphenols. A review of the literature", *Alternative Medicine Review*, núm. 6 (3), 2001, pp. 248-271.

Perricone, N., Nagy, K., Horvath, F., Dajko, G., Uray, I. y Zs-Nagy, I., "Alpha lipoic acid (ALA), protects proteins against the hydroxyl free radical-induced alterations: rationale for its geriatric application", *Archives of Gerontology and Geriatrics*, núm. 29 (1), 1999, pp. 45-56.

Perricone, N. V., "Topical 5% alpha lipoic acid cream in the treatment of cutaneous rhytids", *Aesthetic Surgery Journal*, núm. 20 (3), 2000, pp. 218-222.

Peryt, B., Miloszewska, J., Tudek, B., Zielenska, M. y Szymczyk, T., "Antimutagenic effects of several subfractions of extract from wheat sprout toward benzolalpyrene induced mutagenicity in strain TA98 of *Salmonella typhimurium*", *Mutation Research*, núm. 206, 1988, pp. 221-225.

— Szymczyk, T. y Lesca, P., "Mechanism of antimutagenicity of wheat sprout extracts", *Mutation Research*, núm. 269, 1992, pp. 201-215.

Phan, T. T., See Lee, S. T. y Chan, S. Y., "Protective effects of curcumin against oxidative damage on skin cells in vitro: its implication for wound healing", *Journal of Trauma*, núm. 51 (5), 2001, pp. 927-931.

Pischon, T., Hankinson, S. E., Hotamisligil, G. S., Rifai, N., Willett, W. C. y Rimm, E. B.,

"Habitual dietary intake of n-3 and n-6 fatty acids in relation to inflammatory markers among US men and women", *Circulation*, núm. 108 (2), 2003, pp. 155-160.

Pittler, M. H., Stevinson, C. y Ernst, E., "Chromium picolinate for reducing body weight: meta-analysis of randomized trials", *International Journal of Obesity and Related Metabolic Disorders*, núm. 27 (4), 2003, pp. 522-529.

Plummer, S. M., Holloway, K. A., Manson, M. M., Munks, R. J., Kaptein, A., Farrow, S. y Howells, L., "Inhibition of cyclo-oxygenase 2 expression in colon cells by the chemopreventive agent curcumin involves inhibition of NF-kappaB activation via the NIK/IKK signalling complex", *Oncogene*, núm. 18 (44), 1999, pp. 6013-6020.

Pobezhimova, T. P. y Voinikov, V. K., "Biochemical and physiological aspects of ubiquinone function", *Membrane & Cell Biology*, núm. 13 (5), 2000, pp. 595-602, arbitrado.

Podda, M., Rallis, M., Traber, M. G., Packer, L. y Maibach, H. I., "Kinetic study of cutaneous and subcutaneous distribution following topical application of [7,8-14C] rac-alpha-lipoic acid onto hairless mice", *Biochemical Pharmacology*, núm. 52 (4), 1996, pp. 627-633.

— Tritschler, H. J., Utrich, H. y Packer, L., "Alpha-ilpoic acid supplementation prevents symptoms of vitamin E deficiency", *Biochemical and Biophysical Research Communications*, núm. 204 (1), 1994, pp. 98-104.

— Zoilner, T. M., Grundmann-Kollmann, M., Thiele, J. J., Packer, L. y Kaufmann, R., "Activity of alpha-lipoic acid in the protection against oxidative stress in skin", *Current Problems in Dermatology*, núm. 29, 2001, pp. 43-51.

"The polyphenol flavonoids content and anti-oxidant activities of various juices: a comparative study", Lipid Research Laboratory Technion Faculty of Medicine, Rappaport Family Institute for Research in the Medical Sciences and Rambam Medical Center, Haifa, Israel.

Premkumar, K., Pachiappan, A., Abrahdm, S. K., Santhiya, S. T., Gopinath, P. M. y Ramesh, A. "Effect of *Spirulina frisiformis* on cyclophosphamide and mitomycin-C induced genotoxicity and oxidative stress in mice", *Fitoterapia*, núm. 72 (8), 2001, pp. 906-911.

Preuss, H. G., Grojec, P. L., Lieberman, S. y Anderson, R. A., "Effects of different chromium compounds on blood pressure and lipid peroxidation in spontaneously hypertensive rats", *Clinical Nephrology*, núm. 47 (5), 1997, pp. 325-330.

Priante, G., Bordin, L., Musacchio, E., Clari, G. y Baggio, B., "Fatty acids and cytokine mRNA expression in human osteoblastic cells: a specific effect of arachidonic acid", *Clinical Science*, núm. 102, London, 2002, pp. 403-9.

Price, J. A. tercero, Sanny, C. y Shevlin, D. "Inhibition of mast cells by algae", *Journal of Medicinal Food*, núm. 5 (4), 2002, pp. 205-210.

— y Pasco, D. S., "Characterization of human monocyte activation by a water soluble preparation of *Aphanizomenon flos-aquae*", *Phytomedicine*, núm. 8 (6), 2001, pp. 445-453.

Pugh, N., Ross, S. A., ElSohly, H. N., ElSohly, M. A. y Pasco, D. S., "Isolation of three high molecutar weight polysaccharide preparations with potent immunostimulatory activity from *Spirulina platensis*, *Aphanizomenon flos-aquae* and *Chlorella pyrenoidosa*", *Planta Medica*, núm. 67 (8), 2001, pp. 737-742.

Queiroz, M. L., Rodrigues, A. P., Bincoletto, C., Figueiredo, C. A. y Malacrida, S., "Protective effects of *Chlorella vulgaris* in lead-exposed mice infected with *Listeria monocyto genes*", *International Immuno pharmacology*, núm. 3 (6), 2003,pp. 889-900.

Qureshi, M. A. y Ali, R. A., "*Spirulina platensis* exposure enhances macrophage phagocytic function in cats", *Immunopharmacology and Immunotoxicology*, núm. 18, 1996, pp. 457-463.

— Garlich, J. D. y Kidd, M. T., "Dietary *Spirulina platensis* enhances humoral and cell-mediated immune functions in chickens", *Immunopharmacology and Immunotoxicology*, núm. 18, 1996, pp. 465-476.

Ram, V. J., "Herbal preparations as a source of hepatoprotective agents", *Drug News & Perspectives*, núm. 14 (6), 2001, pp. 353-363.

Ramírez-Tortosa, M. C., Mesa, M. D., Aguilera, M. C., Quiles, J. L., Baro, I., Ramírez-Tortosa, C. L., Martínez-Victoria, E. y Gil, A., "Oral administration of a turmeric extract inhibits LDL oxidation and has hypocholesterolemic effects in rabbits with experimental atherosclerosis", *Atherosclerosis*, núm. 147 (2), 1999, pp. 371-378.

Rao, C. V., *et al.*, "Antioxidant activity of curcumin and related compounds. Lipid peroxide formation in experimental inflammation", *Cancer Research*, núm. 55, 1993, p. 259.

Rao, P. V., Gupta. N., Bhaskar, A. S. y Jayaraj, R., "Toxins and bioactive compounds from cyanobacteria and their implications on human health", *Journal of Environmental Biology*, núm. 23 (3), 2002, pp. 215-224, arbitrado.

Reber, F., Geffarth, R., Kasper, M., Reichenbach, A., Schleicher, E. D., Siegner, A. y Funk, R. H., "Graded sensitiveness of the various retinal neuron populations on the glyoxal-mediate formation of advanced glycation end products and ways of protection", *Graefe's Archive for Clinical and Experimental Ophthalmology*, núm 241(3), 2003, pp. 213-225.

Reddy, A. P., Harttig, U., Barth, M. C., Baird, W. M., Schimerlik, M., Hendricks, J. D. y Bailey, G. S., "Induced inhibition of dibenzo[a,l]pyrene-induced multi-organ carcinogenesis by dietary chlorophyllin in rainbow trout", *Carcinogenesis*, núm. 20, 1999, pp. 1919-1926.

Reed, U., DeBusk, B. G., Gunsalus, I. C. y Hornberger, C. S. Jr., "Crystalline alpha-lipoic acid; a catalytic agent associated with pyruvate dehydrogenase", *Science*, núm. 27, 1951, pp. 93-94.

Ridker, P. M., Hennekens, C. H., Buring, J. E. y Rifai, N., "C-reactive protein and other markers of inflammation in the prediction of cardiovascular disease in women. ", *New England Journal of Medicine*, núm. 542 (12), 2000, pp. 836-843, arbitrado.

— "Inflammation in atherothrombosis: how to use high-sensitivity C-reactive protein (hsCRP), in clinical practice", *American Heart Hospital Journal*, núm. 2 (4 suppl 1), 2004, pp. 4-9.

Ritenbaugh, C., "Diet and prevention of colorectal cancer. *Current Oncology Reports*", núm. 2(3), 2000, pp. 225-233, arbitrado.

Robert, A. M., Tixier, J. M., Robert, L., Legeais, J. M. y Renard, G., "Effect of procyanidolic ligomers on the permeability of the blood-brain barrier", *PathologieBiologie (Paris)*, núm. 49 (4), 2001, pp. 298-304.

Robins, E. W. y Nelson, R. L., "Inhibition of 1,2-dimethyihydrazine-induced nuclear damage in rat colonic epithelium by chlorophyllin", *Antocancer Research*, núm. 9, 1989, pp. 981-985.

Rock, C. L., Saxe, G. A., Ruffin, M. T. cuarto., August, D.A. y Schottenfeld, D., "Carotenoids, vitamin A, and estrogen receptor status in breast cancer", *Nutrition and Cancer*, núm. 25, 1996, pp. 281-296.

Rogan, E. G., "The natural chemopreventive compound indole-3-carbinol: state of the science", *In Vivo*, núm. 20 (2), 2006, pp. 221-228, arbitrado.

Rosenfeldt, E,, Hilton, D., Pepe, S. y Krum, H., "Systematic review of effect of coenzyme 10 of human physical exercise, hypertension and heart failure", *Biofactors*, núm. 18 (1-4), 2003, pp. 91-100, arbitrado.

Ross, J. A., Moses, A. G. y Fearon, K. C., "The anti-catabolic effects of n-3 fatty acids", *Current Opinion in Clinical Nutrition and Metabolic Care*, núm. 2, 1999, pp. 219-226.

Roy, S., Khanna, S., Alessio, H. M., Vider, J., Bagchi, D., Bagchi, M. y Sen, C. K., "Anti-angiogenic omega-property of edible berries", *Free Radical Research*, núm. 36 (9), 2002, pp.1025-1051.

— Sen, C. K., Tritschler, H. J. y Packer, U., "Modulation of cellular reducing equivalent homeostasis by alpha-lipoic acid. Mechanisms and implications for diabetes and ischemic injury", *Biochemical Pharmacology*, núm. 53 (5), 1997, pp. 593-599.

Rudich, A., Tirosh, A., Potashnik, R., Khamaisi, M. y Bashan, N. J., "Lipoic acid protects against oxidative stress induced impairment in insulin stimulation of protein kinase B and glucose transport in 5T3-L1 adipocytes", *Diabetologia*, núm. 42(8), 1999, pp. 949-957.

Rukkumani, R., Aruna, K., Varma, P. S., Rajasekaran, K. N. y Menon, V. P., "Comparative effects of curcumin and its analog on alcohol- and polyunsaturated fatty acid- induced alterations in circulatory lipid profiles", *Journal of Medicinal Food*, núm. 8 (2), 2005, pp. 256-260.

Saliou, C., Kitazawa, M., McLaughlin, L.,Yang, J. P., Lodge, J. K., Tetsuka, T., Iwasaki, K., Cillard, J., Okamoto, T. y Packer, L., "Antioxidants modulate acute solar ultraviolet radiation- induced NF-kappa-B activation in a human keratinocyte cell line." *Free Radical Biology & Medicine*, 26 (1-2), 1999, pp. 174-183.

Sano, T., Kumamoto, Y., Kamiya, N., Okuda, M. y Tanaka, Y., "Effect of lipophilic extract of *Chlorella vulgaris* on alimentary hyperlipidemia in cholesterol-fed rats", *Artery*, núm. 15, 1988, pp. 217-224.

— y Tanaka,Y., "Effect of dried, powdered *Chlorella vulgaris* on experimental atherosclerosis and alimentary hypercholesterolemia in cholesterol-fed rabbits", *Artery*, núm. 14, 1987, pp. 76-84.

Satoskar, R. R., Shah, S. J. y Shenoy, S. G., "Evaluation of anti-inflammatory property of curcumin (diferuloyl methane), in patients with postoperative inflammation", *International Journal of Clinical Pharmacology, Therapy, and Toxicology*, núm. 24 (12), 1986, pp. 651-654.

Schmidt, K., "Antioxidant vitamins and beta-carotene: effects on immunocompetence", *American Journal of Clinical Nutrition*, núm. 53, (vol. 1), 1991, pp. 383S-385S.

Schubert, S. Y., Lansky, E. P. y Neeman, I., "Antioxidant and eicosanoid enzyme inhibition properties of pomegranate seed oil and fermented juice flavonoids", *Journal of Ethnopharmacology*, núm. 66 (1), 1999, pp. 11-17.

Seddon, J. M., Ajani, U. A., Sperduto, R. D., Hiller, R., Blair, N., Burton, T. C., Farber, Gragoudas, E. S., Haller, J., Miller, D. T., *et al.* "Dietary carotenoids, vitamins A, C, and E, and advanced age-related macular degeneration. Eye Disease Case-Control Study Group", *JAMA*, núm. 272, 1994, pp. 1413-1420; errata en: *JAMA*, núm. 275 (8), 1995, p. 622.

Seeram, N. P., Zhang,Y. y Nair, M. G., "Inhibition of proliferation of human cancer cells and cyclooxygenase enzymes by anthocyanidins and catechins", *Nutrition and Cancer*, núm. 46 (1), 2003, pp. 101-106.

Seierstad, S. L., Seljeflot, I., Johansen, O., Hansen, R., Haugen, M., Rosenlund, G., Froyland, L. y Arnesen, H., "Dietary intake of differently fed salmon; the influence on markers of human atherosclerosis", *European Journal of Clinical Investigation*, núm. 35 (1), 2005, pp. 52-59.

Sen, C. K. y Packer, L., "Antioxidant and redox regulation of gene transcription", *FASEB Journal*, núm. 10, 1996, pp.709-720.

Serhan, C. N., Clish C. B., Brannon J., Colgan S. P., Chiang N. y Gronert K., "Novel functional sets of lipid-derived mediators with antiinflammatory actions generated from omega-3 fatty acids via cyclooxygenase 2-nonsteroidal antiinflammatory drugs and transcellular processing", *Journal of Experimental Medicine*, núm. 192, 2000, pp. 1197-1204.

— Jain, A., Marleau, S., Clish, C., Kantarci, A., Behbehani, B., Colgan, S. P., Stahl, G. L., Merched, A., Petasis, N. A., Chan, L. y Van Dyke, T. E., "Reduced inflammation and tissue damage in transgenic rabbits overexpressing 15-lipoxygenase and endoge anti-inflammatory lipid mediators", *Journal of Immunology*, núm. 171, 2003, pp. 6856-6865.

Shah, B. R., Nawaz, Z., Pertani, S. A., Roomi, A., Mahmood, H., Saeed, S. A. y Gilani A. H., "Inhibitory effect of curcumin, a food spice from turmeric, on platelet-activating factor-and arachidonic acid-mediated platelet aggregation through inhhibition of thromboxane formation and Ca2 + signaling", *Biochemical Pharmacology*, núm. 58 (7), 1999, pp. 1167-1172.

Shapiro, T. A., Fahey, J. W., Wade, K. L., Stephenson, K. K. y Talalay, P., "Chemoprotective glucnolates and isothiocyanates of broccoli sprouts: metabolism and excretion humans", *Cancer Epidemiology, Biomarkers & Prevention*, núm. 10 (5), 2001, pp. 501-508.

Sharma, R. A., Gescher, A. J. y Steward, W. P., "Curcumin: the story so far", *European Journal Cancer*, núm. 41 (13), 2005, pp. 1955-1968, arbitrado.

Sharma, S. C., Mukhtar, H., Sharma, S. K. y Krishna Murt, C. R., "Lipid peroxide formation experimental inflammation", *Biochemical Pharmacology*, núm. 21, 1972, p. 1210.

Shi, J., Yu, J., Pohorly, J. E. y Kakuda, Y., "Polyphenolics in grape seeds-biochemistry and functionality *Journal of Medicinal Food*, núm. 6 (4), 2003, pp. 291-299.

Shigenaga, M. K., Hagen, T. M. y Ames, B. N., "Oxidative damage and mitochondrial decay in aging", *Proceedings of the National Academy of Sciences of the United States of America*, núm. 91 (23), 1994, pp. 10771-10778.

Shih, S. R., Tsai, K. N., Li, Y. S., Chueh, C. C. y Chan, E. C., "Inhibition of enterovirus 71-induced apoptosis by allophycocyanin isolated from a blue-green alga *Spirulina platensis*", *Journal of Medical Virology*, núm. 70 (1), 2003, pp. 119-125.

Singh, S. y Aggarwal, B. B., "Activation of transcription factor NF-kappa B is suppressed by curcumin (diferuloylmethane), [corregido]", *Journal of Biological Chemistry*, núm. 270 (42), 1995, pp. 24995-5000; errata en: *Journal of Biological Chemistry*, núm. 270 (50), 1995, p. 30235.

Singletary, K. W. y Meline, B., "Effect of grape seed proanthocyanidins on colon aberrant crypts and breast tumors in a rat dual-organ tumor model", *Nutrition and Cancer*, núm. 39 (2), 2001, pp. 252-258.

— Stansbury, M. J., Giusti, M., Van Breemen, R. B., Wallig, M. y Rimando A., "Inhibition of rat mammary tumorigenesis by concord grape juice constituents", *Journal of Agricultural and Food Chemistry*, núm. 51 (25), 2003, pp. 7280-7286.

Sinha, R., Anderson, D. E., McDonald, S. S. y Greenwald, P., "Cancer risk and diet in India", *Journal of Postgraduate Medicine*, 49 (3), 2003, pp. 222-228.

Siwak, D. R., Shishodia, S., Aggarwal, B. B. y Kurzrock, R., "Curcumin-induced antiproliferative and proapoptotic effects in melanoma cells are associated with suppression of IkappaB kinase and nuclear factor kappaB activity and are independent of the B-Raf/mitogen-activated/extracellular signal-regulated protein kinase pathway and the Akt pathway", *Cancer*, núm. 104 (4), 2005, pp. 879-890.

Slomski, G., "Lycopene", en Krapp, J. L., Lange (editores), *Gale Encyclopedia of Alternative Medicine*, Gale Group, Detroit, 2001.

Soliman, K. E. y Mazzio, E. A., "In vitro attenuation of nitric oxide production in C6 astrocyte cell culture by various dietary compounds", *Proceedings of the Society for Experimental Biology and Medicine*, núm. 218 (4), 1998, pp. 390-397.

Soni, K. B. y Kuttan, R., "Effect of oral curcumin administration on serum peroxides and cholesterol levels in human volunteers", *Indian Journal of Physiology and Pharmacology*, núm. 56, 1992, pp. 273-275.

Spencer, J. P., Schroeter, H., Rechner, A. R. y Rice-Evans, C., "Bioavailability of flavan-3-ols and procyanidins: gastrointestinal tract influences and their relevance to bioactive forms in vivo", *Antioxidants & Kedox Signaling*, núm. 3(6), 2001, pp. 1023-1039.

Spiteller, G., "Peroxidation of linoleic acid and its relation to ageing and age dependent diseases", *Mechanisms of Ageing and Development*, núm. 122 (7), 2001, pp. 617-657.

Sreekanth, K. S., Sabu, M. C., Varghese, L., Manesh, C., Kuttan, G. y Kuttan, R., "Antioxidant activity of Smoke Shield in-vitro and in-vivo", *Journal of Pharmacy and Pharmacology*, núm. 55(6), 2003, pp. 847-853.

Srimal, R. y Dhawan, B., "Pharmacology of diferuloyl methane (curcumin), a nonsteroidal antiinflammatory agent", *Journal of Pharmacy and Pharmacology*, núm. 25, 1973, pp. 447-452.

Srinivas, L., Shalini, V. K. y Shylaja, M., "Turmerin: a water-soluble antioxidant peptide from turmeric (*Curcuma longa*)", *Archives of Biochemistry and Biophysics*, núm. 292 (2), 1992, pp. 617-623.

Srivasta, R. y Srimal, R. C., "Modification of certain inflammation-induced biochemical changes by curcumin", *Indian Journal of Medical Research*, núm 81, 1985, pp. 215-223.

Steele, P. E., Tang, P. H., DeGrauw, A. J. y Miles, M. V., "Clinical laboratory monitoring of coenzyme Q10 use in neurologic and muscular diseases", *American Journal of Clinical Pathology*, núm. 121 (supl.), 2004, pp. S113-S120.

Steinmetz, K. A. y Potter, J. D., "Vegetables, fruit, and cancer prevention: a review", *Journal of the American Dietetic Association*, núm. 96 (10), 1996, pp. 1027-1039, arbitrado.

Stoclet, J. C., Kleschyov, A., Andriambeloson, E., Diebolt, M. y Andriantsitohaina, R., "Endothelial no release caused by red wine polyphenols" *Journal of Physiology and Pharmacology*, núm. 50 (4), 1999, pp. 535-540.

Subamas, A. y Wagner, H., "Analgesic and anti-inflammatory activity of the proanthocyanidin shellegueain A from *Polypodium feei* METT", *Phytomedicine*, núm. 7 (5), 2000, pp. 401-405.

Sugawara, T. y Miyazawa, T., "Beneficial effect of dietary wheat glycolipids on cecum short-chain fatty acid and secondary bile acid profiles in mice. *Journal of Nutritional Science and Vitaminology (Tokyo)*, núm. 47 (4), 2001, pp. 299-305.

Surh, J. H., Shigeno, E. T., Morrow, J. D., Cox, B., Rocha, A. E., Frei, B. y Hagen, T. M., "Oxidative stress in the aging rat heart is reversed by dietary supplementation with (R)-(alpha)lipoic acid", *FASEB Journal*, núm. 15(3), 2001, pp. 700-706.

Surh, Y. J., "Anti-tumor promoting potential of selected spice ingredients with antioxidative and anti-inflammatory activities: a short review", *Food and Chemical Toxicology*, núm. 40 (8), 2002, pp. 1091-1097, arbitrado.

— Chun, K. S., Cha, H. H., Han, S. S., Keum, Y. S., Park, K. K. y Lee, S. S., "Molecular mechanisms underlying chemopreventive activities of anti-inflammatory phytochemicals: down-regulation of COX-2 and iNOS through suppression of NF-kappa B activation", *Mutation Research*, núm. 480-481, 2001, pp. 243-268, arbitrado.

— Han, S. S., Keum, Y. S., Seo, H. J. y Lee, S. S., "Inhibitory effects of curcumin and capsaicin on phorbol ester-induced activation of eukaryotic transcription factors, NF-kappaB and AP-1", *Biofactors*, núm. 12 (1-4), 2000, pp. 107-112.

Susan, M. y Rao, M. N. A., "Induction of glutathione S-transferase activity by curcumin in mice", *Arzneimmittelforschung*, núm. 42, 1992, p. 962.

Suzuki, Y., Ohgami K., Shiratori K., Jin XH., Ilieva I., Koyama Y., Yazawa K., Yoshida K., Kase S. y Ohno S., "Suppressive effects of astaxanthin against rat endotoxin-induced uveitis by inhibiting the NF-kappaB signaling pathway", *Experimental Eye Research*, núm. 82 (2), 2006, pp. 275-281.

— Aggarwal, B. B. y Packer, L., "Alpha-lipoic acid is a potent inhibitor of NF-kappa B activation in human T cells", *Biochemical and Biophysical Research Communications*, núm. 189 (3), 1992, pp. 1709-1715.

— Mizuno, M., Tritschler, H. J. y Packer, L., "Redox regulation of NF-kappa B DNA binding activity by dihydrolipoate", *Biochemistry and Molecular Biology International*, núm. 36 (2), 1995, pp. 241-246.

— Tsuchiya, M. y Packer, L., "Lipoate prevents glucose-induced protein modifications", *Free Radical Research Communications*, núm. 17 (3), 1992, pp. 211-217.

Tan, W. F., Lin, L. P., Li, M. H., Zhang, Y. X., Tong, Y. G., Xiao, D. y Ding J., "Quercetin, a dietary-derived flavonoid, possesses antiangiogenic potential", *European Journal of Pharmacology*, núm. 459 (2-3), 2003, pp. 255-262.

Tanaka, K., Koga, T., Konishi, F., Nakamura, M., Mitsuyama, M., Himeno, K. y Nomoto, K., "Augmentation of host defense by unicellular green alga", *Chlorella vulgaris*, to *Escherichia coli* infection", *Infection and Immunity*, núm. 53, 1986, pp. 267-271.

— Yamada, A., Noda, K., Hasegawa, T., Okuda, M., Shoyama, Y. y Nomoto, K., "A novel glycoprotein obtained from *Chlorella vulgaris* strain CK22 shows antimetastatic immunopotentiation", *Cancer Immunology, Immunotherapy*, núm. 45, 1998, pp. 313-320.

— Yamada, A., Noda, K., Shoyama, Y., Kubo, C. y Nomoto, K., "Oral administration of a unicellular green algae, *Chlorella vulgaris*, prevents stress-induced ulcer", *Planta Medica*, núm. 63, 1997, pp. 465-466.

Te, C., Gentile, J. M., Baguley, B. C., *et al.*, "In vivo effects of chlorophyllin on the antitumour agent cyclophosphamide", *International Journal of Cancer*, núm. 70, 1997, pp. 84-89.

Teikari, J. M., Rautalahti, M., Haukka, J., Jarvinen, P., Hartman, A. M., Virtamo, J., Albanes, D. y Heinonen, O., "Incidence of cataract operations in Finnish male smokers unaffected by alpha tocopherol or beta carotene supplements", *Journal of Epidemiology and Community Health*, núm. 52, 1998, pp. 468-472.

Terman, A., "Garbage catastrophe theory of aging: imperfect removal of oxidative damage?", *Redox Report*, núm. 6 (1), 2001, pp. 15-26.

Thies, F., Garry, J. M., Yaqoob, F., Rerkasem, K., Williams, J., Shearman, C. P., Gallagher, P. J., Calder, P. C. y Grimble, R. E., "Association of n-3 polyunsaturated fatty acids with stability of atherosclerotic plaques: a randomised controlled trial", *Lancet*, núm. 361 (9356), 2003, pp. 477-485.

Tijburg, L. B. M., Mattern, T., Folts, J. D., Weisgerber, U. M. y Katan, M. B., "Tea flavonoids and cardiovascular diseases: a review", *Critical Reviews in Food Science and Nutrition*, núm. 37, 1997, pp. 771-785.

Todoric, J., Loffler, M., Huber, J., Bilban, M., Reimers, M., Kadl, A., Zeyda, M., Waldhausl, W. y Stulnig, T. M., "Adipose tissue inflammation induced by high-fat diet in obese diabetic mice is prevented by n-3 polyunsaturated fatty acids", *Diabetologia*, núm. 49 (9), 2006, pp. 2109-2119.

Toniolo, P., Van Kappel, A. L., Akhmedkhanov, A., Ferrari, P., Kato, I., Shore, R. E. y Riboli E., "Serum carotenoids and breast cancer", *American Journal of Epidemiology*, núm. 153 (12), 2001, pp. 1142-1147.

Torres-Duran, P. V., Miranda-Zamora, R., Paredes-Carbajal, M. C., Mascher, D., Díaz-Zagoya, J. C. y Juárez-Oropeza, M. A., "*Spirulina maxima* prevents induction of fatty liver by carbon tetrachioride in the rat", *Biochemistry and Molecular Biology International*, núm. 44, 1998, pp. 787-793.

Torstensen, B. E., Bell, J. G., Rosenlund, G., Henderson, R. J., Graff, I. E., Tocher, D. R., Lie, O. y Sargent, J. R., "Tailoring of Atlantic salmon (Salmo salar L.), flesh lipid composition and sensory quality by replacing fish oil with a vegetable oil blend", *Journal of Agricultural and Food Chemistry*, núm. 53 (26), 2005, pp. 10166-10178.

Toyokuni, S., "Reactive oxygen species-induced molecular damage and its application in pathology", *Pathology International*, núm. 49 (2), 1999, pp. 91-102.

Trent, L. K. y Thieding-Cancel D., "Effects of chromium picolinate on body composition", *Journal of Sports Medicine and Physical Fitness*, núm. 35 (4), 1995, pp. 273-280.

Tucker, K. L., Qiao, N., Scott, T., Rosenberg I. y Spiro, A. Tercero, "High homocysteine and low B vitamins predict cognitive decline in aging men: the Veterans Affairs Normative Aging Study", *American Journal of Clinical Nutrition*, núm. 82 (3), 2005, pp. 627-635.

Tudek, B., Peryt, B., Miloszewska, J., Szymczyk, T., Przybyszewska, M., Janik, P., *et al.*, "The effect of wheat sprout extract on benzo(a)pyrene and 7,2-dimethylbenz(a), anthracene activity", *Neoplasma*, núm. 35, 1998, pp. 515-523.

Turujrnan, S. A., Warner, W. G., Wei, R. R. y Albert, R. H., "Rapid liquid chromatographic method to distinguish wild salmon from aquacultured salmon fed synthetic astaxanthin", *Journal of AQAC International*, núm. 80 (3), 1997, pp. 622-632.

Vadiraja, B. B., Gaikwad, N. W. y Madyastha, K. M., "Hepatoprotective effect of C-phycocyanin: protection for carbon tetrachioride and R-(+)-pulegonemediated hepatotoxicity in rats", *Biochemical and Biophysical Research Communications*, núm. 249, 1998, pp. 428-431.

van Doom, H. E., van der Kruk, G. C. y van Hoist, G. J., "Large scale determination of glucosinotates in brussels sprouts samples after degradation of endogenous glucose", *Journal of Agricultural and Food Chemistry*, núm. 47 (3), 1999, pp. 1029-1034.

Vancheri, C., Mastruzzo, C., Sortino, M. A. y Crimi, N., "The lung as a privileged site for the beneficial actions of PGE2", *Trends in Immunology*, núm. 25, 2004, pp. 40-46.

Vena, J. E., Graham, S., Freudenheim, J., Marshall, J., Zielezny, M., Swanson, M. y Sufrin, G., "Diet in the epidemiology of bladder cancer in western New York", *Nutrition and Cancer*, núm. 18, 1992, pp. 255-264.

Vendemiale, G., Grattagliano, I. y Altomare, E., "An update on the role of free radicals and antioxidant defense in human disease", *International Journal of Clinical & Laboratory Research*, núm. 29 (2), 1999, pp. 49-55.

Vincent, J. B., "The potential value and toxicity of chromium picolinate as a nutritional supplement, weight loss agent and muscle development agent", *Sport* núm. 33 (3), 2003, pp. 213-230.

Vinson, J. A., Teufel, K. y Wu, N., "Red wine, de-alcoholised red wine, and especie juice, inhibit atherosclerosis in a hamster model", *Atherosclerosis*, núm. 156 (I), 2001, pp. 67-72.

Viola, G., Salvador, A., Vedaldi, D., Fortunato, E., Disaro, S., Basso, G. y Queiroz, M. J., "Induction of apoptosis by photoexcited tetracycic compound derivative benzolblthiophenes and pyridines", *Journal of Photochemistry and Photobiology B, Biology*, núm. 82 (2), 2006, pp. 105-116.

Vitale, S., West, S., Hallfrisch, J., Alston, C., Wang, E., Moorman, C., Muller, D. y Singh, H. R., "Plasma antioxidants and risk of cortical and nuclear cataract", *Epidemiology*, núm. 4, 1995, pp. 195-203.

Vlad, M., Bordas, E., Caseanu, E., Uza, G., Creteanu, E. y Polinicenco, C., "Effect of cuprofilil on experimental atherosclerosis", *Biological Trace Element Research*, núm. 48 (1), 1995, pp. 99-109.

Volpe, S. L., Huang, H. A., Larpadisorn, K. y Lesser, I. I., "Effect of chromium supplem and exercise on body composition, resting metabolic rate and seleci chemical parameters in moderately obese women following an exerch gram", *Journal of the American College of Nutrition*, núm. 20 (4), 2001, pp. 293-306.

Voutilainen, S., Nurmi, T., Mursu, J. y Rissanen T. H., "Carotenoids and cardiovascular health", *American Journal of Clinical Nutrition*, núm. 83 (6), 2006, pp. 1265-1271.

Waladkhani, A. R. y Clemens, M. R., "Effect of dietary phytochemicals on cancer development", *International Journal of Molecular Medicine*, núm. 1 (4), 1998, pp. 747-753, arbitrado.

Walker, L. S., Bemben, M. G., Bemben, D. A. y Knehans, A. W., "Chromium picolinate effects on body composition and muscular performance in wrestlers", *Medical Science and Sports Exercise*, núm. 30 (12), 1998, pp. 1730-1737.

Wang, H., Cao, G. y Prior, R. L., "Total antioxidant capacity of fruits", *Journal of Agricultural and Food Chemistry*, núm. 44 (3), 1996, pp. 701-705.

Wang, S., Chen, B. y Sun, C., "Regulation effect of cure umin on blood lipids and antioxidation in hyperlipidemia ratsi", *Wei Sheng YanJiu*, núm. 29 (4), 2000, pp. 240-242, edición en chino.

Wei, Y. H., Lu, C. Y., Lee, H. C., Pang, C. Y. y Ma, Y. S., "Oxidative damage and mutation to mitochondrial DNA and age-dependent decline of mitochondrial respiratory tion", *Annals of the New York Academy of Science*, núm. 854, 1998, pp. 155-170, arbitrado.

Weisburger, J. H., "Chemopreventive effects of cocoa polyphenols on chronical diseases", *Experimental Biology and Medicine (Maywood)*, núm. 226 (10), 2001, pp. 891-897.

Wilhelm, J., "Metabolic aspects of membrane lipid peroxidation", *Acta Univresitiatis Carollinae Medica Monographia*, núm. 157, 1990, pp. 1-55, arbitrado.

Willerson, J. T. y Ridker, P.M., "Inflammation as a cardiovascular risk factor", *Circulation*, núm. 109 (21 suppl 1), 2004, pp. 112-110, arbitrado.

Wright, T.I., Spencer, J.M. y Flowers, F. R., "Chemoprevention of nonmelanoma skin cancer", *Journal of the American Academy of Dermatology*, núm. 54 (6), 2006, pp. 933-946, prueba, pp. 947-950, arbitrado.

Xu, Y., He, L., Xu, L. y Liu, Y., "Advances in immunopharmacological study of *Lycium barbarum* L.", *Zhong Yao Cai*, núm. 25 (5), 2000, pp. 295-298, arbitrado, edición en chino.

Yamagishi, M., Natsume, M., Osakabe, N., Nakamura, H., Furukawa, E., Imazawa, T., Nishikawa, A. y Hirose, M., "Effects of cacao liquor proanthocyanidins on PhIPinduced mutagenesis in vitro, and in vivo mammary and pancreatic tumorigenesis in female Sprague-Dawley rats", *Cancer Letters*, núm. 85 (2), 2002, pp. 123-130.

— Natsume, M., Osakabe, N., Okazaki, K., Furukawa, F., Imazawa, T., Nishikawa, A. y Hirose, M., "Chemoprevention of lung carcinogenesis by cacao liquor proanthocyanidins in a male rat multi-organ carcinogenesis model", *Cancer Letters*, núm. 191 (I) 2003, pp. 49-57.

Yang, R. N., Lee, E. R. y Kim, H. M., "Spirulina platensis inhibits anaphylactic reaction", *Life Sciences*, núm. 61, 1997, pp. 1237-1244.

Ye, X., Krohn, R. L., Liu, Joshi, S.S., Kuszynski, C. A., McGinn, T. R., Bagchi, M., Preuss, H. G., Stohs, S. J. y Bagchi, D., "The cytotoxic effects of a novel IH636 grape seed proanthocyanidin extract on cultured human cancer cells", *Molecular* and *Cellular Biochemistry*, núm. 196 (1-2), 1999, pp. 99-108.

Yim, M. B., Yim, H. S., Lee, C., Kang, S. O. y Chock, P. B., "Protein glycation: creation of catalytic sites for free radical generation", *Annals of the New York Academy of Science*, núm. 928, 2001, pp. 48-53.

Yin, J., Tezuka, Y., Kouda, K., Tran, Q. L., Miyahara, T., Chen, Y. y Kadota, S., "Antiosteoporotic activity of the water extract of *Dioscorea spangiosa*", *Biological & Pharmaceutical Bulletin*, núm. 27 (4), 2004, pp. 583-586.

Young, R. W. y Beregi, J. S. Jr., "Use of chlorophyllin in the care of geriatric patients", *Journal of the American Geriatrics Society*, núm. 28, 1980, pp. 46-47.

Zampelas, A., Panagiotakos, D. B., Pitsavos, C., Das, U. N., Chrysohoou, C., Skoumas, Y. y Stefanadis, C., "Fish consumption among healthy adults is associated with decreased Levels of inflammatory markers related to cardiovascular disease", *The ATTICA Study Journal of the American College of Cardiology*, núm. 46 (1), 2005, pp. 120-124.

Zebrack, J. S., Muhlestein, J. B., Home, B.D. y Anderson, J. L., "Intermountain Heart Collaboration Study Groupp. C-reactive protein and angiographic coronary artery disease: independent and additive predictors of risk in subjects with angina", *Journal of the American College of Cardiology*, núm. 39 (4), 2002, pp. 632-637.

Zern, T. L. y Fernandez, M. L., "Cardioprotective effects of dietary polyphenols", *Journal of Nutrition*, núm. 135 (10), 2005, pp. 2291-2294, arbitrado.

Zhang, L. X., Cooney, R. y Bertram, J. S., "Carotenoids enhance gap junctional communication and inhibit lipid peroxidation in C3H/IOT1/2 cells: relationship to their cancer chemopreventive action", *Carcinogenesis*, núm. 12, 1991, pp. 2109-2114.

Zhao, G., Ethertori, T. D., Martin, K.R., West, S.G., Gillies, P. J. y Kris-Etherton, P. M., "Dietary alphalinolenic acid reduces inflammatory and lipid cardiovascular risk factors in hypercholesterolemic men and women", *Journal of Nutrition*, núm. 134, 2004, pp. 2991-2997.

Zheng, W., Sellers, T. A., Doyle, T.J., *et al.* "Retinol, antioxidant vitamins, and cancer of the upper digestive tract in a prospective cohort study of postmenopausal women", *American Journal of Epidemiology*, núm. 142, 1995, pp. 955-960.

Zhi, F., Zheng, W., Chen, P. y He, M., "Study on the extraction process of polysaccharide from *Lycium barbarum*", *Zhong Yao Cai*, núm. 27 (12) 2004, pp. 948-550, edición en chino.

Ziegler, D., Hanefeld, M., Ruhnau, K. J., Meissner, H. P., Lobisch, M., Schutte, K. y Gries, F. A., "Treatment of symptomatic diabetic peripheral neuropathy with the antioxidant alphalipoic acid. A 3-week multicentre randomized controlled trial (ALADIN Study)", *Diabetologia*, núm. 58 (12), 1995, pp. 1425-1433.

— Reljanovic, M., Mehnert, H. y Gries, F. A., "Alpha-lipoic acid in the treatment of diabetic polyneuropathy in Germany: current evidence from clinical trials", *Experimental and Clinical Endocrinology & Diabetes*, núm. 107 (7), 1999, pp. 421-430, arbitrado.

Ziegler, R., G., "Vegetables, fruits, and carotenoids and the risk of cancer", *American Journal of*

Clinical Nutrition, núm. 55 (suppl I), 1991, pp. 251S-259S, arbitrado.

Zs-Nagy, I., "The membrane hypothesis of aging: its relevance to recent progress in genetic research", *Journal of Molecular Medicine*, núm. 75 (10), 1997, pp. 703-714, arbitrado.

Zs-Nagy, I., "The role of membrane structure and function in cellular aging: a review", *Mechanisms of Ageing and Development*, núm. 9 (3-4), 1979, pp. 237-246, arbitrado.

Zs-Nagy, I. y Semsei, I., "Centrophenoxine increases the rates of total and mRNA synthesis in the brain cortex of old rats: an explanation of its action in terms of the membrane hypothesis of aging", *Experimental Gerontology*, núm. 19 (5), 1984, pp. 171-178.

CAPÍTULO 2

Belury, M. A., *et al.*, "The conjugated linoleic acid (CLA), isomer, t10cl2-CLA, is inversely associated with changes in body weight and serum Leptin in subjects with type 2 diabetes mellitus", *Journal of Nutrition*, núm. 133 (1), 2003, pp. 257S-260S.

Benito, F., Nelson, G. J., Kelley, D. S., Bartolini, G., Schmidt, P. C. y Simon, V., "The effect of conjugated linoleic acid on plasma lipoproteins and tissue fatty acid composition in humans", *Lipids*, núm. 36 (3), 2001, pp. 229-236, errata en: *Lipids*, núm. 36 (8), 2001, pp. 857.

Blankson, H., Stakkestad, J. A., Fagertun, H., Thom, E., Wadstein, J. y Gudmundsen, O., "Conjugated linoleic acid reduces body fat mass in overweight and obese humans", *Journal of Nutrition*, núm. 130 (12), 2000, pp. 2943-2948.

Curran, J. E., Jowett, J. B., Elliott, K. S., Gao, Y., Gluschenko, K., Wang, J., Abel, Azim, D. M., Cai, G., Mahaney, M. C., Comuzzie, A. G., Dyer, T. D., Walder, K. R., Zimmet, P., MacCluer, J. W., Collier, G. R., Kissebah, A. R. y Blangero, J., "Genetic variation in selenoprotein S influences inflammatory response", *Nature Genetics*, núm. 37 (11), 2005, pp. 1234-1241, publicación electrónica 9 de octubre de 2005.

Gao, Y., Hannan, N. R., Wanyonyi, S., Konstantopolous, N., Pagnon, J., Feng, H. C., Jowett, J. B., Kim, K. R., Walder, K. y Collier, G. R., "Activation of the selenoprotein SEPS1 gene expression by pro-inflammatory cytokines in HepG2 cells", *Cytokine*, núm. 33 (5), 2006, pp. 246-251, publicación electrónica 30 de marzo, 2006.

Gaullier, J. M., Halse, J., Hoye, K., Kristiansen, K., Fagertun, H., Vik, H. y Gudmundsen, O., "Supplementation with conjugated linoleic acid for 24 months is well tolerated by and reduces body fat mass in healthy overweight humans", *Journal of Nutrition*, núm. 135 (4), 2005, pp. 778-784.

Gevrey, J. C., Malapel, M., Philippe, J., Mithieux, G., Chayvialle, J. A., Abello, J. y Cordier-Bussat, M., "Protein hydrolysates stimulates proglucagon gene transcription in intestinal endocrine cells via two elements related to cyclic AMP response element", *Diabetologia*, núm. 47 (5), 2004, pp. 926-936, publicación electrónica 14 de abril, 2004.

Haugen, M. y Alexander, J., "Can linoleic acids in conjugated CLA products reduce overweight problems?", *Tidsskrift for den Norske Laegeforening*, núm. 124 (23), 2004, pp. 3051-3054, edición en noruego.

Kamphuis, M. M., Lejeune, M. P., Saris, W. H. y Westerterp-Plantenga, M. S., "Effect of conjugated linoleic acid supplementation after weight loss on appetite and food intake in overweight subjects", *European Journal of Clinical Nutrition*, núm. 57 (10), 2003, pp. 1268-1274.

— Lejeune, M. P., Saris, W. H. y Westerterp-Plantenga, M. S., "The effect of conjugated linoleic acid supplementation after weight loss on body weight regain, body composition, and resting metabolic rate in overweight subjects", *International Journal of Obesity and Related Metabolic Disorders*, núm. 27 (7), 2003, pp. 840-847.

Khan, B., Arayne, M. S., Naz, S. y Mukhtar, N., "Hypoglycemic activity of aqueous extract of some indigenous plants", *Pakistan Journal of Pharmaceutical Sciences*, núm. 18 (1), 2005, *fimbriata* extract to reduce weight", *Official South African Journal of Clinical Nutrition*, núm. 18 (supl. 1).

Lawrence, R. M. y Choudary, S., "*Caralluma fimbriata* in the treatment of obesity", Western Geriatric Research Institute, Los Angeles, CA. 12th Annual World Congress of Anti-Aging Medicines, diciembre de 2004.

Malpuech-Brugere, C., Verboeket-van de Venne, W. P., Mensink, R. P., Arnal, M. A., Mono, B., Brandolini, M., Saebo, A., Lassel, T. S., Chardigny, J. M., Sebedio, J. L. y Beaufrere, B., "Effects of two conjugated linoleic acid isomers on body fat mass in overweight humans", *Obesity Research*, núm. 12 (4), 2004, pp. 591-598.

McMillan-Price, J., Petocz, P., Atkinson, F., O'Neill, K., Samman, S., Steinbeck, K., Caterson, I. y Brand-Miller, J., "Comparison of 4 diets of varying glycemic load on weight loss and cardiovascular risk reduction in overweight and obese young adults: a randomized controlled trial", *Archives of Internal Medicine*, núm. 166 (14), 2006, pp. 1466-1475.

Mithieux, G., Misery, P., Magnan, C., Pillot, B., Gautier-Stein, A., Bernard, C. y Rajas, F., Zitoun, C., "Portal sensing of intestinal gluconeogenesis is a mechanistic link in the diminution of food intake induced by diet protein", *Cell Metabolism*, núm. 2 (5), 2005, pp. 321-329.

Moloney, F., Yeow, T. P., Mullen, A., Nolan, J. J. y Roche, H. M., "Conjugated linoleic acid supplementation, insulin sensitivity and lipoprotein metabolism in patients with type 2 diabetes mellitus", *American Journal of Clinical Nutrition*, núm. 80 (4), 2004, pp. 887-895.

Nagao, K., Inoue, N., Wang, Y. M., Hirata, J., Shimada, Y., Nagao, T., Matsui, T. y Yanagita, I., "The 10trans, 12cis isomer of conjugated linoleic acid suppresses the development of hypertension in Otsuka Long-Evans Tokushima fatty rats", *Biochemical and Biophysical Research Communications*, núm. 306-I, 2003, pp. 134-138.

Noakes, M., Keogh, J. B., Foster, P. R. y Clifton, P. M., "Effect of an energy-restricted, high-protein, low-fat diet relative to a conventional high-carbohydrate, low-fat diet on weight loss, body composition, nutritional status, and markers of cardiovascular health in obese women", *American Journal of Clinical Nutrition*, núm. 81 (6), 2005, pp. 1298-1306.

Nordmann, A. J., Nordmann, A., Briel, M., Keller, U., Yancy, W. S. Jr., Brehm, B. J. y Bucher, H. C., "Effects of low-carbohydrate vs low-fat diets on weight loss and cardiovascuar risk factors: a meta-analysis of randomized controlled trials", *Archives of Internal Medicine*, núm. 166 (3), 2006, pp. 285-293; errata en: *Archives of Internal Medicine*, núm. 166 (8), 2006, p. 932.

Phillips, K. M., Ruggio, D. M. y Ashraf-Khorassani M., "Phytosterol composition of nuts and seeds commonly consumed in the United States", *Journal of Agricultural and Food Chemistry*, núm. 53 (24), 2005, pp. 9436-9445.

Riserus, U., Berglund, L. y Vessby, B., "Conjugated linoleic acid (CLA), reduced abdominal adipose tissue in obese middle-aged men with signs of the metabolic syndrome: a randomized controlled trial", *International Journal of Obesity and Related Metabolic Disorders*, núm. 25 (8), 2001, pp. 1129-1135.

— Vessby, B., Arnlov, J. y Basu S., "Effects of cis-9, trans-11 conjugated linoleic acid supplementation on insulin sensitivity lipid peroxidation, and proinflammatory markers in obese men", *American Journal of Clinical Nutrition*, núm. 80 (2), 2004, pp. 279-283.

Smedman, A. y Vessby, B., "Conjugated linoleic acid supplementation in humans- metabolic effects", *Lipids*, núm. 36, c. 8, 2001, pp. 773-781.

Thom, E., Wadstein, J. y Gudmundsen, O., "Conjugated linoleic acid reduces body fat in healthy exercising humans", *Journal of International Medical Research*, núm. 29(5), 2001, pp. 392-396.

Whigham, L. D., O'Shea, M., Mohede, I. C., Walaski, H. P. y Atkinson, R. L., "Safety profile of conjugated linoleic acid in a 12-month trial in obese humans", *Food and Chemical Taricology*, núm. 42 (10), 2004, pp. 1701-1709.

Yancy, W. S. Jr., Olsen, M. K., Guyton, J. R., Bakst, R. P. y Westman, E. C., "A low-carbohydrate, ketogenic diet versus a low-fat diet to treat obesity and hyperlipidemia: a randomized, controlled trial", *Annals of Internal Medicine*, núm. 140 (10), 2004, pp. 769-777.

Zambell, K. L., Keim, N. L., Van Loan, M. D., Gale, B., Benito, P., Kelley, D. S. y Nelson, G. J., "Conjugated linoleic acid supplementation in humans: effects on body composition and energy expenditure", *Lipids*, núm. 35 (7), 2000, pp. 777-782.

CAPÍTULO 3

Barel, A., Calomme, M., Timchenko, A., De Paepe, K., Demeester, N., Rogiers, V., Clarys, E. y Vanden Berghe, D., "Effect of oral intake of choline-stabilized orthosilicic acid on skin, nails, and hair in women with photodamaged skin", *Archives of Dermatological Research*, núm. 297 (4), 2005, pp. 147-153; errata en: *Archives of Dermatological Research*, núm. 297 (8), 2006, p. 381.

Black, D. M., Cummings, S. R., Karpf, D. B., Cauley, J. A., Thompson, D. E., Nevitt, M. C., Bauer, D. C., Genant, H. K., Haskell, W. L., Marcus, R., Ott, S. M., Torner, J. C., Quandt, S. A., Reiss, T. F. y Ensrud, K. E., "Randomized trial of effect of alendronate on the risk of fracture in women with existing vertebral fractures", *Lancet*, núm. 348, 1996, pp. 1535-1541.

Boivin, M., Flourie, B., Rizza, R. A., Go, V. L. y DiMagno, E. P., "Gastrointestinal and metabolic effects of amylase inhibition in diabetics", *Gastroenterology*, núm. 94, 1988, pp. 387-394.

— Zinsmeister, A. R., Go, V. L. y DiMagno, E. P., "Effect of a purified amylase inhibitor on carbohydrate metabolism after a mixed meal in healthy humans", *Mayo Clinic Proceedings*, núm. 62, 1987, pp. 249-255.

Bo-Linn, G. W., Santa Ana, C. A., Morawski, S. G. y Fordtran, J. S., "Starch Blockers-their effect on calorie absorption from a high-starch meal", *New England Journal of Medicine*, núm. 307, 1982, pp. 1413-1416.

Bone health and osteoporosis: a report of the Surgeon General (2004). U. S. Department of Health and Human Services, Washington, DC, 2004. Leído el 8 de junio de 2005 en http://www surgeongeneral. gov/library/bonehealth/content. html

Brugge, W. R. y Rosenfeld, M. S., "Impairment of starch absorption by a potent amylase inhibitor", *American Journal of Gastroenterology*, núm. 82, 1987, pp. 718-722.

Calomme, M., Geusens, P., Demeester, N., Behets, G. J., D'Haese, P., Sindambiwe, J. B., Van Hoof, V. y Vanden Berghe, D., "Partial prevention of long-term femoral bone loss in aged ovariectomized rats supplemented with choline-stabilized orthosilicic acid", *Calcified Tissue International*, núm. 78 (4), 2006, pp. 227-232.

Carlson, G. L., Li, B. U., Bass, P. y Olsen, W. A., "A bean alpha-amylase inhibitor formulation (starch blocker), is ineffective in man", *Science*, núm. 219, 1983, pp. 393-395.

Cederholm, T. y Hedstrom, M., "Nutritional treatment of bone fracture", *Current Opinion in Clinical Nutrition and Metabolic Care*, núm. 8 (4), 2005, pp. 377-381.

Chapuy, M. C., Arlot, M. E., Duboeuf, F., Brun, J., Crouzet, B., Arnaud, S., Delmas, P. D. y Meunier, P. J., "Vitamin D3 and calcium to prevent hip fractures in elderly women", *New England Journal of Medicine*, núm. 327, 1992, pp. 1637-1642.

Cummings, S. R. y Melton, U. tercero, "Epidemiology and outcomes of osteoporotic fractures", *Lancet*, núm. 359 (9319), 2002, pp. 1761-1767.

Dawson-Hughes, B., Dallal, G. E., Krall, E. A., Harris, S., Sokoll, L. J. y Falconer, G., "Effect of vitamin D supplementation on wintertime and overall bone loss in healthy post-menopausal women", *Annals of Internal Medicine*, núm. 115 (7), 1991, pp. 505-512.

— Harris, S. S., Krall, E. A. y Dallal, G. E., "Effect of calcium and vitamin D supplementation on bone density in men and women 65 years of age or older", *New England Journal of Medicine*, núm. 337 (10), 1997, pp. 670-676.

— Harris, S. S., Krall, E. A. y Dallal, G. E., "Effect of withdrawal of calcium and vitamin D supplements on bone mass in elderly men and women", *American Journal of Clinical Nutrition*, núm. 72 (3), 2000, pp. 745-750.

Dawson-Hughes, B., Harris, S. S., Krall, E. A., Dallal, G. E., Falconer, G. y Green, C. L., "Rates of bone loss in postmenopausal women randomly assigned to one of two dosages of vitamin", *American Journal of Clinical Nutrition*, núm. 61 (5), 1995, pp. 1140-1145.

Di Daniele, N., Carbonelli, M. G., Candeloro, N., Iacopino, L., De Lorenzo, A. y Andreoli, A., "Effect of supplementation of calcium and vitamin D on bone mineral density and bone mineral content in pen- and post-menopause women; a double-blind, randomized, controlled trial", *Pharmacological Research*, núm. 50 (6), 2004, pp. 637-641.

Elliott, W. J., "Clinical features in the management of selected hypertensive emergencies", *Progress in Cardiovascular Diseases*, núm. 48 (5), 2006, pp. 316-325.

Englyst, H. N., Veenstra, J. y Hudson, G. J., "Measurement of rapidly available glucose in plant foods: a potential in vitro predictor of the glycaemic response", *Journal of Nutrition*, núm. 75 (3), 1996, pp. 327-337.

Ettinger, B., Black, D. M., Mitlak, B. H., Knickerbocker, R. K., Nickelsen, T., Genant, H. K., Chistiansen, C., Delmas, P. D., Zanchetta, J. R., Stakkestad, J., Gluer, C. C., Krueger, K., Cohen, F. J., Eckert, S., Ensrud, K. E., Avioli, L. V., Lips, P. y Cummings, S. R., "Reduction of vertebral fracture risk in postmenopausal women with osteoporosis treated with raloxifene: results from a 3-year randomized clinical trial", *JAMA*, núm. 282, 1999, pp. 637-645.

Garrow, J. S., Scott, P. F., Heels, S., Nair, K. S. y Halliday, D., "A study of 'starch Blockers' in man using 13C-enriched starch as a tracer", *Human Nutrition Clinical Nutrition*, núm. 37, 1983, pp. 301-305.

Gillespie, W. J., Avenell, A., Henry, D. A., O'Connell, D. L. y Robertson, J., "Vitamin D and D analogues for preventing fractures associated with involutional an menopausal osteoporosis", *Cochrane Database of Systematic Reviews*, núm. 1, 2001, CD000227.

Glerup, H., Mikkelsen, K., Poulsen, L., Hass, E., Overbeck, S., Thomsen, J., Charles, P. y Eriksen, E. F., "Commonly recommended daily intake of vitamin D is not sufficient if sun light exposure is limited", *Journal of Internal Medicine*, núm. 247 (2), 2000, pp. 260-268.

Gordon-Larsen, P., McMurray, R. G. y Popkin, B. M., "Adolescent physical activity an inactivity vary by ethnicity: The National Longitudinal Study of Adolescent Health", *Journal of Pediatrics*, núm. 135 (3), 1999, pp. 301-306.

Granfeldt, Y., Drews, A. y Bjorck, I., "Arepas made from high amylose cornflour produce favorably low glucose and insulin responses in healthy humans", *Journal of Nutrition*, núm. 125 (5), 1995, pp. 459-465.

Grant, A. M., Avenell, A., Campbell, M. K., McDonald, A. M., MacLennan, G. S., McPherson, G. C., Anderson, F. H., Cooper, C., Francis, R. M., Donaldson, C., Gillespie, W. J., Robinson, C. M., Torgerson, D. J., Wallace, W. A. y RECORD Trial Group, "Oral vitamin D5 and calcium for secondary prevention of low-trauma fractures in elderly people (Randomised Evaluation of Calcium Or vitamin D, RECORD): a randomised placebo-controlled trial", *Lancet*, núm. 565 (162) 2005, pp. 1-28; publicación electrónica 28 de abril de 2005.

Green, K. H., Wong, S. C. y Weiler, H. A., "The effect of dietary n-S long-chain polyui rated fatty acids on femur mineral density and biomarkers of bone me lism in healthy diabetic and dietary-restricted growing rats", *Prostaglandis Leukotrienes, and Essential Fatty Acids*, núm. 71 (2), 2004, pp. 121-130.

Guerrero-Romero, F. y Rodriguez-Moran, M., "Hypomagnesemia, oxidative stress, inflammation, and metabolic syndrome", *Diabetes Metab Res Rev*, abril 5 de 2006.

Harrington, J. T., Broy, S. B., Derosa, A. M., Licata, A. A. y Shewmon, D. A., "Hip fracture pat are not treated for osteoporosis: a call to action", *Arthritis and Rheumatism*, núm. 47 (6), 2002, pp. 651-654.

Harris, S. T., Watts, N. B., Genant, H. R., McKeever, C. D., Hangartner, T., Keller, M., Chesnut, C. H., tercero; Brown, J., Eriksen, F. E., Hoseyni, M. S., Axelrod, D. W. y Miller, P. D., "Effects of risedronate treatment on vertebral and nonvertebral fractures in women with postmenopausal osteoporosis: a randomized controlled trial", *JAMA*, núm. 282, 1999, pp. 1344-1352.

Heaney, R. P., "Nutritional factors in osteoporosis", *Annual Review of Nutrition*, núm. 13, 1995, pp. 287-316.

—— "Thinking straight about calcium", *New England Journal of Medicin*, núm. 528, 1995, pp. 503-505.

Higgins, J. A., "Resistant starch: metabolic effects and potential health benefits", *Journal of AOAC International*, núm. 87 (5), 2004, pp. 761-68, arbitrado.

Higgins, J. A., Higbee, D. R., Donahoo, W. T., Brown, I. L., Bell, M. L. y Bessesen, D. H., "Resistant starch consumption promotes lipid oxidation", *Nutrition & Metabolism*, núm. 1 (1), London, 2004, p. 8.

Hollenbeck, C. B., Coulston, A. M., Quan, R., Becker, T. R., Vreman, H. J., Stevenson, D. K. y Reaven, G. M., "Effects of a commercial starch Blocker preparation on carbohydrate digestion and absorption: in vivo and in vitro studies", *American Journal of Clinical Nutrition*, núm. 58, 1985, pp. 498-505.

Hollis, B.W. y Wagner, C. L., "Assessment of dietary vitamin D requirements during pregnancy and lactation", *American Journal of Clinical Nutrition*, núm. 79 (5), 2004. pp. 717-726, arbitrado.

Holt, P. R., Thea, D.,Yang, M. Y. y Kotler, D.P., "Intestinal and metabolic responses to an alpha-glucosidase inhibitor in normal volunteers", *Metabolism*, núm. 57, 1988, pp. 1163-1170.

Hunter, D., Major, I., Arden, N., Swaminathan, R., Andrew, T., MacGregor, A. J., Keen, R., Snieder, H. y Spector, T. D., "A randomized controlled trial of vitamin D supplementation on preventing postmenopausal bone loss and modifying bone metabolism using identical twin pairs", *Journal of Bone and Mineral Research*, núm. 15, 2000, pp. 2276-2283.

Imada, Y., Yoshioka, S., Ueda, T., Katayama, S., Kuno, Y. y Kawahara, R., "Relationships between serum magnesium levels and clinical background factors in patients with mood disorders", *Psychiatry and Clinical Neurosciences*, núm. 56 (5), 2002, pp. 509-514,

Kendall, C. W., Emam, A., Augustín, L. S. y Jenkins, D. J., "Resistant starches and health" *Journal of AOAC International*, núm. 87 (3), 2004, pp. 769-774.

Konishi, M., "Cell membrane transport of magnesium", *Clinical Calcium*, núm. 15 (2), 2005, pp. 233-238, edición en japonés.

Korotkova, M., Ohlsson, C., Hanson, L. A. y Strandvik, B., "Dietary n-6:n-3 fatty acid ratio in the perinatal period affects bone parameters in adult female rats", *British Journal of Nutrition*, núm. 92 (4), 2004, pp. 643-638.

Krall, E. A., Sahyoun, N., Tannenbaum, S., Dallal, G. E. y Dawson-Hughes, B., "Effect of vitamin D intake on seasonal variations in parathyroid hormone secretion in post-menopausal women", *New England Journal of Medicine*, núm. 321 (26), 1989, pp. 1777-1783.

Lankisch, M., Layer, P., Rizza, R. A. y DiMagno, E. P., "Acute postprandial gastrointestinal metabolic effects of wheat amylase inhibitor (WAI), in normal, obese, and diabetic humans", *Pancreas*, núm. 17 (2), 1998, pp. 176-181

LeBoff, M. S., Kohlmeier, L., Hurwitz, S., Franklin, J., Wright, J. y Glowacki, J., "Occult vitamin D deficiency in postmenopausal US women with acute hip fracture: a population base study", *JAMA*, núm. 281 (16), 1999, pp. 1505-1511.

Leibson, C. L., Tosteson, A. N., Gabriel, S. E., Ransom, J. E. y Melton, L. J., "Mortality disability and nursing home use for persons with and without hip fracture: a population based study", *Journal of the American Geriatrics Society*, núm. 50 (10), 2002, pp. 1644-1650.

Lindsay, R. y Meunier, P. J., "Osteoporosis: review of the evidence for prevention, diagnosis, and treatment and cost-effectiveness analysis", *Osteoporosis International*, núm. 8 (suppl 14), 1998, pp. S1-S588.

Lips, P., Graafmans, W.C., Ooms, M. E., et ál, "Vitamin D supplementation and fracture incidence in elderly persons. A randomized, placebo-controlled clinical trial", *Annals of Internal Medicine*, núm. 124, 1996, pp. 400-406.

Mazur, A., Maier, J. A., Rock, E., Gueux, E., Nowacki, W. y Rayssiguier, Y., "Magnesium and the inflammatory response: Potential physiopathological implications", *Archives of Biochemistry and Biophysics*, 2006, publicación electrónica anterior a imprenta.

McKenna, M. y Freany, R., "Secondary hyperparathyrodism in the elderly; means to defining hypovitaminosis D", *Osteoporosis International*, 1998, núm. 8 (suppl 2), pp. S5-S6.

Meier, C., Woitge, H. W., Witte, K., Lemmer, B. y Seibel, M. J., "Supplementation with oral vitamin D3 and calcium during winter prevents seasonal bone loss: a randomized controlled open-label prospective trial", *Journal of Bone and Mineral Research*, núm, 19 (8), 2004, pp. 1221-1230.

Mein, A. L., Wilske, J., Ringertz, H. y Saaf, M., "Vitamin D status, parathyroid function and femoral bone density in an elderly Swedish population living at home", *Aging (Milan, Italy)*, núm. 11 (3), 1999, pp. 200-207.

Mihara, M., Inoue, D. y Matsumoto, T., "Vitamin D and its derivatives as antiosteoporotic drugs", *Clinical Calcium*, núm., 15 (4), 2005, pp. 597-604, edición en japonés.

Mitrou, P. N., Albanes, D., Pietinen, P., et al., "Intakes of calcium, dairy products, and prostate cancer risk in the ATBC Study Abstract # 3688, Panagiota Mitrou", National Cancer Institute, Bethesda, MD. Poster Session B, 5:15 pp. m., 01/11/05. Leído en línea el 19/11/05, en http://researchfestival.nih.gov/search.taf?_function=detailt_Posters_uid185

Murck, H., "Magnesium and affective disorders", *Nutritional Neuroscience*, núm. 5 (6), 2002, pp. 375-389.

Nair, R. R. y Nair, P., "Alteration of myocardial mechanics in marginal magnesium deficiency", *Magnesium Research*, núm. 15 (3-4), 2002, pp. 287-306.

National Osteoporosis Foundation, "America's bone health: the state of osteoporosis and low bone mass in our nation", National Osteoporosis Foundation, Washington, 2002.

— "Pocket guide to the prevention and treatment of osteoporosis", National Osteoporosis Foundation, Washington, 1998, p. 8.

Nieves, J. W., "Osteoporosis: the role of micronutrients" *American Journal of Clinical Nutrihon*, núm. 81 (5), 2005, pp. 1232S-1239S.

Reginster, J. Y., "The high prevalence of inadequate serum vitamin D levels and implications for bone health", *Current Medical Research and Opinion*, núm. 21 (4), 2005, pp. 579-586.

Reid, I. R., Ames, R. W., Evans, M. C., Gamble, G. D. y Sharpe, S. J., "Effect of calcium supplementation on bone loss in postmenopausal women", *New England Journal of Medicine*, núm. 328, 1993, pp. 460-464.

— Ames, R. W., Evans, M. C., Gamble, G. D. y Sharpe, S. J., "Long-term effects of calcium supplementation on bone loss and fractures in postmenopausal women: a randomized controlled trial", *American Journal of Medicine*, núm. 98, 1995, pp. 331-335.

Report of the Surgeon General's workshop on osteoporosis and bone health; 13/12/02. U. S. Department of Health and Human Services, Washington, 2005. http://www surgeongeneral.gov/topics/bonehealth/.

Richmond, J., Aharonoff, G. B., Zuckerman, I. D. y Koval, K. J., "Mortality risk after hip fracture", *Journal of Orthopaedic Trauma*, núm. 17 (supl. 8), 2003, pp. S2-S5.

Riggs, B. L. y Melton, L. J., tercero, "The world wide problem of osteoporosis: insights afforded by epidemiology", *Bone*, núm. 17 (supl. 5), 1995, pp. 505S-511S.

Riis, B., Thomsen, K. y Christiansen, C., "Does calcium supplementation prevent post-menopausal bone loss? A double-blind, controlled clinical study", *New England Journal of Medicine*, núm. 316, 1987, pp. 173-177.

Robertson, M. D., Currie, J. M., Morgan, L. M., Jewell, D. P. y Frayn, K. N., "Prior short-term consumption of resistant starch enhances postprandial insulin sensitivity in healthy subjects", *Diabetologia*, núm. 46 (5), 2003, pp. 659-665.

Rosanoff, A., "Magnesium and hypertension", *Clinical Calcium*, núm. 15 (2), 2005, pp. 255-260.

Salkeld, G., Cameron, I. D., Cumming, R. G., Easter, S., Seymour, I., Kurrle, S. E. y Quine, S., "Quality of life related to fear of falling and hip fracture in older women: a time trade off study", *BMJ*, núm. 320 (7231), 2000, pp. 341-346.

Sato, Y., Asoh, T., Kondo, I. y Satoh, K., "Vitamin D deficiency and risk of hip fractures among disabled elderly stroke patients", *Stroke*, núm. 32, 2001, pp. 1673-1677.

Schiller, J. S., Coriaty-Nelson, Z. y Barnes, P., "Early release of selected estimates based on data from the 2005 National Health Interview Survey National Center for Health Statistics, Hyattsville", *MD*, 2004. Leído en http://wwwcdc.gov/nchs/about/mnajor/nhis/released2004O6.htm.

Schindler, C., Dobrev, D., Grossmann, M., Francke, K., Pittrow, D. y Kirch, W., "Mechanisms of beta-adrenergic receptor-mediated venodilation in humans", *Clinical Pharmacology and Therapeutics*, núm 75 (1), 2004, pp. 49-59.

Shimosawa, T. y Fujita, T., "Magnesium and N-type calcium channel", *Clinical Calcium*, núm. 15 (2), 2005, pp. 239-244, edición en japonés.

Sontia, B. y Touyz, R. M., "Role of magnesium in hypertension", *Archives of Biochemistry and Biophysics*, 24 de mayo de 2006, en imprenta.

Steingrimsdottir, L., Gunnarsson, O., Indridason, O. S., Franzson, L. y Sigurdsson, G., "Relalationship between serum parathyroid hormone levels, vitamin D sufficiency and calcium intake", *JAMA*, núm. 294 (18), 2005, pp. 2336-2341.

Sun, L., Tamaki, H., Ishimaru, T., Teruya, T., Ohta, Y., Katsuyama, N. y Chinen, I., " Inhibition of osteoporosis due to restricted food intake by the fish oils DHA and EPA and perilla oil in the rat", *Bioscience, Biotechnology, and Biochemistry*, núm. 68 (12), 2004, pp. 2613-2615.

Thomas, M. K., Lloyd-Jones, D. M., Thadhani, K., Shaw, A. C., Deraska, D. J., Kitch, B. T., Vamvakas, E., Dick, I. M., Prince, R. L. y Finkeistein, J. S., "Hypovitaminosis D in medical inpatients", *New England Journal of Medicine*, núm. 338 (12), 1998, pp. 777-783.

Tilyard, M. W., Spears, G. F. S., Thomson, J. y Dovey, S., "Treatment of postmenopausal osteoporosis with calcitriol or calcium", *New England Journal of Medicine*, núm. 326, 1992, pp. 357-362.

Udani, J., Hardy, M. y Madsen, D. C., "Blocking carbohydrate absorption and weight loss: a clinical trial using phase 2 brand proprietary fractionated white bean extract", *Alternative Medicine Review*, núm. 9 (1), 2004, pp. 63-69.

Watkins, B. A., Li, Y. y Seifert, M. F., "Dietary ratio of n-6/n-3 PUFAs and docosahexaenoic acid: actions on bone mineral and serum biomarkers in ovariectomized rats", *Journal of Nutritional Biochemistry*, núm. 17 (4), 2006, pp. 282-289.

Webb, A. R., Pilbeam, C., Hanafin, N. y Holick, M. E., "An evaluation of the relative contributions of exposure to sunlight and of diet to the circulating concentrations of 25-hydroxyvitamin D in an elderly nursing home population in Boston", *American Journal of Clinical Nutrition*, núm. 51 (6), 1990, pp. 1075-1081.

Weiss, L. A., Barrett-Connor, E. y von Muhlen, D., "Ratio of n-6 to n-3 fatty acids and bone mineral density in older adults: the Rancho Bernardo Study", *American Journal of Clinical Nutrition*, núm. 81 (4), 2005, pp. 934-938.

Wortsman, J., Matsuoka, L. Y., Chen, T. C., Lu, Z. y Holick, M. F., "Decreased bioavailability of vitamin D in obesity", *American Journal of Clinical Nutrition*, núm. 72 (3), 2000, pp. 690-693; errata en: *American Journal of Clinical Nutrition*, 2003, núm. 77 (5), p. 1342.

Wright, J. D., Wang, C. Y., Kennedy-Stevenson, J. y Ervin, R. B., "Dietary intakes of ten key nutrients for public health, United States: 1999-2000; anticipo de datos, núm. 354, 2005, p. 104.

Zingmond, D. S., Melton, L. J. tercero, y Silverman, S. L., "Increasing hip fracture incidence in California Hispanics, 1983 to 2000", *Osteoporosis International*, núm. 15 (8), 2004, pp. 603-610.

Capítulo 4

Aggarwal, B. B., Kumar, A. y Bharti, A. C., "Anticancer potential of curcumin: preclinical and clinical studies", *Anticancer Research*, núm. 23 (1A), 2003, pp. 363-398.

— y Shishodia, S., "Suppression of the nuclear factor-kappaB activation pathway by spice-derived phytochemicals: reasoning for seasoning", *Annals of the New York Academy of Science*, núm. 1030, 2004, pp. 434-441.

Aggarwal, S., Ichikawa, H., Takada, Y., Sandur, S. K., Shishodia, S. y Aggarwal, B. B., "Curcumin (diferuloylmethane), down-regulates expression of cell proliferation and antiapoptotic and metastatic gene products through suppression of IkappaBalpha kinase and Akt activation", *Molecular Pharmacology*, núm. 69 (1), 2006, pp. 195-206.

Alkadhi, K. A., "Endplate channel actions of a hemicholinium-3 analog, DMAE", *NaunynSchmiedeberg's Archives of Pharmacology*, núm. 332 (3), 1986, pp. 230-235.

Álvaro, D., Cantafora, A., Gandin, C., Masella, R., Santini, M. T. y Angélico, M., "Selective hepatic enrichment of polyunsaturated phosphatidylcholines after intravenous administration of dimethylethanolamine in the rat", *Biochimica et Biophysica Acta*, núm. 1006 (1), 1989, pp. 116-120.

Anderson, R. A., Broadhurst, C. L., Polansky, M. M., Schmidt, W. F., Khan, A., Flanagan, V. P., Schoene, N. W., Graves, D. J., "Isolation and characterization of polyphenol type-A polymers from cinnamon with insulin-like biological activity", *Journal of Agricultural and Food Chemistry*, núm. 52 (1), 2004, pp. 65-70.

Arafa, H. M., "Curcumin attenuates diet-induced hypercholesterolemia", *Medical Science Monitor*, núm. 11 (7), 2005, pp. BR228-BR234.

Anon, V. Y., Zimina, I. V. y Lopuchin, Y. M., "Contemporary views on the nature and clinical application of thymus preparations", *Russian Journal of Immunology*, núm. 2 (3-4), 1997, pp. 157-166.

Association of Early Childhood Educators, Ontario, Canada, "The importance of touch for children", leído en agosto de 1997 en http://collections.ic.gc.ca/child/docs/00000949.htm.

Balasubramaniam, A., "Clinical potentials of neuropeptide Y family of hormones", *American Journal of Surgen*, núm. 183 (4), 2002, pp. 430-434.

Ben-Efraim, S., Keisari, Y., Ophir, R., Pecht, M., Trainin, N. y Burstein Y., "Immunopotentiating and immunotherapeutic effects of thyrnic hormones and factors with special emphasis on thyrnic humoral factor THF-gamma2", *Critical Reviews in Immunology*, núm. 19 (4), 1999, pp. 261-284.

Berczi, I., Chalmers, I. M., Nagy, E. y Warnington, R. J., "The immune effects of neuropeptides", *Baillère's Clinical Rheumatology*, núm. 10 (2), 1996, pp. 227-257.

Bharti, A. C., Donato, N., Singh, S. y Aggarwal, B. B., "Curcumin (diferuloylmethane), down-regulates the constitutive activation of nuclear factor-kappa B and IkappaBalpha kinase in human multiple myeloma cells, leading to suppression of proliferation and induction of apoptosis", *Blood*, núm. 101 (3), 2003, pp. 1053-1062.

Bierhaus, A., Chevion, S., Chevion, M., Hofmann, M., Quehenberger, P., Illmer, T., Luther, T., Berentshtein, E., Tritschler, H., Muller, M., Wahl, P., Ziegler, R. y Nawroth, P. P., "Advanced glycation end product-induced activation of NF-kappaB is suppressed by alphalipoic acid in cultured endothelial cells", *Diabetes*, núm. 46 (9), 1997, pp. 1481-1490.

Bissett, D. L., Chatterjee, K. y Hannon, D. P., "Photoprotective effect of superoxidescavenging antioxidants against ultraviolet radiation-induced chronic skin damage in the hairless mouse", *Photodermatology, Photoimmunology & Photomedicine*, núm. 7 (2), 1990, pp. 56-62.

Black, P. H., "Stress and the inflammatory response: a review of neurogenic inflammation", *Brain, Behavior and Immunity*, núm. 16 (6), 2002, pp. 622-653.

Bodey, B., "Thymic hormones in cancer diagnostics and treatment", *Expert Opinion on Biological Therapy*, núm 1 (1), 2001, pp. 93-107.

— Bodey, B. Jr., Siegel, S. E. y Kaiser, H. E., "Review of thyrnic hormones in cancer diagnosis and treatment", *International Journal of Immunopharmacology*, núm. 22 (4), 2000, pp. 261-173.

Bozin, B., Mimica-Dukic, N., Simm, N. y Anackov, G., "Characterization of the volatile composition of essential oils of some lamiaceae spices and the antimicrobial and antioxidant activities of the entire oils", *Journal of Agricultural and Food Chemistry*, núm. 54 (5), 2006, pp. 1822-1828.

Broadhurst, C. L., Polansky, M. M. y Anderson, R. A., "Insulin-like biological activity of culinary and medicinal plant aqueous extracts in vitro", *Journal of Agricultural and Food Chemistry*", núm. 48 (3), 2000, pp. 849-852.

Brouet, I. y Ohshima, H., "Curcumin, an anti-tumour promoter and anti-inflammatory agent, inhibits induction of nitric oxide synthase in activated macrophages", *Biochemical and Biophysical Research Communications*, núm. 206 (2), 1995, pp. 533-540.

Cakatay, U., Telci, A., Kayali, R., Sivas, A. y Akcay, T., "Effect of alpha-lipoic acid supplementation on oxidative protein damage in the streptozotocin-diabetic rat", *Research in Experimental Medicine (Berlin)*, núm. 199 (4), 2000, pp. 243-251.

Calabrese, V., Scapagnini, G., Colombrita, C., Ravagna, A., Pennisi, G., Giuffrida Stella, A. M., Galli, F. y Butterfield, D. A., "Redox regulation of heat shock protein expression in aging and neurodegenerative disorders associated with oxidative stress: a nutritional approach", *Amino Acids*, núm. 25 (3-4), 2003, pp. 437-444.

Chainani-Wu, N., "Safety and anti-inflammatory activity of curcumin: a component of turmeric" (*Curcuma longa*). *Journal of Alternative and Complementary Medicine*, núm. 9 (1), 2003, pp. 161-168.

Chan, M. M., Huang, H. I., Fenton, M. R. y Fong, D., "In vivo inhibition of nitric oxide synthase gene expression by curcumin, a cancer preventive natural product with anti-inflammatory properties", *Biochemical Pharmacology*, núm. 55 (12), 1998, pp. 1955-1962.

— "Inhibition of tumor necrosis factor by curcumin, a phytochemical", *Biochemical Pharmacology*, núm. 49 (11), 1995, pp. 1551-1156.

Chauhan, D. P., "Chemotherapeutic potential of curcumin for colorectal cancer", *Current Pharmaceutical Design*, núm. 8 (19), 2002, pp. 1695-1706.

Cole, A. C., Gisoldi, E. M. y Grossman, R. M., "Clinical and consumer evaluations of improved facial appearance after 1 month use of topical dimethylaminoethanol", Poster presentation, American Academy of Dermatology, Nuevo Orleans, 22 de febrero de 2002.

Colven, R. M. y Pinnell, S. R., "Topical vitamin C in aging", *Clinical Dermatology*, núm. 14 (2), 1996, pp. 227-234.

Conceicao de Oliveira, M., Sichieri, R. y Sánchez Moura, A., "Weight loss associated with a daily intake of three apples or three pears among overweight women" *Nutrition*, núm. 19 (3), 2003, pp. 253-256.

Conney, A. H., Lysz, I., Ferraro, T., Abidi, T. I., Manchand P. S., Laskin, J. D. y Huang, M. T., "Inhibitory effect of curcumin and some related dietary compounds on tumor promotion and arachidonic acid metabolism in mouse skin", *Advances in Enzyme Regulation*, núm. 31, 1991, pp. 385-396, arbitrado.

Datar, P., Srivastava, S., Coutinho, E. y Govil, G., "Substance P: structure, function, and therapeutics", *Current Topics in Medicinal Chemistry*, núm. 4 (1), 2004, pp. 75-103, arbitrado.

Davis, T. E. y Konings, P. N., "Peptidases in the CNS: formation of biologically active, receptor-specific peptide fragments", *Critical Reviews in Neurobiology*, núm. 7 (3-4), 1993, pp. 163-174.

Deodhar, S. D., "Preliminary studies on anti-rheumatic activity of curcumin" *Indian Journal of Medical Research*, núm. 71, 1980, pp. 632-634.

Ding, M., Lu, Y., Bowman, L., Huang, C., Leonard, S., Wang, L., Vallyathan, V., Castranova, V. y Shi, X., "Inhibition of AP-1 and neoplastic transformation by fresh apple peel extract" *Journal of Biological Chemistry*, núm. 12; 279 (11), 2004, pp. 10670-10676.

Dorai, T., Cao, Y. C., Dorai B., Buttyan R. y Katz A. E., "Therapeutic potential of curcumin in human prostate cancer. III. Curcumin inhibits proliferation, induces apoptosis, and inhibits angiogenesis of LNCaP prostate cancer cells in vivo", *Prostate*, núm. 47 (4), 2001, pp. 293-303.

Duvoix, A., Blasius, R., Delhalle, S., Schnekenburger, M., Morceau, F., Henry, E., Dicato, M. y Diederich, M., "Chemopreventive and therapeutic effects of curcumin", *Cancer Letters*, núm. 223 (2), 2005, pp. 181-190.

— Morceau, E., Delhalle, S., Schmitz, M., Schnekenburger, M., Galteau, M. M., Dicato, M. y Diederich, M., "Induction of apoptosis by curcumin: mediation by glutathione S-transferase P1-1 inhibition, "*Biochemical Pharmacology*", núm. 66 (8), 2003, pp. 1475-1483.

Eberlein-Konig, B., Placzek, M. y Przybilla, B., "Phototoxic lysis of erythrocytes from humans is reduced after oral intake of ascorbic acid and D-alpha-tocopherol", *Photodermatology, Photoimmunology & Photomedicine*, núm. 13 (5-6), 1997,pp. 173-177.

— Placzek, M. y Przybilla, B., "Protective effect against sunburn of combined systemic ascorbic acid (vitamin C), and D-alpha-tocopherol (vitamin E)", *Journal of the American Academy of Dermatology*, núm. 38 (1), 1998, pp. 45-48.

Evans, J. L. y Goldfine, I. D., "Alpha-lipoic acid: a multifunctional antioxidant that improves insulin sensitivity in patients with type 2 diabetes", *Diabetes Technology & Therapeutics*, núm. 2 (3), 2000, pp. 401-413, arbitrado.

Friedman, M. J., "What might the psychobiology of posttraumatic stress disorder teach us about future approaches to pharmacotherapy?", *Journal of Clinical Psychiatry*, núm. 61 (supl. 7), 2000, pp. 44-51.

Frucht-Pery, J., Feldman, S. T. y Brown, S. I., "The use of capsaicin in herpes zoster ophthalmicus neuralgia", *Acta Ophthalmologica Scandinavica*, núm. 75 (3), 1997, pp. 311-313.

Fuchs, J. y Kern, H., "Modulation of UV-light-induced skin inflammation by o-alphatocopherol and L-ascorbic acid: a clinical study using solar simulated radiation" *Free Radical Biology & Medicine*, núm. 25 (9), 1998, pp. 1006-1012.

— y Milbradt, R., "Antioxidant inhibition of skin inflammation induced by reactive oxidants: evaluation of the redox couple dihydrolipoate/lipoate", *Skin Pharmacology and Medicine*, núm. 7 (5), 1994, pp. 278-284.

Galli, L., de Martino, M., Azzari, C., Bernardini, R., Cozza, G., de Marco, A., Lucarini D., Sabatini, C. y Vierucci A., "Preventive effect of thymomodulin in recurrent respiratory infections in children", *La Pediatria Medico e Chirurgica*, núm. 12 (3), 1990, pp. 229-232, edición en italiano.

Gambert, S. R., Garthwaite, T. L., Pontzer, C. R., Cook, E. E., Tristani, F. E., Duthie, E. H., Martinson, D. R., Ragen, T. C. y McCarty, D. J., "Running elevates plasma beta-endorphir munoreactivity and ACTH in untrained human subjects" *Proceedings of the for Experimental Biology and Medicine*, núm. 168 (1), 1981, pp. 1-4.

Geenen, V., Kecha, O., Brilot, F., Hansenne, I., Renard, C. y Martens, H., "Thymic T-cell toleranance of neuroendocrine functions: physiology and pathophysiology", *Cellular and Molecular Biology (Noisy-le Grand, France)*, núm. 47 (1), 2001, pp. 179-188.

Geesin, J. C., Gordon, J. S. y Berg, R. A., "Regulation of collagen synthesis in human dermal fibroblasts by the sodium and magnesium salts of ascorbyl-2-phosphate", *Skin Pharmacology and Medicine*, núm. 6(1), 1993, pp. 65-71.

Gianoulakis, C., "Implications of endogenous opioids and dopamine in alcoholism: human and basic science studies", *Alcohol and Alcoholism Supplement*, núm. 1, 1996, pp. 33-42.

Goldberg, D.J. y Russell, B. A., "Combination blue (415 nm), and red (635 nm), LED phototherapy in the treatment of mild to severe acne vulgaris", *Journal of Cosmetic Laser Therapy*, núm. 8 (2), 2006, pp. 71-75.

Goldstein, A. L. y Badamchian, M., "Thymosins: chemistry and biological properties in health and disease", *Expert Opinion on Biological Therapy*, núm. 4 (4), 2004, pp. 559-575.

— Schulof, R. S., Naylor, P. H. y Hall, N. R., "Thymosins and anti-thymosins: properties and clinical applications", *Medical Oncology and Tumor Pharmacotherapy*, núm. 3 (3-4), 1986, pp. 211-221.

Goya, R. G., Console, G. M., Herenu, C. B., Brown, O. A. y Rimoldi, O. J., "Thymus and aging: potential of gene therapy for restoration of endocrine thymic function in Thymus-deficient animal models", *Gerontology*, núm. 48 (5), 2002, pp. 525-528.

Grossman, R. M., Gisoldi, E. M. y Cole, A. C., "Long term safety and efficacy evaluation of new skin firming technology: dimethylaminoethanol", poster presentation, American Academy of Dermatology, New Orleans, 2002.

Gutzwiller, J. P., Degen, L., Matzinger, D., Prestin, S. y Beglinger, C., "Interaction between GLP-1 and CCK33 in inhibiting food intake and appetite in men", *American Journal of Physiology Regulatory, Integrative and Comparative Physiology*, núm. 287 (3), 2004, pp. R562-567

Hagen, T. M., Liu, J., Lykkesfeldt, J., Wehr, C. M., Ingersoll, R. T., Vinarsky, V., Bartholomew, J. C. y Ames, B. N., "Feeding acetyl-L-carnitine and lipoic acid to old rats significantly improves metabolic function while decreasing oxidative stress", *Proceedings of the National Academy of the Sciences in the United States of America*, núm. 99 (4), 2002, pp. 1870-1875; errata en *Proceedings of the National Academy of the Sciences in the United States of America*, núm. 99 (10), 2002, p. 7184.

Han, D., Handelman, G., Marcocci, L., Sen, C. K., Roy, S., Kobuchi, H., Tritschler, H, J., Flohe, L. y Packer, L., "Lipoic acid increases de novo synthesis of cellular glutathione by improving cystine utilization", *Biofactors*, núm. 6 (5), 1997, pp. 521-538.

Han, S. S., Keum, Y. S., Seo, H. J. y Surh, Y. J., "Curcumin suppresses activation of NF-kappaB and AP-I induced by phorbol ester in cultured human promyelocytic leukemia cells", *Journal of Biochemistry and Molecular Biology*, núm. 55 (5), 2002, pp. 557-42.

Hill, A. J., Peikin, S.R., Ryan, C. A. y Blundell, J. E., "Oral administration of proteinase inhibitor II from potatoes reduces energy intake in man", *Physiology & Behavior*, núm. 48 (2), 1990, pp. 241-46.

Holmes, A., Heilig, M., Rupniak, N. M., Steckler, T. y Griebel, G, "Neuropeptide systems as novel therapeutic targets for depression and anxiety disorders", *Trends in Pharmacological Sciences*, núm. 24 (11) 2003, pp. 580-588.

Hughes, J., Kosterlitz, H. W. y Smith, T. W., "The distribution of methionine-enkephalin and leucine-enkephalin in the brain and peripheral tissues", *British Journal of Pharmacology*, núm. 120 (suppl 4), 1977, pp. 428-436, discusión, pp. 426-427.

Imparl-Radosevich, J., Deas, S., Polansky, M. M., Baedke, D. A., Ingebritsen, T. S., Anderson, R. A. y Graves, D. J., "Regulation of PTP-1 and insulin receptor kinase by fractions from cinnamon: implications for cinnamon regulation of insulin signaling" *Hormone Research*, núm. 50 (3), 1998, pp. 177-182.

Jarvill-Taylor, K. J., Anderson, R. A. y Graves, D. J., "A hydroxychalcone derived from cinnamon functions as a mimetic for insulin in 3T3-L1 adipocytes", *Journal of theAmerican College of Nutrition*, núm. 20 (4), 2001, pp. 327-36.

Jessop, D. S., Harbuz, M. S. y Lightman, S. L., "CRH in chronic inflammatory stress" *Peptides*, núm. 22 (5), 2001, pp. 803-807, arbitrado.

Jobin, C., Bradham, C. A., Russo, M. P., Juma, B., Narula, A. S., Brenner, D. A. y Sartor, R.

B., "Curcumin Blocks cytokine-mediated NF-kappa B activation and proinflammatory gene expression by inhibiting inhibitory factor I-kappa B kinase activity", *Journal of Immunology*, núm. 163 (6), 1999,pp. 3474-3483.

Kagan, V. E., Shvedova, A., Serbinova, E., Khan, S., Swanson, C., Powell, R. y Packer, L., "Dihydrolipoic acid-a universal antioxidant both in the membrane and in the aqueous phase. Reduction of peroxyl, ascorbyl and chromanoxyl radicals", *Biochemical Pharmacology*, núm. 44 (8), 1992, pp. 1637-1649.

Kang, G., Kong, P. J., Yuh, Y. J., Lim, S., Yim, S. V., Chun, W. y Kim, S. S., "Curcumin suppresses lipopolysaccharide-induced cyclooxygenase-2 expression by inhibiting activator protein 1 and nuclear factor kappaB bindings in BV2 microglial cells", *Journal of Pharmacological Sciences*, núm. 94 (3), 2004, pp. 325-328.

Karunagaran, D., Rashmi, R. y Kumar, T. R., "Induction of apoptosis by curcumin and its implications for cancer therapy", *Current Cancer Drug Targets*, núm. 5 (2), 2005, pp. 117-129.

Kastin, A. J., Zadina, J. E., Olson, R. D. y Banks, W. A., "The history of neuropeptide research: version 5. a", *Annals of the New York Academle of Science*, núm. 780, 1996, pp. 1-18, arbitrado.

Katsuno, M., Aihara, M., Kojima, M., Osuna, H., Hosoi, J., Nakamura, M., Toyoda, M., Matsuda, H. y Ikezawa, Z., "Neuropeptides concentrations in the skin of a murine (NC/Nga mice), model of atopic dermatitis", *Journal of Dermatological Science*, núm. 33 (1), 2003, pp. 55-65.

Kempaiah, R. K. y Srinivasan, K., "Beneficial influence of dietary curcumin, capsaicin and garlic on erythrocyte integrity in high-fat fed rats", *Journal of Nutritional Biochemistry*, 25 de octubre de 2005.

— y Srinivasan, K., "Influence of dietary spices on the fluidity of erythrocytes in hypercholesterolaemic rats", *British Journal of Nutrition*, núm. 93 (1), 2005, pp. 81-91.

Khan, A., Safdar, M., Ali Khan, M. M., Khattak, K. N. y Anderson B. A., "Cinnamon improves glucose and lipids of people with type 2 diabetes", *Diabetes Care*, núm. 26 (12), 2003, pp. 3215-3218.

Khavinson, V. Kh., "Peptides and Ageing", *Neuro Endocrinology Letters*, núm. 23 (supl. 3), 2002, pp. 11-14.

— y Morozov, V. G., "Peptides of pineal gland and thymus prolong human life", *Neuro Endocrinology Letters*, núm. 24 (3-4), 2003, pp. 233-240, arbitrado.

Khor, T. O., Keum, Y. S., Lin, W., Kim, J. H., Hu, R., Shen, G. y Xu, C., Gopalakrishnan, A., Reddy, B., Zheng, X., Conney, A. H., Kong, A. N., "Combined inhibitory effects of curcumin and phenethyl isothiocyanate on the growth of human PC-S prostate xenografts in immunodeficient mice", *Cancer Research*, núm. 66 (2), 2006, pp. 613-621.

Kocak, G., Aktan, E., Canbolat, O., Ozogul, C., Elbeg, S., Yildizoglu-Ari, N. y Karasu, C., "Alphalipoic acid treatment ameliorates metabolic parameters, blood pressure, vascular reactivity and morphology of vessels already damaged by streptozotocin-diabetes", *Diabetes, Nutrition & Metabolism*, núm. 13 (6), 2000, pp. 308-318.

Komarcevic, A., "The modern approach to wound treatment", *Medicinski Pregled*, núm. 53, (7-8), 2000, pp. 363-368, edición en croata; arbitrado.

Kosterlitz, H., Corbett, A. D. y Paterson, S. J., "Opioid receptors and ligands. NIDA", *Research Monograph*, núm. 95, 1989, pp. 159-166, arbitrado.

Kouttab, N. M., Prada, M. y Cazzola, P., "Thymomodulin: biological properties and clinical applications", *Medical Oncology and Tumor Pharmacotherapy*, núm. 6 (1), 1989, pp. 5-9, arbitrado.

Kramer, M. S., Winokur, A., Kelsey, J., Preskorn, S. H., Rothschild, A. J., Snavely, D., Ghosh, K., Ball, W. A., Reines, S. A., Munjack, D., Apter, J. T., Cunningham, L., Kling, M., Ban, M., Getson, A. y Lee, Y., "Demonstration of the efficacy and safety of a novel substance

P(NK1), receptor antagonist in major depression", *Neuropsychopharmacology*, núm. 29 (2), 2004, pp. 385-392.

Knshnaswamy, K. y Polasa, K., "Diet, nutrition & cancer-the Indian scenario" *Indian Journal of Medical Research*, núm. 102, 1995, pp. 200-209, arbitrado.

Kumar, A., García, G. E., Ghosh, R., Rajnarayanan, R. V., Alworth, W. L. y Slaga, T. J., "4-Hydroxy-3-methoxybenzoic acid methyl ester: a curcumin derivative targets Akt/NF kappa B cell survival signaling pathway: potential for prostate cancer management", *Neoplasia*, núm. 5 (3), 2003, pp. 255-266.

Kunt, T., Forst, T., Wilhelm, A., Tritschler, H., Pfuetzner, A., Harzer, O., Engelbach, M., Zschaebitz, A., Stofft, E. y Beyer, J., "Alpha-lipoic acid reduces expression of vascular cell adhesion molecule-1 and endothelial adhesion of human monocytes after stimulation with advanced glycation end products", *Clinical Science*, núm. 96 (1), London, 1999, pp. 75-82.

Lambert, J. D., Hong, J., Yang, G. Y., Liao, J. y Yang, C. S., "Inhibition of carcinogenesis by polyphenols: evidence from laboratory investigations", *American Journal of Clinical Nutrition*, núm. 81 (supl. 1), 2005, pp. 284S-291S, arbitrado.

Leu, T. H. y Maa, M. C., "The molecular mechanisms for the antitumorigenic effect of curcumin", *Current Medicinal Chemistry Anti-cancer Agents*, núm. 2 (3), 2002, pp. 357-370, arbitrado.

Li, L., Aggarwal, B. B., Shishodia, S., Abbruzzese, J. y Kurzrock, R., "Nuclear factor-kappaB and IkappaB kinase are constitutively active in human pancreatic cells, and their down-regulation by curcumin (diferuloylmethane), is associated sxith the suppression of proliferation and the induction of apoptosis", *Cancer*, núm. 101 (10), 2004, p. 2351-2362.

— Zhou, J. H., Xing, S. T. y Chen, Z. R., "Effect of thymic factor D on lipid peroxide, glutathione. and membrane fluidity in liver of aged rats", *Zhongguo Tao Li Xue Bao*, núm. 14 (4), 1993, pp. 382-384, edición en chino.

Liacini, A., Sylvester, J., Li, W. Q., Huang, W., Dehnade, F., Ahmad, M. y Zafarullah, M., "Induction of matrix metalloproteinase-13 gene expression by TNF-alpha is mediated by MAP kinases, AP-1, and NF-kappaB transcription factors in articular chondrocytes", *Experimental Cell Research*, núm. 288 (1), 2003, pp. 208-217.

Lim, G. P., Chu, T., Yang, F., Beech, W., Frautschy, S. A. y Cole, G. M., "The curry spice curcumin reduces oxidative damage and amyloid pathology in an Alzheimer transgenic mouse", *Journal of Neuroscience*, núm. 21 (21), 2001, pp. 8370-8377.

Lin, J. K. y Lin-Shiau, S. Y., "Mechanisms of cancer chemoprevention by curcumin", *Proceedings of the National Science Council, Republic of China. Part B, Life Science*", núm. 25 (2), 2001, pp. 59-66.

— Pan, M. H. y Lin-Shiau, S. Y., "Recent studies on the biofunctions and biotransformations of curcumin", *Biofactors*, núm. 13 (1-4), 2000, pp. 153-158.

Linetsky, M., James, H. L. y Ortwerth, B. J., "Spontaneous generation of superoxide anion by human lens proteins and by calf lens proteins ascorbylated in vitro", *Experimental Eye Research*, núm. 69 (2), 1999, pp. 239-248.

Liu, X. Y., Guo, F. L., Wu, L. M., Liu, Y. C. y Liu, Z. L., "Remarkable enhancement of antioxidant activity of vitamin C in an artificial bilayer by making it lipo-soluble", *Chemistry and Physics of Lipids*, núm. 83 (1), 1996, pp. 39-43.

Low, T. L. y Goldstein, A. L., "Thymosins: structure, function and therapeutic applications", *Thyinus*, núm. 6 (1-2), 1984, pp. 27-42, arbitrado.

Maiorano, V., Chianese, R., Fumarulo, R., Costantino, E., Contini, M., Carnimeo, R. y Cazzola, P., "Thymomodulin increases the depressed production of superoxide anion by alveolar macrophages in patients with chronic bronchitis", *International Journal of Tissue Reactions*, núm. 11 (1), 1989, pp. 21-25.

Mang, B., Wolters, M., Schmitt, B., Keib, K., Lichtinghagen, R., Stichtenoth, D. O. y Hahn,

A., "Effects of a cinnamon extract on plasma glucose, HbA, and serum lipids in diabetes mellitus type 2", *European Journal of Clinical Investigation*, núm. 36 (5), 2006, pp. 340-344.

Martin-Du-Pan, R. C., "Thymic hormones. Neuroendocrine interactions and clinical use in congenital and acquired immune deficiencies", *Annales d'endocrinologie*, núm. 45 (6), 1984, pp. 355-368, edición en francés.

Meihem, M. F., Craven, P. A. y Derubertis, F. R., "Effects of dietary supplementation of alpha-lipoic acid on early glomerular injury in diabetes mellitus", *Journal of theAmerican Society of Nephrology*, núm. 12 (1), 2001, pp. 124-133.

Melhem, M. F., Craven, P. A., Liachenko, J. y DeRubertis, F. R., "Alpha-lipoic acid attenuates hyperglycemia and prevents glomerular mesangial matrix expansion in diabetes", *Journal of the American Society of Nephrology*, núm. 13 (1), 2002, pp. 108-116.

Meyer, M., Pahl, H. L. y Baeuerle, P. A., "Regulation of the transcription factors NF-kappa B and AP-1 by redox changes", *Chemico-biological Interactions*, núm. 91 (2-3), 1994, pp. 91-100.

— Schreck, R. y Baeuerle, P. A., H_2O_2 and antioxidants have opposite effects on activation of NF-kappa B and AP-1 in intact cells: AP-1 as secondary antioxidant-responsive factor", *EMBO Journal*, núm. 12 (5), 1993, pp. 2005-2015.

Midaoui, A. E., Elimadi, A., Wu, L., Haddad, P. S. y de Champlain, J., "Lipoic acid prevents hypertension, hyperglycemia, and the increase in heart mitochondrial superoxide production", *American Journal of Hypertension*, núm. 16 (3), 2003, pp. 173-179.

Mohandas, K. M. y Desai, D. C., "Epidemiology of digestive tract cancers in India. V. Large and small bowel", *Indian Journal of Gastroenterology*, núm. 18 (3), 1999, pp. 118-121.

Mohandas, K. M. y Jagannath, P., "Epidemiology of digestive tract cancers in India. VI. Projected burden in the new millennium and the need for primary prevention", *Indian Journal of Gastroenterology*, núm. 19 (2), 2000, pp. 74-78.

Morgan, C. A. tercero, Wang, S., Southwick, S. M., Rasmusson, A., Hazlett, G., Hauger, R. L. y Charney, D. R., "Plasma neuropeptide-Y concentrations in humans exposed to military survival training", *Biological Psychiatry*, núm. 47 (10), 2000, pp. 902-909.

Nagy, I. y Floyd, R. A., "Electron spin resonance spectroscopic demonstration of the bydroxyl free radical scavenger properties of dimethylaminoethanol in spin trapping experiments confirming the molecular basis for the biological effects of centrophenoxine", *Archives of Gerontology and Geriatrics*, núm. 3 (4), 1984, pp. 297-310.

Nagy, I. y Nagy, K., "On the role of cross-linking of cellular proteins in aging", *Mechanisms of Ageing and Development*, núm. 14 (1-2), 1980, pp. 245-251.

Narayan, S., "Curcumin, a multi-functional chemopreventive agent, blocks growth of colon cancer cells by targeting beta-catenin-mediated transactivation and cell-cell adhesion pathways", *Journal of Molecular Histology*, núm. 35 (3), 2004, pp. 301-307, arbitrado.

Nayama, S., Takehana, M., Kanke, M., Itoh, S., Ogata, E. y Kobayashi, S., "Protective effects of sodium-L-ascorbyl-2 phosphate on the development of UVB-induced damage in cultured mouse skin", *Biological & Pharmaceutical Bulletin*, núm. 22 (12), 1999, pp. 1301-1305.

Newman, N. y Lee, D. V. M., "Use of a calcium ascorbate supplement in therapy of obstructive pulmonary disease", *Pharmacokinetics-AAEP Proceedings*, núm. 43, 1997.

Obrenovich, M. E. y Monnier V. M., "Vitamin B1 blocks damage caused by hyperglycemia", *Science of Aging Knowledge Environment*, núm. 2003 (10), 2003, pp. PE6.

Onoda, M. e Inano, H., "Effect of curcumin on the production of nitric oxide by cultured rat mammary gland", *Nitric Oxide*, núm. 4 (5), 2000, pp. 505-515.

Ookawara, T., Kawamura, N., Kitagawa, Y. y Taniguchi, N., "Site-specific and random fragmentation of Cu,Zn-superoxide dismutase by glycation reaction. Implication of reactive oxygen species", *Journal of Biological Chemistry*, núm. 267 (26), 1992, pp. 18505-18510.

Pacher, P. y Kecskemeti, V., "Trends in the development of new antidepressants. Is there a light at the end of the tunnel?" *Current Medicinal Chemistry*, núm. 11 (7), 2004, pp. 925-943.

— Kohegyi, E., Kecskemeti, V. y Furst S., "Current trends in the development of new antidepressants", *Current Medicinal Chemistry*, núm. 8 (2), 2001, pp. 89-100, arbitrado.

Packer, L., Kraemer, K. y Rimbach, G., "Molecular aspects of lipoic acid in the prevention of diabetes complications", *Nutrition*, núm. 17 (10), 2001, pp. 888-895, arbitrado.

— Roy, S. y Sen, C.K. "Alpha-lipoic acid: a metabolic antioxidant and potential redox modulator of transcription", *Advances in Pharmacology*, núm. 38, 1996, pp. 79-101.

— Witt, E. H. y Tritschler, H. J., "Alpha-lipoic acid as a biological antioxidant", *Free Radical Biology & Medicine*, núm. 19 (2), 1995, pp. 227-50, arbitrado.

Páez, X., Hernández, L. y Baptista, T., "Advances in the molecular treatment of depression", *Revista de neurología*, núm. 37 (5), 2003, pp. 459-470, edición en español, arbitrado.

Pan, M. H., Lin-Shiau, S. Y. y Lin J. K., "Comparative studies on the suppression of nitric oxide synthase by curcumin and its hydrogenated metabolites through down- regulation of IkappaB kinase and NJFkappaB activation in macrophages", *Biochemical Pharmacology*, núm. 60 (11), 2000, pp. 1665-1676.

Pani, G., Colavitti, R., Bedogni, B., Fusco, S., Ferraro, D., Borrello, S. y Galeotti, T., "Mitochondrial superoxide dismutase: a promising target for new anticancer therapies", *Current Medicinal Chemistry*, núm. 11 (10), 2004, pp. 1299-1308.

Park, J. M., Adam, R. M., Peters, C. A., Guthrie, P. D., Sun, Z., Klagsbrun, M. y Freeman, M. R., "AP-1 mediates stretch-induced expression of HB-EGF in bladder smooth muscle cells", *American Journal of Physiology*, núm. 277, (2 pt. 1), 1999, pp. C294-C301.

Parker, J., Do It Now Foundation. http://wwwdoitnoworg/.

Perricone, N. V., "Photoprotective and anti-inflammatory effects of topical ascorbyl palmitate", *Journal of Geriatric Dermatology*, núm. 1 (1), 1993, pp. 5-10.

— Skin whiteners containing hydroxytetronic acid; United States Patent 6417226. Skin whitening compositions contain alpha-hydroxytetronic acid or an alpha-hydroxy tetronic derivative, and, in some cases, hydroquinone, an alpha-hydroxy acid such as glycolic acid, and a fatty acid ester of ascorbic acid such as ascorbyl palmitate.

— "Topical 5% alpha lipoic acid cream in the treatment of cutaneous rhytids" *Dermatologic Surgery*, núm. 20 (3), 2000.

— "Topical vitamin C ester (ascorbyl palmitate). Adapted from the first annual symposium on aging skin", San Diego, CA, febrero, 21-23, 1997. *Journal of Geriatric Dermatology*, núm. 5 (4), 1997, pp. 162-170.

— "Treatment of psoriasis with topical ascorbyl palmitate", *Clinical Research*, núm. 39, 1991, pp. 535A.

Perricone, N., Nagy, K., Horvath, F., Dajko, G., Uray, I. y Zs-Nagy, I., "The hydroxyl free radical reactions of ascorbyl palmitate as measured in various in vitro models", *Biochemical and Biophysical Research Communications*, núm. 262 (3), 1999, pp. 661-665.

— Nagy, K., Horvath, F., Dajko, G., Uray I. y Zs-Nagy, I., "Alpha lipoic acid (ALA), protects proteins against the hydroxyl free radical-induced alterations: rationale for its geriatric application", *Archives of Gerontology and Geriatrics*, núm. 29 (1), 1999, pp. 45-56.

Pert, C.B., Pasternak, G. y Snyder, S. H., "Opiate agonists and antagonists discriminated by receptor binding in brain", *Science*, núm. 182 (119), 1973, pp. 1359-1361.

Phan, T. T., See, P., Lee, S. T. y Chan, S. Y., "Protective effects of curcumin against oxidative damage on skin cells in vitro: its implication for wound healing", *Journal of Trauma*, núm. 51 (5), 2001, pp. 927-931.

Plummer, S. M., Holloway, K. A., Manson, M. M., Munks, R. J., Kaptein, A., Farrow, S. y Howells, L., "Inhibition of cyclo-oxygenase 2 expression in colon cells by the chemopreventive agent curcumin involves inhibition of NF-kappaB activation via the NIK/IKK signalling complex", *Oncogene*, núm. 18 (44), 1999, pp. 6013-6020.

Podda, M., Rallis, M., Traber, M. G., Packer, L. y Maibach, H. I., "Kinetic study of cutaneous and subcutaneous distribution following topical application of (7,8-14C) rac-alpha-lipoic acid onto hairless mice", *Biochemical Pharmacology*, núm. 52 (4), 1996, pp. 627-633.

— Tritschler, H. J., Ulrich, H. y Packer, L., "Alpha-lipoic acid supplementation prevents symptoms of vitamin E deficiency", *Biochemical and Biophysical Research Communications*, núm. 204 (1), 1994, pp. 98-104.

— Zollner, T. M., Grundmann-Kollmann, M., Thiele J. J., Packer, L. y Kaufmann, R. "Activity of alpha-lipoic acid in the protection against oxidative stress in skin", *Current Problems in Dermatology*, núm. 29, 2001, pp. 43-51.

Preuss, H. G., Echard, B., Enig, M., Brook, I. y Elliott, T. B., "Minimum inhibitory concentratior of herbal essential oils and monolaurin for gram-positive and gram-negathive bacteria", *Molecular and Cellular Biochemistry*, núm. 272 (1-2), 2005, pp. 29-34.

Qin, B., Nagasaki, M., Ren, M., Bajotto, G., Oshida Y. y Sato, Y., "Cinnamon extract prevents the insulin resistance induced by a high-fructose diet", *Hormone and Metabolic & Research*, núm. 36 (2), 2004, pp. 119-125.

— Nagasaki, M., Ren, M., Bajotto, G., Oshida, Y. y Sato, Y., "Cinnamon extract (traditional herb), potentiates in vivo insulin-regulated glucose utilization via enhancing insulin signaling in rats", *Diabetes Research and Clinical Practice*, núm. 62 (3), 2003, pp. 139-148.

Rains, C. y Bryson, H. M., "Topical capsaicin. A review of its pharmacological propertes and therapeutic potential in post-herpetic neuralgia, diabetic neuropathy and osteoarthritis", *Drugs & Aging*, núm. 7 (4), 1995, pp. 317-328, arbitrado.

Ramírez-Tortosa, M. C., Mesa, M. D., Aguilera, M. C., Quiles, J. L., Baro, L., Ramírez-Tortosa, C. L., Martínez-Victoria, E. y Gil, A., "Oral administration of a turmeric extract inhibits LDL oxidation and has hypocholesterolemic effects in rabbits with experimental atherosclerosis", *Atherosclerosis*, núm. 147 (2), 1999, pp. 371-378.

Rao, C. V., *et al.*, "Antioxidant activity of curcumin and related compounds. Lipid peroxide formation in experimental inflammation", *Cancer Research*, núm. 55, 1993, pp. 259.

Rasmusson, A. M., Hauger, R. L., Morgan, C. A., Bremner, J. D., Charney, D. S. y Southwick, S. M., "Low baseline and yohimbine-stimulated plasma neuropeptide Y (NPY), leve in combat-related PTSD", *Biological Psychiatry*, núm. 47 (6), 2000, pp. 526-539.

Reber, F., Geffarth, R., Kasper, M., Reichenbach, A., Schleicher, E. D., Siegner, A. y Funk, R. H., "Graded sensitiveness of the various retinal neuron populations on the gly-oxal-mediated formation of advanced glycation end products and ways of protection", *Graefe's Archive for Clinical and Experimental Ophthalmology*, núm. 24 (3), 2003, pp. 213-225. Publicación electrónica del 07/02/05.

Ritenbaugh, C., "Diet and prevention of colorectal cancer", *Current Oncology Reports*, núm. 2 (3), 2000, pp. 225-233, arbitrado.

Rosenblat, G., Peretman, N., Katzir, E., Gal-Or, S., Jonas, A., Nimni, M. E., Sorgente, N. y Neeman, I., "Acylated ascorbate stimulates collagen synthesis in cultured human foreskin fibroblasts at lower doses than does ascorbic acid", *Connective Tissue Research*, núm. 37 (3-4), 1998, pp. 303-311.

Ross, D., Mendiratta, S., Qu, Z. C., Cobb, C. E. y May, J. M., "Ascorbate 6-palmitate protects human erythrocytes from oxidative damage" *Free Radical Biology & Medicine*, núm. 26 (1-2), 1999, pp. 81-89.

Roy, S., Sen, C. K., Tritschler, H. J. y Packer L., "Modulation of cellular reducing equivalent homeostasis by alpha-lipoic acid. Mechanisms and implications for diabetes and ischemic injury", *Biochemical Pharmacology*, núm. 53 (3), 1997, pp. 393-399.

Rukkumani, R., Aruna, K., Varma, P. S., Rajasekaran, K. N. y Menon, V. P., "Comparative effects of curcumin and its analog on alcohol- and polyunsaturated fatty acid-induced alterations in circulatory lipid profiles", *Journal of Medicinal Food*, núm. 8 (2), 2005, pp. 256-260.

Saliou, C., Kitazawa, M., McLaughlin, L., Yang, J. P., Lodge, J. K., Tetsuka, T., Iwasaki, K., Cillard, J., Okamoto, T. y Packer, L., "Antioxidants modulate acute solar ultraviolet radiation- induced NF-kappa-B activation in a human keratinocyte cell line", *Free Radical Biology & Medicine*, núm. 26 (1-2), 1999, pp. 174-183.

Satoskar, R. R., Shah, S. J. y Shenoy, S. G., "Evaluation of anti-inflammatory property of curcumin (diferuloyl methane) , in patients with postoperative inflammation", *International Journal of Clinical Pharmacology, Therapy, and Toxicology*, núm. 24 (12), 1986, pp. 651-654.

Schulof, R. S., "Thymic peptide hormones: basic properties and clinical applications in cancer", *Critical Reviews in Oncology/Hematology*, núm. 3 (4), 1985, pp. 309-376, arbitrado.

Semsei, I. y Zs-Nagy, I., "Superoxide radical scavenging ability of centrophenoxine and its salt dependence in vitro", *Free Radical Biology & Medicine*, núm. 1 (5-6), 1985, pp. 403-408.

Sen, C. K. y Packer, L., "Antioxidant and redox regulation of gene transcription", *FASEB Journal*, núm. 10, 1996, pp. 709-720.

Shah, B. H., Nawaz, Z., Pertani, S. A., Roomi, A., Mahmood, H., Saeed, S. A. y Gilani A. H., "Inhibitory effect of curcumin, a food spice from turmeric, on platelet-activating factor- and arachidonic acid-mediated platelet aggregation through inhibition of thromboxane formation and Ca2+ signaling", *Biochemical Pharmacology*, núm. 58 (7), 1999, pp. 1167-1172.

Shan, B., Cai, Y. Z., Sun, M. y Corke, H., "Antioxidant capacity of 26 spice extracts and characterization of their phenolic constituents", *Journal of Agricultural and Food Chemistry*, núm. 53 (20), 2005, pp. 7749-7759.

Sharma, R. A., Gescher, A. J. y Steward, W. P., "Curcumin: the story so far", *European Journal of Cancer*, núm. 41 (13), 2005, pp. 1955-1968, arbitrado.

Sharma, S. C., Mukhtar, H., Sharma, S. K. y Krishna Murt, C. R., "Lipid peroxide formation in experimental inflammation", *Biochemical Pharmacology*, núm. 21, 1972, p. 1210.

Shindo, Y., Witt, E. y Packer, L., "Antioxidant defense mechanisms in murine epidermis and dermis and their responses to ultraviolet light", *Journal of Investigative Dermatology*, núm. 100 (3), 1993, pp. 260-265.

Silva, A. P., Cavadas, C. y Grouzmann, E., "Neuropeptide Y and its receptors as potential therapeutic drug targets", *Clinica Chimica Acta*, núm. 326 (1-2), 2002, pp. 3-25, arbitrado.

Singh, S. y Aggdrwal, B. B., "Activation of transcription factor NF-kappa B is suppressed b curcumin (diferuloylmethane)", *Journal of Biological Chemistry*, núm. 270 (42), 1995, pp. 24995-25000, errata en *Journal of Biological Chemistry*, núm. 270 (50), 1995, p. 30235.

Sinha, R., Anderson, D. E., McDonald, S. S. y Greenwald, P., "Cancer risk and diet in India", *Journal of Postgraduate Medicine*, núm. 49 (3), 2003, pp. 222-228, arbitrado.

Siwak, D. R., Shishodia, S., Aggarwal, B. B. y Kurzrock, R., "Curcumin-induced antiproliferalive and proapoptotic effects in melanomd cells are associated with suppression of IkappaB kinase and nuclear factor kappaB activity and are independert of the B-Raf/mitogen-activated/extracellutar signal-regulated protein kinase pathway and the Akt pathway", *Cancer*, núm. 104 (4), 2005, pp. 879-890.

Smart, R. C. y Crawford, C. L., "Effect of ascorbic acid and its synthetic lipophilic derivative ascorbyl palmitate on phorbol ester-induced skin-tumor promotion in mice. *American Journal of Clinical Nutrition*, núm. 54 (suppl 6), 1991, pp. 1266S-1273S.

Soliman, K. F. y Mazzio, E. A., "In vitro attenuation of nitric oxide production in C6 astrocyte cell culture by various dietary compounds", *Proceedings of the Society for Experimental Biology and Medicine*, núm. 218 (4), 1998, pp. 390-397.

Soni, K. B. y Kuttan, R., "Effect of oral curcumin administration on serum peroxides and cholesterol levels in human volunteers", *Indian Journal of Physiology and Pharmacology*, núm. 36, 1992, pp. 273, 293.

Sreekanth, K. S., Sabu, M. C., Varghese, L., Manesh, C., Kuttan, G. y Kuttan, R., "Antioxidant activity of Smoke Shield in-vitro and in-vivo", *Journal of Pharmacy and Pharmacology*, núm. 55 (6), 2003, pp. 847-853.

Srimal, R. y Dhawan, B., "Pharmacology of diferuloyl methane (curcumin), a nonsteroidal anti-inflammatory agent", *Journal of Pharmacy and Phamiacology*, núm. 25, 1973, pp. 447-452.

Srinivas, L., Shalini, V. K. y Shylaja, M., "Turmerin: a water-soluble antioxidant peptide from turmeric *Curcuma longa*", *Archives of Biochemistry and Biophysics*, núm. 292 (2), 1992, pp. 617-623.

Srivasta, R. y Srimal, R. C., "Modification of certain inflammation-induced biochemical changes by curcumin", *Indian Journal of Medical Research*, 85, núm. 81, 19pp. 215-223.

Surh, Y. J., "Anti-tumor promoting potential of selected spice ingredients with antioxidative and anti-inflammatory activities: a short review", *Food and Chemical Toxicology*, núm. 40 (8), 2002, pp. 1091-1097.

Surh, Y. J., Chun, K. S., Cha, H. H., Han, S. S., Keum, Y. S., Park, K. K. y Lee, S. S., "Molecular mechanisms underlying chemopreventive activities of anti-inflammatory phytochemicals: down-regulation of COX-2 and iNOS through suppression of NF-kappa B activation", *Mutation Research*, pp. 480-81, 2001, pp. 243-268, arbitrado.

Surh, Y. J., Hans, S.S., Keum, Y. S. Seo, H. J. y Lee, S. S., "Inhibitory effects of curcumin and capsaicin on phorbol ester-induced activation of eukaryotic transcription factors, NF-kappaB and AP-1", *Biofactors*, núm. 12 (1-4), 2000, pp.107-112

Susan, M., Rao, M. N. A., "Induction of glutathione S-transferase activity by curcumin in mice", *Arzneimittel-Forschung*, núm. 42, 1992, p. 962.

Suzuki, Y. J., Aggarwal, B. B. y Packer, L., "Alpha-lipoic acid is a potent inhibitor of NF-kappa B activation in human T cells", *Biochemical and Biophysical Research Communications*, núm. 189 (3), 1992, pp. 1709-1715.

Suzuki, Y. J., Mizuno, M., Tritschler, H. J. y Packer, L., "Redox regulation of NF-kappa B DNA binding activity by dihydrolipoate", *Biochemistry and Molecular Biology International*, núm. 36 (2), 1995, pp. 241-246.

Suzuki, Y. J., Tsuchiya, M. y Packer, L., "Lipoate prevents glucose-induced protein modifications", *Free Radical Research Communications*, núm. 17 (3), 1992, pp. 211-217.

Tada, H., Nakashima, A., Awaya, A., Fujisaki, A., Inoue, K., Kawamura, K., Itoh, K., Masuda, H. y Suzuki, T., "Effects of thymic hormone on reactive oxygen species-scavengers and renal function in tacrolimus-induced nephrotoxicity" *Life Sciences*, núm. 70 (10), 2002, pp. 1213-1223.

Tebbe, B., Wu, S., Geilen, C. C., Eberle, J., Kodelja, V. y Orfanos, C. E., "L-ascorbic acid inhibits UVA-induced lipid peroxidation and secretion of IL-I alpha and IL-6 in cultured human keratinocytes in vitro", *Journal of Investigative Dermatology*, núm. 108 (3), 1997, pp. 302-306.

Toyoda, M. y Morohashi, M., "New aspects in acne inflammation", *Dermatology*, núm. 206 (1), 2003, pp. 17-23.

— Nakamura, M., Makino, T., Hino, T., Kagoura, M. y Morohashi, M., "Nerve growth factor and substance P are useful plasma markers of disease activity in atopic dermatitis", *British Journal of Dermatology*, núm.147 (1), 2002, pp.71-79.

— Nakamura, M. y Morohashi, M., "Neuropeptides and sebaceous glands", *European Journal of Dermatology*, núm. 12 (5), 2002, pp. 422-427, arbitrado.

Tremblay, J. E., Sire, D. J., Lowe, N. J. y Moy, R. L., "Light-emitting diode 415 nm in the treatment of inflammatory acne: an open-label, multicentric, pilot investigation", *Journal of Cosmetic and Laser Therapy*, núm. 8 (1), 2006, pp. 31-33.

University of Texas MD Anderson Cancer Center, "Herbal/plant therapies: turmeric (*Curcuma longa* Linn.) and curcumin", 2002, leído el 18 de febrero de 2006 en http://www.mdanderson. org/departments/cimer/display.cfm?id=fa324b1c-b0ca-4e93-903082 f85808558f&method=displayfull&pn=6eb86a59-ebd911d4810100508b603a14.

Wang, S., Chen, B. y Sun, C,, "Regulation effect of curcumin on blood lipids and antioxidation in hyperlipidemia rats", *Wei Sheng Yan Jiu*, núm. 29 (4), 2000, pp. 240-242.

Yu, M. J., McCowan, J. R., Thrasher, K. J., Keith, P. T., Luttman, C. A., Ho, P. F., Towner, R. D., Bertsch, B., Horng, J. S. y Urn, S. L., *et al.*, "Phenothiazines as lipid peroxidation inhibitors and cytoprotective agents", *Journal of Medicinal Chemistry*, núm. 35 (4), 1992, pp. 716-724.

Ziegler, D., Reijanovic, M., Mehnert, H. y Gnes, F.A., "Alpha-lipoic acid in the treatment of diabetic polyneuropathy in Germany: current evidence from clinical trials", *Experimental and Clinical Endocrinology & Diabetes*, núm. 107 (7), 1999, pp. 421-430, arbitrado.

Zs-Nagy, I., "On the role of intracellular physicochemistry in quantitative gene expression during aging and the effect of centrophenoxine," *Archives of Gerontology and Geriatrics*, núm. 9 (3), 1989, pp. 215-229, arbitrada.

— y Semsei, I., "Centrophenoxine increases the rates of total and mRNA synthesis in the brain cortex of old rats: an explanation of its action in terms of the membrane hypothesis of aging", *Experimental Gerontology*, núm. 19 (3), 1984, pp. 171-178.

CAPÍTULO 5

Adimoelja, A., "Phytochemicals and the breakthrough of traditional herbs in the management of sexual dysfunctions", *International Journal of Andrology*, núm. 2 (supl. 3), 2000, pp. 82-84.

Ang, H. H. y Cheang, H. S., "Effects of *Eurycoma longifolia* Jack on laevator ani muscle in both uncastrated and testosterone-stimulated castrated intact male rats", *Archives of Pharmacal Research*, núm. 24 (5), 2001, pp. 437-440.

— Ikedd, S. y Gan, E. K., "Evaluation of the potency activity of aphrodisiac in *Eurycoma longifolia* Jack", *Phytotherapy Research*, núm. 15 (5), 2001, pp. 433-436.

— y Lee, K. L., "Effect of *Eurycoma longifolia* Jack on libido in middle-aged male rats", *Journal of Basic and Clinical Physiology and Pharmacology*, núm. 13 (3), 2002, pp. 249-254.

— y Lee, K. L., "Effect of *Eurycoma longifolia* Jack on orientation activities in middle- aged male rats", *Fundamental & Clinical Pharmacology*, núm. 16 (6), 2002, pp. 479-483.

— Lee, K. L. y Kiyoshi, M., "*Eurycoma longifolia* Jack enhances sexual motivation in middle-aged male mice", *Journal of Basic and Clinical Physiology and Pharmacology*, , núm. 14 (3), 2003pp. 301-338.

— Lee, K. L. y Kiyoshi, M., "Sexual arousal in sexually sluggish old male rats after oral administration of *Eurycoma longifolia* Jack", *Journal of Basic and Clinical Physiology and Pharmacology*, núm. 15 (3-4), 2004, pp. 303-309.

— y Ngai, T. R., "Aphrodisiac evaluation in non-copulator male rats after chronic administration of *Eurycoma longifolia* Jack", *Fundamental & Clinical Pharmacology*, 15 (4), 2001, pp. 265-268.

— Ngai T. H. y Tan, T. H., "Effects of *Eurycoma longifolia* Jack on sexual qualities in middle aged male rats", *Phytomedicine*, núm. 10 (6-7), 2003, pp. 590-593.

— y Sim, M. K., "*Eurycoma longifolia* increases sexual motivation in sexually naive male rats", *Archives of Pharmacal Research*, núm. 21 (6), 1998, pp. 779-781.

— y Sim, M. K., "*Eurycoma longifolia* Jack and orientation activities in sexually experienced male rats", *Biological & Pharmaceutical Bulletin*, núm. 21 (2), 1998, pp. 153-155.

— y Sim, M. K., "*Eurycoma longifolia* Jack enhances libido in sexually experienced male rats", *Experimental Animals*, núm. 46 (4), 1997, pp. 287-290.

Balick, M. J. y Lee, R., "Maca: From traditional crop to energy and libido stimulant", *Alternative Therapies in Health and Medicine*, núm. 8 (3), 2002, pp. 96-98.

Baranov, V. B., "Experimental trials of herbal adaptogen effect on the quality of operation activity mental and professional work capacity, Contract 95-11-615, stage 2, phase I, Moscow", Russia, Russian Federation Ministry of Health Institute of Medical and Biological Problems, 1994.

Brown, R. P., Gerbarg, P. L. y Muskin P. R., "Alternative therapies in psychiatry", en Tasman, A., Lieberman, J. y Kay, J., (ed) *Psychiatry*, 2nd ed, West Sussex, England: Wiley & Sons, 2002.

— Gerbarg, P. L. y Ramazanov, Z., "*Rhodiola rosea*: a phytomedicinal overview", *Herbalgram*, núm. 56, 2002, pp. 40-52.

Cicero, A. E., Bandieri, E. y Arletti, R., "*Lepidium meyerlii* Waip, improves sexual behaviour in male rats independently from its action on spontaneous locomotor activity", *Journal of Ethnopharmacology*, núm. 75 (2-3), 2001, pp. 225-229.

Cyranoski, D., "Malaysian researchers bet big on home-grown Viagra", *Nature Medicine*, núm. 11 (9), 2005, pp. 912.

Darbinyan, V., Kteyan, A., Panossian, A., Gabrielian, E., Wikman, G. y Wagner, H., "*Rhodiola rosea* in stress induced fatigue-a double blind cross-over study of a standardized extract SHR-5 with a repeated low-dose regimen on the mental performance of healthy physicians during night duty", *Phytomedicine*, núm. 7 (5), 2001, pp. 365-371.

Ebrahim, S., May, M., Ben Shlomo, Y., McCarron, P., Frankel, S., Yarnell, J. y Davey Smith, G., "Sexual intercourse and risk of ischaemic stroke and coronary heart disease: the Caerphilly study", *Journal of Epidemiology and Community Health*, núm. 56 (2), 2002, pp. 99-102.

Ebrahim, S. H., McKenna, M. T. y Marks, J. S., "Sexual behaviour: related adverse health burden in the United States", *Sexually Transmitted Infections*, núm. 81 (l), 2002, pp. 38-40.

Gerasimova, H. D., "Effect of *Rhodiola rosea* extract on ovarian functional activity", en *Proceedings of the Scientific Conference on Endocrinology and Gynecology*, Sverdlovsk, Russia, 1970, vol. sept 15-16, Siberian Branch of the Russian Academy of Sciences, pp. 46-48.

Gonzales, G. E., Córdova, A., Vega, K., Chung, A., Villena, A., Gomez, C. y Castillo, S., "Effect of *Leptdium meyenil* (MACA), on sexual desire and its absent relationship with serum testosterone levels in adult healthy men", *Andrologia*, núm. 34 (6), 2002, pp. 367-372.

—Ruiz, A., Gonzales, C., Villegas, L. y Córdova, A., "Effect of *Lepidium meyenii* (maca), roots on spermatogenesis of male rats", *Asian Journal of Andrology*, núm. 3 (3), 2001, pp. 231-233.

Katharine Dexter McCormick Library/Planned Parenthood Federation of America, "The Health Benefits of Sexual Expression", Published in cooperation with the Society for the Scientific Study of Sexuality, leído el 12 de febrero de 2006 en http://wwwplannedparenthood,org/pp2/portal/files/portal/medicalinfo/ sexualhealth/white-030401-sexual-expression.pdf

Kimoto, H., Haga, S., Sato, K. y Touhara, K., "Sex-specific peptides from exocrine glands stimulate mouse vomeronasal sensory neurons", *Nature*, núm. 437 (7060), 2005, pp. 898-901.

Komar, V. V., Kit, S. M., Sischuk, L. y Sischuk, V. M., "Effect of *Rhodiola rosea* on the human mental activity", *Pharmaceutical Journal*, núm. 36 (4), 1981, pp. 62-64.

Kurkin, V. A. y Zapesochnaya, G. G., "Chemical composition and pharmacological characteristics of *Rhodiola rosea*", *Journal of Medicinal Plants*, 1985, pp. 1231-1445, arbitrada.

Lazarova, M. B., Petkov, V. D., Markovska, V. L., Petkov, V. V. y Mosharrof, A., "Effects of meclofenoxate and extr. *Rhodiolae rosea* L. on electroconvulsive shock-impaired learning and memory in rats", *Methods and Findings in Experimental and Clinical Pharmacology*, núm. 8 (9), 1986, pp. 547-552.

Lupien, S. J., de León, M., de Santi, S., Convit, A., Tarshish, C., Nair, N. P., Thakur, M., McEwen, B. S., Hauger, R. L. y Meaney, M. J., "Cortisol levels during human aging predict hippocampal atrophy and memory deficits", *Nature Neuroscience*, núm. 1 (1), 1998, pp. 69-73.

Marina, T. F., "Effect of *Rhodiola rosea* extract on bioelectrical activity of the cerebral cortex isolated to a different extent from the brain", en Saratikov, A. S., (ed.): *Stimulants of the Central Nervous System*. Tomsk, Russia: Tomsk State University Press, 1968, pp.22-26.

Marina, T. F. y Alekseeva, L. P., "Effect of *Rhodiola rosea* extract on electroencephalograms in rabbit", en Saratikov, A. S., (ed): *Stimulants of the Central Nervous System*. Tomsk, Russia: Tomsk State University Press, 1968, pp. 22-26.

McKay, D., "Nutrients and botanicals for erectile dysfunction: examining the evidence", *Alternative Medicine Arbitrada*, núm. 9 (1), 2004, pp. 4-16.

Olson, R., Dulac, C. y Bjorkman, P. J., "MHC homologs in the nervous system-they haven't lost their groove", *Current Opinion in Neurobiology*, núm. 16 (3), 2006, pp. 351-357. Leído el 15 de mayo de 2006.

Petkov, V. D., Yonkov, D., Mosharoff, A., Kambourova, T., Alova, L., Petkov, V. V. y Todorov, I., "Effects of alcohol aqueous extract from *Rhodiola rosea* L. roots on learning and memory", *Acta Physiologica et Pharmacologica Bulgarica*, núm. 12 (1), 1986, pp. 3-16.

Petridou, E., Giokas, G., Kuper, H., Mucci, L. A. y Trichopoulos, D., "Endocrine correlates of male breast cancer risk: a case-control study in Athens, Greece", *British Journal of Cancer*, núm. 83 (9), 2000, pp. 1234-1237.

Russian Federation Ministry of Health and Medical Industry *Russian National Pharmacopoeia*. Pharmacopoeia article: PA 42-2126-85, "Liquid extract of *Rhodiola rosea* root and rhizome", Mosco Russia, Russian Federation Ministry of Health and Medical Industry, 1985.

Saratikov, A., Marina, T. F. y Fisanova, L. L., "Effect of golden root extract on processes of serotonin synthesis in CNS", *Journal of Biological Sciences*, núm. 6, 1978, pp. 142.

Saratikov, A. S. y Krasnov, E. A., "Clinical studies of *Rhodiola*", en Saratikov, A. S. y Krasnov, E. A., (eds.): *Rhodiola Rosea Is a Valuable Medicinal Plant (Golden Root)*. Tomsk, Russia: Tomsk State University Press, 1987, pp. 216-227.

— y Krasnov, E. A., "The influence of *Rhodiola* on endocrine glands and the liver", en Saratikov, A. S., Krasnov, E. A., (eds.): *Rhodiola Rosea Is a Valuable Medicinal Plant (Golden Root)*, Tomsk, Russia: Tomsk State University Press, 1987, pp. 180-193.

— Krasnov, E. A., Khnikina, L. A. y Duvidson, L. M., "Isolation and chemical analysis of individual biologically active constituents of *Rhodiola rosea*". *Proceedings of the Siberian Academy of Sciences. Biology*, núm. 1, 1967, pp. 54-60.

Spasov, A. A., Mandrikov, V. B. y Mironova, I. A., "The effect of the preparation rhodiosin on the psychophysiological and physical adaptation of students to an academic load", *Eksperimental'naia i klinitheskaia fannakologiia*, núm. 63 (1), 2000, pp. 76-78.

— Wikman, G. K., Mandrikov, V. B., Mironova, I. A. y Neumoin, V. V., "A double-blind, placebo-controlled pilot study of the stimulating and adaptogenic effect of *Rhodiola rosea* SHR-5 extract on the fatigue of students caused by stress during an examination period with a repeated low-dose regimen", *Phytomedicine*, núm. 7 (2), 2000, pp. 85-89.

Stancheva, S. L. y Mosharrof, A., "Effect of the extract of *Rhodiola rosea* L. on the content of the brain biogenic monoamines", *Medecine Physiologic Comptes Rendus de l'Académie Bulgare des Sciences*, núm. 40 (6), 1987, pp. 85-87.

Wedekind, C. y Penn, D., "MHC genes, body odours, and odour preferences", *Nephrology, Dialysis, Transplantation*, núm. 15 (9), 2000, pp. 1269-1271, arbitrado.

Weeks, D. y James, J., *Secrets of the Superyoung*, New York: Berkley Books, 1998.

Weeks, D. J., "Sex for the mature adult: health, self-esteem and countering ageist stereotypes", *Sexual and Relationship Therapy*, núm. 17 (3), 2002, pp. 231-240.

Zheng, B. L., He, K., Kim, C. H., Rogers, L., Shao, Y., Huang, Z. Y., Lu, Y., Yan, S. J., Qien, L. C. y Zheng, Q. Y., "Effect of a lipidic extract from lepidium meyenii on sexual behavior in mice and rats", *Urology*, núm. 55 (4), 2000, pp. 598-602.

CAPÍTULO 6

Albert, M., Jones, K., Savage, C., Berkman, L., Seeman, T., Blazer, D. y Rowe, J., Predictors of cognitive change in older persons: MacArthur Studies of Successful Aging, *Psychology and Aging*, núm. 10, 1995, pp. 578-589.

Barnes, D. E., Yaffe, K., Satariano, W. A. y Tager I. B., "A longitudinal study of cardiorespiratory fitness and cognitive function in healthy older adults", *Journal of the American Geriatrics Society*, núm. 51, 2003, pp. 459-465.

Carmelli, D., Swan, G. E., LaRue, A. y Eslinger, P. J., "Correlates of change in cognitive function in survivors from the Western Collaborative Group Study", *Neuroepidemiology*, núm. 16, 1997, pp. 285-295.

Colcombe, S. y Kramer, A. F., "Fitness effects on the cognitive function of older adults: a meta-analytic study", *Psychological Science*, , núm. 14, 2003pp. 125-130.

Colcombe, S. J., Erickson, K. I., Raz, N., Webb, A. G., Cohen, N. J., McAuley, E. y Kramer, A. F., "Aerobic fitness reduces brain tissue loss in aging humans", *Journals of Gerontology, Series A, Biological Sciences and Medical Sciences*, núm. 58, 2003, pp. 176-180.

— Kramer, A., Erickson, K. I., Scalf, E., McAuley, E., Cohen, N. J., Webb, A., Jerome, G. J., Márquez, D. X. y Elavsky, S., "Cardiovascular fitness, cortical plasticity and aging", *Proceedings of the National Academy of the Sciences of the United States of America*, núm. 101, 2004, pp. 3316-3321.

Friedland, R. P., Fritsch, T., Smith, K. A., Koss, E., Lerner, A. J., Chen, C. R., Petot, G. J. y Debanne, S. M., "Patients with Alzheimer's disease have reduced activities in midlife compared with healthy control-group members", *Proceedings of the National Academy of the Sciences of the United States of America*, núm. 98, 2001, pp. 3440-3445.

Han, A., Robinson V., Judd, M., Taixiang, W., Wells, G. y Tugwell, P., "Tai chi for treating rheumatoid arthritis", *Cochrane Database System Review*, núm. 3, CD004849, 2004.

Kramer, A. E., Colcombe, S. J., McAuley, E., Eriksen, K. I., Scalf, E., Jerome, G. J., Marquez, D. X., Elavsky, S. y Webb, A. G., "Enhancing brain and cognitive function of older adults through fitness training", *Journal of Molecular Neuroscience*, 2003, pp. 213-221.

Laurin, D., Verreault, R., Lindsay, J., MacPherson, K. y Rockwood, K., "Physical activity and risk of cognitive impairment and dementia in elderly persons", *Archives of Neurology*, núm. 58, 2001, pp. 498-504.

Li, F., Fisher, K. J., Harmer, F. y McAuley, E., "Delineating the impact of tai chi training on physical function among the elderly", *American Journal of Preventive Medicine*, núm. 23 (supl. 2), 2002, pp. 92-97.

National Institutes of Health, Cognitive and Emotional Health Project "Physical Activity and Cardiorespiratory Fitness", leído el 11 de agosto de 2006 en http://trans.nih gov/CEHP/index, htm.

Réquéna, Y., "*Chi Kurig: The Chinese Art of Mastering Energy*", Rochester, VE Healing Arts Press, 1997.

Song, R., Lee, E. O., Lam, F. y Bae, S. C., "Effects of tai chi exercise on pain, balance, muscle strength, and perceived difficulties in physical functioning in older women with osteoarthritis: a randomized clinical trial", *Journal of Rheumatology*, núm. 30 (9), 2003, pp. 2039-2044.

Taylor-Piliae, R. E. y Froelicher, E. S., "Effectiveness of tai chi exercise in improving aerobic capacity: a meta-analysis", *Journal of Cardiovascular Nursing*, núm. 19 (1), 2004, pp. 48-57.

— Haskell, W. L., Stotts, N. A. y Froelicher, E. S., "Improvement in balance, strength, and flexibility after 12 weeks of tai chi exercise in ethnic Chinese adults with cardiovascular disease risk factors", *Alternative Therapies in Health and Medicine*, núm. 12 (2), 2006, pp. 50-58.

Verghese, J., Lipton, R. B., Katz, M. J., Hall, C. B., Derby, C. A., Kuslansky, G., Ambrose, A. F., Sliwinski, M. y Buschke, H., "Leisure activities and the risk of dementia in the elderly", *New England Journal of Medicine*, núm. 348, 2003, pp. 2508-2516.

Wang, C., Collet, J. I. y Lau, J., "The effect of tai chi on health outcomes in patients with chronic conditions: a systematic review", *Archives of Internal Medicine*, núm. 164 (5), 2004, pp. 493-501, arbitrado.

Wayne, P. M., Krebs, D. E., Wolf, S. L., Gill-Body, K. M., Scarborough, D. M., McGibbon, C. A., Kaptchuk, T. J. y Parker, S. W., "Can tai chi improve vestibulopathic postural control?", *Archives of Physical Medicine and Rehabilitation*, núm. 85 (1), 2004, pp. 142-152.

Yaffe, K., Barnes, D., Nevitt, M., Lui L. Y. y Covinsky, K., "A prospective study of physical activity and cognitive decline in elderly women: women who walk", *Archives of Internal Medicine*, núm. 161, 2001, pp. 1703-1708.

CAPÍTULO 7

AAP 2000 Red Book: Report of the Committee on Infectious Diseases, 25th ed, Elk Grove Village, IL: American Academy of Pediatrics, 2000.

Adlercreutz, C. H., Goldin, B. R., Gorbach, S. L., Hockerstedt, K. A., Watanabe, S. y Hamalainen, E. K., Markkanen, M. H., Mäkela, T. H., Wahala, K. T., Adlercreutz, T., "Soybean phytoestrogen intake and cancer risk", *Journal of Nutrition*, núm. 125, 1995, pp. 757S-770S.

Afzal, M., Al-Hadidi, D., Menon, M., Pesek, J. y Dhami, M. S., "Ginger: an ethnomedical, chemical and pharmacological review", *Drug Metabolism and Drug Interactions*", núm. 18 (3-4), 2001, pp. 159-190, arbitrado.

Agerhoim-Larsen, L., Raben, A., Haulrik, N., Hansen, A. S., Manders, M. y Astrup, A., "Effect of 8 week intake of probiotic milk products on risk factors for cardiovascular diseases", *European Journal of Clinical Nutrition*, núm. 54 (4), 2000, pp. 288-297.

Aggarwal, B. B., Kumar, A. y Bharti, A. C., "Anticancer potential of curcumin: preclinical and clinical studies", *Anticancer Research*, núm. 23 (1A), 2003, pp. 363-398, arbitrado.

Ahmed, R. S. y Seth Banerjee, B. D., "Influence of dietary ginger *(Zingiber officinales* Rose) , on antioxidant defense system in rat: comparison with ascorbic acid", *Indian Journal of Experimental Biology*, núm. 38 (6), 2000, pp. 604-606.

Altman, R. D. y Marcussen, K. C., "Effects of a ginger extract on knee pain in patients with osteoarthritis", *Arthritis and Rheumatism*, núm 44, 2001, pp. 2531-2538.

Anderson, J., Johnstone, B. M. y Cook-Newell, M. E., "Meta-analysis of the effects of soy protein intake on serum lipiods", *New England Journal of Medicine*, núm. 333, 1995, pp. 276-282.

Anderson, J. W., Deakins, D. A., Floore, T. L., Smith, B. M. y Whitis, S. E., "Dietary fiber and coronary heart disease", *Critical Reviews in Food Science and Nutrition*, núm. 29, 1990, pp. 95-147.

— y Gustafson, N. J., "Hypocholesterolemic effect of oat and bean products", *American Journal of Clinical Nutrition*, núm. 48, 1988, pp. 749-753.

— Gustafson, N. J., Spencer, D. B., Tietyen, J. y Bryant, C. A., "Serum lipid response of hypercholesterolemic men to single and divided doses of canned beans", *American Journal of Clinical Nutrition*, núm. 51, 1990, pp. 1013-1019.

— Johnstone, B. M. y Cook-Newell, M. E., "Meta-analysis of the effects of soy protein intake on serum lipids", *New England Journal of Medicine*, núm. 333, 1995, pp. 276-282.

Antonio, M. A., Hawes, S. E. y Hillier, S. L., "The identification of vaginal *Lactobacillus* species and the demographic and microbiologic characteristics of women colonized by these species", *Journal of Infectious Diseases*, núm. 180 (6), 1999, pp. 1950-1956.

Bazzano, L. A., He, J., Ogden, L. G., Loria, C., Vupputuri, S., Myers, L. y Whelton, P. K., "Legume consumption and risk of coronary heart disease in US men and women", *Archives of Internal Medicine*, núm. 161, 2001, pp. 2573-2578.

Bengmark, S., "Colonic food: pre- and probiotics", *American Journal of Gastroenterology*, núm., 95 (supl. 1), 2000, p. S5-S7.

Bomba, A., Nemcova, R., Gancarcikova, S., Herich, R., Pistl, J., Revajova, V., Jonecova, Z., Bugarsky, A., Levkut, M., Kastel, R., Baran, M., Lazar, G., Hluchy, M., Marsalkova, S. y Posivak, J., "The influence of omega-3 polyunsaturated fatty acids (omega-3 pufa), on lacto-bacilli adhesion to the intestinal mucosa and on immunity in gnotobiotic piglets", *Berliner und Munchener tierarztliche Wochenschrift*, núm. 116 (7-8), 2003, pp. 312-316.

Borchers, A. T., Keen, C. L. y Gershwin, M. E., "The influence of *yogurt/Lactobacillus* on the innate and acquired immune response", *Clinical Reviews in Allergy & Immunology*, núm. 22 (3), 2002, pp. 207-230, arbitrado.

Bordia, A., Verma, S. K. y Srivastava, K. C., "Effect of ginger *(Zingiber officinale Rosc.)*, and fenugreek *(Trigonella foenumgraecum* L.), on blood lipids, blood sugar and platelet agregation in patients with coronary artery disease", *Prostaglandins, Leukotrienes, and Chauhan I Essential Fatly Acids*, , núm. 56, 1997pp. 379-384.

Bressani, R. y Elias, L. G., "The nutritional role of polyphenols in beans", en Hulse (ed.,): *Polyphenols in Careals and Legumes* (IDCR-145e), Ottawa, Ontario, Canada, International Development Research Centre, 1979.

Bressani, R., Elias, L. G. y Braham, J. E., "Reduction of digestibility of legume protein by tan-nins. en *Workshop on Physiological Effects of Legumes in the Laymen Diet*, XII International Congress of Nutrition, San Diego, CA, August 1981.

Brouet, I. y Ohshima, H., "Curcumin, an anti-tumour promoter and anti-inflammatory 2006, agent, inhibits induction of nitric oxide synthase in activated macrophages", *Biochemical and Biophysical Research Communications*, núm. 206 (2), 1995, pp. 533-540.

Burros, M., "Is there an extra ingredient in nonstick pans?" *New York Times*, 27 de Julio de 2005 en http://www.nytimes.com/2005/07/27/dining/27well.html?ex=11512 94400&en=7fe344b845338ff9&ei=5070.

Calabrese, V., Scapagnini, G., Colombrita, C., Ravagna, A., Pennisi, G., Giuffrida Stella, A. M., Galli F. y Butterfield, D. A., "Redox regulation of heat shock protein expression in aging and neurodegenerative disorders associated with oxidative stress: a nutritional appro-ach", *Amino Acids*, núm. 25 (3-4), 2003, pp. 437-444.

Caragay, A. B., "Cancer-preventative foods and ingredients", *Food Technology*, núm. 46 (4), 1992, pp. 65-68.

Carroll, K. K., "Review of clinical studies on cholesterol lowering response to soy protein", *Journal of the American Dietetic Association*, núm. 91, 1991, pp. 820-827.

Cav, G. H., Sofic, E. y Prior, R. L., "Antioxidant capacity of tea and common vegetables", *Journal of Agricultural and Food Chemistry*, núm. 44 (11), 1996, pp. 3426-3431.

Cesarone, M. R., Belcaro, G., Incandela, L., Geroulakos, G., Griffin M., Lennox, A., De-Sanctis, M. T. y Acerbi, G., "Flight microangiopathy in medium-to-long distance flights: prevention of edema and microcirculation alterations with HR (Paroven, Venoruton, 0-(beta-hydroxyethyli-rutosides): a prospective, randomized, controlled trial", *Journal of Cardiovascular Pharmacology and Therapeutics*, núm. 7 (suppl 1), 2002, pp. S21-S24.

— Incandela, L., DeSanctis, M. T., Belcaro, G., Griffin M., Ippolito, E., Acerbi, G. y Dhuley, J., "Treatment of edema and increased capillary filtration in venous hypertension card, with HR (Paroven, Venoruton, 0- (beta-hydroxyethyli-rutosides): a clinical, prospective, placebo-controlled, randomized, dose-ranging trial", *Journal of Cardiovascular Pharmacology and Therapeutics*, núm. 7 (suppl. 1), 2002, pp. S21-S24.

Chainani-Wu, N., "Safety and anti-inflammatory activity of curcumin: a component of turmeric *(Curcuma longa)*", *Journal of Alternative and Complementary Medicine*, núm. 9 (l), 2003, pp. 161-168, arbitrado.

Chan, M. M., "Inhibition of tumor necrosis factor by curcumin, a phytochemical", *Biochemical Pharmacology*, núm. 49 (1l), 1995, pp.1551-1556.

— Huang, H. I., Fenton, M. R. y Fong, D., "In vivo inhibition of nitric oxide synthase gene expression by curcumin, a cancer preventive natural product with anti-inflammatory properties", *Biochemical Pharmacology*, núm. 15,55 (12), 1998, pp. 1955-1962.

Chauhan, D. P., "Chemotherapeutic potential of curcumin for colorectal cancer", *Current Pharmaceutical Design*, núm. 200,28 (19), 2002, pp. 1695-1706, arbitrado.

Chung, W. Y., Yow, C. M.y Benzie, I. F., "Assessment of membrane protection by traditional Chinese medicines using a flow cytometric technique: preliminary findings", *Red ox Report*, núm, 8 (1), 2003, pp. 31-33.

Cohen, H., Ziv,Y., Cardon, M., Kaplan, Z., Matar, M. A., Gidron Schwartz, M. y Kipnis, J., "Maladaptation to mental stress mitigated by the adaptive immune system via depletion of naturally occurring regulatory CD4+CD25+ cells", *Journal of Neurobiology*, núm. 66 (6), 2006, pp. 552-563.

Conney, A. H., Lysz, T., Ferraro, T., Abidi, T. F., Manchand, P.S., Laskin, J. D. y Huang, M.T., "Inhibitory effect of curcumin and some related dietary compounds on tumor promotion and arachidonic acid metabolism in mouse skin", *Advances in Enzyme Regulaflon*, núm. 31, 1991, pp. 385-396, arbitrado.

"Consumer Reports, Cookware: Top picks in pans", diciembre 2005, leído 21 de junio de 2006 en http://www.consumerreports.org/cro/home-garden/cooking-cleaning/cookware-I 205/overview/index.htm.

Cyong JA., "A pharmacological study of the antiinflammatory activity of Chinese herbs-a review", *International Journal of Acupuncture Electro-Therapy Research*, núm. (7), 1982, pp. 173-202.

D'Souza, A. L., Rajkumar, C., Cooke, J. y Bulpitt, C. J., "Probiotics in prevention of antibiotic associated diarrhoea: meta-analysis", *BMJ*, núm. 324 (7350), 2002, p. 1361.

Danielsson, G., Jungbeck, C., Peterson, K. y Norgren, L., "A randomised controlled trial of micronised purified flavonoid fraction vs placebo in patients with chronic venous disease", *European Journal of Vascular and Endovascular Surgery*, núm. 23 (I), 2002, pp. 73-76.

Delzenne, N., Cherbut, C. y Neyrinck, A., "Prebiotics: actual and potential effects in inflammatory and malignant colonic diseases", *Current Opinion in Clinical Nutrition and Metabolic Care*, núm. 6 (5), 2003, pp. 581-586.

Deodhar, S. D., Sethi, R. y Srimal, R. C., "Preliminary studies on antirheumatic activity of curcumin", *Indian Journal of Medical Research*, núm. 71, 1980, pp. 632-634.

Dhuley, J. N., "Anti-oxidant effects of cinnamon (*Cinnamomum verum*), bark and greater cardamom (*Amomum subulatum*), seeds in rats fed high fat diet", *Indian Journal of Experimental Biology*, núm. 37 (3), 1999, pp. 238-242.

Dickerson, C., "Neuropeptide regulation of proinflammatory cytokine responses", *Journal of Leukocyte Biology*, núm. 63 (5), 1998, pp. 602-605.

Dorai, T., Cao, Y. C., Dorai, B., Buttyan, R. y Katz, A. E., "Therapeutic potential of curcumin in human prostate cancer III, Curcumin inhibits proliferation, induces apoptosis, and inhibits angiogenesis of LNCaP prostate cancer cells in vivo", *Prostate*, núm. 47 (4), 2001, pp. 293-303.

Duenas, M., Sun, B., Hernandez, T., Estrella, I. y Spranger, M. I., "Proanthocyanidin composition in the seed coat of lentils (*Lens culinaris L.*)", *Journal ofAgricultural and Food Chemistry*, núm. 51 (27), 2003, pp. 7999-8004.

Dumitrescu, A. L., "Influence of periodontal disease on cardiovascular diseases", *Roman ian Journal of Internal Medicine*, núm. 43 (1-2), 2005, pp. 9-21.

Duvoix A., Morceau, F., Delhalle S., Schmitz, M., Schnekenburger, M., Galteau, M. M., Dicato, M. y Diederich, M., "Induction of apoptosis by curcumin: mediation by glutathione S-transferase P1-1 inhibition", *Biochemical Pharmacology*, núm. 66 (8), 2003, pp. 1475-1483.

Elmer, G. W., "Probiotics: living drugs, " *American Journal of Health-System Pharmacy*, núm. 58 (12), 2001, pp. 1101-1109.

Environmental Working Group, "Canaries in the kitchen", leído el 21 de junio de 2006 en http://www.ewg.org/reports/toxicteflon/cookwaretips.php.

Epel, E. S., Blackburn, E. H., Lin, J., Dhabhar, F.S., Adler, N.E., Morrow, J.D. y Cawthon, R.M., "Accelerated telomere shortening in response to life stress", *Proceedings of the National Academy of the Sciences in the United States of America*, núm. 101 (49), 2004, pp. 17312-17215, publicación electrónica, 1 de diciembre de 2004.

— Lin, J., Wilhelm, F. H., Wolkowitz, O. M., Cawthon R., Adler, N. E., Dolbier, C., Mendes, W. B. y Blackburn, E. H., "Cell aging in relation to stress arousal and cardiovascular disease risk factors", *Psychoneuroendocrinology*, núm. 3 I (3), 2006, pp. 277-287.

Fernandes, G., Lawrence, R. y Sun, D., "Protective role of n-3 lipids and soy protein in osteoporosis", *Prostaglandins, Leukotrienes, and Essential Fatty Acids*, núm. 68 (6), 2003, pp. 361-372, arbitrado.

Fernandez-Orozco, R., Zielinski, H. y Piskula, M. K., "Contribution of low-molecular- weight antioxidants to the antioxidant capacity of raw and processed lentil seeds", *Die Nahrung*, núm. 47 (3), 2003, pp. 291-299.

Floch, M. H. y Hong-Curtiss, J., "Probiotics and functional foods in gastrointestinal disorders", *Current Gastroenterology Reports*, núm. 3 (4), 2001, pp. 343-350.

Food and Drug Administration HHS, Code of Federal Regulations, Office of the Federal Register National Archives and Records Administration, 1991, 21 CFR, 131, 200 (yogur).

Friedrich, M. J., "A bit of culture for children: probiotics may improve health and fight disease", *JAMA*, núm. 284 (11), 2000, pp. 1365-1366.

Fuhrman, B., Rosenblat., M., Hayek, T., Coleman., R. y Aviram., M., "Ginger extract consumption reduces plasma cholesterol, inhibits LDL oxidation and attenuates development of atherosclerosis in atherosclerotic, apolipoprotein E-deficient mice", *Journal of Nutrition*, núm. 130 (5), 2000, pp. 1124-1131.

Gaon, D., Garcia, H., Winter, L., Rodriguez, N., Quintas, R., Gonzalez, S. N. y Oliver, G., "Effect of *Lactobacillus* strains and *Saccharornyces boulardii* on persistent diarrhea in children", *Medicina (Buenos Aires)*, núm. 63 (4), 2003, pp. 293-298.

— Garmendia, C., Murrielo, N. O., de Cucco Games, A., Cerchio, A., Quintas, R., Gonzalez, S.N. y Oliver, G., "Effect of *Lactobacillus* strains (L, casei and L, Acidophillus strains cerela), on bacterial overgrowth-related chronic diarrhea", *Medicina*, núm. 62 (2), Buenos Aires, 2002, pp. 159-163.

Geil, P. B. y Anderson, J. W., "Nutrition and health implications of dry beans: a review", *Journal of theAmerican College of Nutrition*, núm. 13 (6), 1994, pp. 549-558, arbitrado.

Ghosh S. y Playford, RJ., "Bioactive natural compounds for the treatment of gastrointestinal disorders", *Clinical Science*, núm. 104 (6), London, 2003, pp. 547-556, arbitrado.

Grand, R. I., *et al.* "Lactose intolerance, UpToDate Electronic Database" (Version 9, 2), 2001.

Guardia, T., Rotelli, A. E., Juarez, A. O. y Peizer, L. E., "Anti-inflammatory properties of plant flavonoids. Effects of rutin, quercetin and hesperidin on adjuvant arthritis in rat", *Farmaco*, núm. 56 (9), 2001, pp. 683-687.

Han, S. S., Keum, Y. S., Chun, K. S. y Surh, Y. J., "Suppression of phorbol ester-induced NFkappaB activation by capsaicin in cultured human promyelocytic leukemia cells", *Archives of Pharmacal Research*, núm. 25 (4), 2002, pp. 475-479.

— Keum, Y. S., Seo, H. J., Chun, K. S., Lee, S. S. y Surh, Y. J., "Capsaicin suppresses phorbol ester-induced activation of NF-kappaB/Rel and AP-I transcription factors in mouse epidermis", *Cancer Letters*, núm. 164 (2), 2001, pp. 119-126.

— Keum, Y. S., Seo H. J. y Surh, Y. J., "Curcumin suppresses activation of NF-kappaB and AP-1 induced by phorbol ester in cultured human promyelocytic leukemia cells", *Journal of Biochemistry and Molecular Biology*, núm. 35 (3), 2002, pp. 337-342.

Health and nutritional properties of probiotics in food including powder milk with live lactic acid bacteria-joint expert consultation of the Food and Agriculture Organization of the United Nations and the World Health Organization, Cordoba, Argentina, 1-4 October, 2001 (EN), disponible en http://wwwwho, int/ foodsafety/publications/fs_management/en/probiotics. pdf

Ho, C-T., Lee, C. y Huang, M. T., "Phenolic Compounds in Food and Their Effects on Health, I: Analysis, Occurrence, and Chemistry", American Chemical Society Symposium Series 506, American Chemical Society Washington, 1992.

Hughes, V. L. y Hillier S. L., "Microbiologic characteristics of Lactobacillus products used for colonization of the vagina", Obstetrics and Gynecology, núm. 75, 1990, pp. 244-248.

Ihme, N., Kiesewetter, H., Jung, F., Hoffmann, K. R., Birk, A., Muller, A. y Grutzner, K.I., "Leg oedema protection from a buckwheat herb tea in patients with chronic venous insufficiency: a single-centre, randomised, double-blind, placebo-controlled clinical trial", European Journal of Clinical Pharmacology, núm. 50 (6), 1996, pp. 443-447.

Incandela, L., Belcaro, G., Renton, S., DeSanctis, M. T., Cesarone, M. R., Bavera, P., Ippolito, E., Bucci, M., Griffin, M., Geroulakos, G., Dugall, M., Golden G. y Acerbi G., "HR (Paroven, Venoruton, núm. 0- (beta-hydroxyethyli-rutosides), in venous hypertensive microangiopathy: a prospective, placebo-controlled, randomized trial", Journal of Cardiovascular Pharmacology and Therapeutics, núm. 7 (suppl I), 2002, pp. S7-S10.

— Cesarone, M. R., DeSanctis, M. T., Belcaro, G., Dugall, M. y Acerbi, G., "Treatment of diabetic microangiopathy and edema with HR (Paroven, Venoruton, núm. 0- (beta- hydroxyethyli-rutosides), a prospective, placebo-controlled, randomized study Journal of Cardiovascular Pharmacology and Therapeutics, núm. 7 (suppl 1), 2002, pp. S11-S15.

Isolauri, E., "Probiotics: from anecdotes to clinical demonstration", Journal of Allergy and Clinical Immunology, núm. 108 (6), 2001, p. 1062.

Ito, K., Nakazato, T., Yamato, K., Miyakawa, Y., Yamada, T., Hozumi, N., Segawa, K., Ikeda, Y. y Kizaki, M., "Induction of apoptosis in leukemic cells by homovanillic acid denyative, capsaicin, through oxidative stress: implication of phosphorylation of p53 at Ser-15 residue by reactive oxygen species", Cancer Research, núm. 64 (3), 2004, pp. 1071-1078.

Jambunathan, R. y Singh, U., "Studies on desi and kabuli chickpea (Cicerarietinum L,), cultivars, 3, Mineral and trace element composition", Journal of Agricultural and Food Chemistry, núm. 29 (5), 1981, pp. 1091-1093.

Janssen, P. L., Meyboom, S., van Staveren, W. A., Vegt, F. y Katan, M. B., "Consumption of ginger (Zin giber officinale Roscoe), does not affect ex vivo platelet thromboxane production in humans", European Journal of Clinical Nutrition núm. 50, 1996, pp. 772-774.

Jobin, C., Bradham, C. A., Russo, M. P., Juma. B., Narula, A. S., Brenner, D. A. y Sartor, R. B., "Curcumin blocks cytokine-mediated NF-kappa B activation and proinflammatory gene expression by inhibiting inhibitory factor I-kappa B kinase activity", Journal of Immunology núm. 163 (6), 1999, pp. 3474-3483.

Joe, B. y Lokesh, B. R., "Effect of curcumin and capsaicin on arachidonic acid metabolism and lysosomal enzyme secretion by rat peritoneal macrophages," Lipids 1997, núm. 32 (10) pp. 1173-1180.

— y Lokesh, B. R., "Role of capsaicin, curcumin and dietary n-3 fatty acids in lowering the generation of reactive oxygen species in rat peritoneal macrophages", Biochimica et Biophysica Ada, núm. 1224 (2), 1994, pp. 255-263.

Kale, A. Y., Paranjape, S. A. y Briski, K.P., "I.c.v.administration of the nonsteroidal glucocorticoid receptor antagonist, CP-472 555, prevents exacerbated hypoglycemia during repeated insulin administration", Neuroscience, núm. 140 (2), 2006, pp. 555-565.

Kan, H., Onda, M., Tanaka, N. y Furukawa, K., "Effect of green tea polyphenol fraction on 1,2-dimethylhydrazine (DMH) -induced colorectal carcinogenesis in the rat", Nippon Ika Daigaku Zasshi, núm. 63 (2), 1996, pp. 106-116, edición en japonés.

Kang, G., Kong, P. J., Yuh, Y. J., Lim, S., Yim, S. V., Chun, W. y Kim, S. S., "Curcumin suppresses lipopolysaccharide-induced cyclooxygenase-2 expression by inhibiting activator protein 1 and nuclear factor kappaB bindings in BV2 microglial cells", *Journal of Pharmacological Sciences*, núm. 94 (3), 2004, pp. 325-328.

Kaur, I. P., Chopra, K. y Saini, A., "Probiotics: potential pharmaceutical applications", *European Journal of Pharmaceutical Science*, núm. 15, 2002, pp. 1-9.

Kawa, J. M., Taylor, C. G. y Przybylski, R., "Buckwheat concentrate reduces serum glucose in streptozotocin-diabetic rats", *Journal of Agricultural and Food Chemistry*, núm. 51 (25), 2003, pp. 7287-7291.

Keating, A. y Chez, R. A., "Ginger syrup as an antiemetic in early pregnancy", *Alternative Therapies in Health and Medicine*, núm. 8, 2002, pp. 89-91.

Kennedy, A. R., "The evidence for soybean products as cancer preventive agents", *Journal of Nutrition*, núm. 125, 1995, pp. 733S-743S.

Kent, H. L., "Epidemiology of vaginitis", *American Journal of Obstetrics and Gynecology*, 1991, núm. 165, pp. 1168-1176.

Kiessling, G., Schneider, J. y Jahreis, G., "Long-term consumption of fermented dairy products over 6 months increases HDL cholesterol", *European Journal of Clinical Nutrition*, núm. 56 (9), 2002, pp. 843-849.

Kihara N., de la Fuente, S. G., Fujino, K., Takahashi, T., Pappas, T. N. y Mantyh, C. R. Vanilloid receptor-1 containing primary sensory neurones mediate dextran sulphate sodium induced colitis in rats", *Gut*, núm. 52 (5), 2003, pp. 713-719.

Kikuzaki, H. y Nakatani, N., "Antioxidant effects of some ginger constituents", *Journal of Food Science*, núm. 58, 1993, p. 1407.

Kiuchi, E., Shibuya, M. y Sankawa, U., "Inhibitors of prostaglandin biosynthesis from ginger", *Chemical & Pharmaceutical Bulletin*, núm. 30 (2), Tokyo, 1982, pp. 754-757.

Kolida, S., Tuohy, K. y Gibson, G. R., "Prebiotic effects of inulin and oligofructose", *British Journal of Nutrition*, núm. 87 (suppl 2), 2002, pp. S193-S197.

Kurzer, M. S. y Xu, X., "Dietary phytoestrogens", *Annual Review of Nutrition*, núm. 17, 1997, pp. 353-381.

Kwak, J. Y., "A capsaicin-receptor antagonist., capsazepine., reduces inflammation induced hyperalgesic responses in the rat: evidence for an endogenous capsaicin-like substance", *Neuroscience*, núm. 86 (2), 1998, pp. 619-626.

Lee, Y. B., et al., "Antioxidant property in ginger rhizome and its application to meat products", *Journal of Food Science*, núm. 51 (l), 1986, pp. 20-23.

Leonard, B. E., "The HPA and immune axes in stress: the involvement of the serotonergic system", *European Psychiatry*, núm. 20 (suppl 3), 2005, pp. S302-S306.

Li, C. H., Matsui, T., Matsumoto, K., Yamasaki, R. y Kawasaki, T., "Latent production of angiotensin I-converting enzyme inhibitors from buckwheat protein", *Journal of Peptide Science*, núm. 8 (6), 2002, pp. 267-274, arbitrado.

Li, S. Q. y Zhang, Q. H., "Advances in the development of functional foods from buckwheat", *Critical Reviews in Food Science and Nutrition*, núm. 41 (6), 2001, pp. 451-464.

Liacini, A., Sylvester, J., Li, W. Q., Huang, W., Dehnade, F., Ahmad, M. y Zafarullah, M., "Induction of matrix metalloproteinase-13 gene expression by TNF-alpha is mediated by MAP kinases, AP-1, and NF-kappaB transcription factors in articular chondrocytes", *Experimental Cell Research*, núm. 288 (I), 2003, pp. 208-217.

Lien, H. G., Sun, W. M., Chen, Y. H., Kim, H., Hasler, W. y Owyang, C., "Effects of ginger on motion sickness and gastric slow-wave dysrhythmias induced by circular vection", *American Journal of Gastrointestinal and Liver Physiology*, núm. 284, 2003, pp. G481-G89.

Liepke, C., Adermann, K., Raida, M., Magert, H. J.., Forssmann, W. G. y Zucht, H. D.,

"Human milk provides peptides highly stimulating the growth of bifidobacteria", *European Journal of Biochemistry*, núm. 269 (2), 2002, pp. 712-718.

Lim, G. P., Chu, T., Yang, E., Beech, W., Frautschy, S. A. y Cole, G. M., "The curry spice curcumin reduces oxidative damage and amyloid pathology in an Alzheimer transgenic mouse", *Journal of Neuroscience*, núm. 21 (21), 2001, pp. 8370-8377.

Liu, N., Huo, G., Zhang, L. y Zhang, X., "Effect of *Zin giber officinale* Rosc on lipid peroxidation in hyperlipidemia rats", *Wei Sheng Tan Jiu*, núm. 32 (l), 2003, pp. 22-23.

Lu, P., Lai, B. S., Liang, P., Chen, Z. T. y Shun, S,Q., "Antioxidation activity and protective effection of ginger oil on DNA damage in vitro", *Zhongguo Zhong Tao Za Zhi*, núm. 28 (9), 2003, pp. 873-875, edición en chino.

Lumb, A. B., "Effect of dried ginger on human platelet function", *Journal of Thrombosis and Haemostasis*, núm. 71, 1994, pp. 110-111.

Majamaa, H., "Probiotics: a novel approach in the management of food allergy", *Journal of Allergy and Clinical Immunology*, núm. 99 (2), 1997, pp. 179-185.

— y Isolauri, E., "Probiotics: a novel approach in the management of food allergy", *Journal of Allergy and Clinical Immunology* núm. 99 (2), 1997, pp. 179-185.

Menne, E., Guggenbuhl, N. y Roberfroid, M., "Fn-type chicory inulin hydrolysate has a prebiotic effect in humans", *Journal of Nutrition*, núm. 30 (5), 2001, pp. 1197-1199.

Messina, M. y Messina, V., "Increasing use of soy foods and their potential role in cancer prevention", *Journal of the American Dietetic Association*, núm. 91, 1991, pp. 836-840.

— y Messina, V., *The Simple Soybean and Your Health*, Avery Publishing Group, Garden City N., 1994.

Messina, M. J., Persky, V., Setchell, K. D. y Barnes, S., "Soy intake and cancer risk: a review of the in vitro and in vivo data", *Nutrition and Cancer*, núm. 21 (2), 1994, pp. 113-131.

Metchnikoff, E., "The Prolongation of Life: Optimistic Studies", NewYork: G. P. Putnam's Sons, 1908.

Miraglia del Giudice, M. Jr., De Luca, M. G. y Capristo, C., "Probiotics and atopic dermatitis, A new strategy in atopic dermatitis", *Digestive and Liver Disease*, núm. 34 (suppl 2), 2002, pp. S68-S71.

Mitchell, J. A., "Role of nitric oxide in the dilator actions of capsaicin-sensitive nerves in the rabbit coronary circulation", *Neuropeptides*, núm. 31 (4), 1997, pp. 333-338.

Murosaki, S., Muroyama, K., Yamamoto, Y. y Yoshikai, Y., "Antitumor effect of heat-killed Lactobacillus plantarum L-137 through restoration of impaired interleukin-12 production in tumor-bearing mice", *Cancer Immunology, Immunotherapy*, núm. 49 (3), 2000, pp. 157-164.

Nestel, P., Cehun, M., Pomeroy, S., Abbey, M., Duo, L. y Weldon, G., "Cholesterol-lowering effects of sterol esters and non-esterified sitostanol in margarine, butter and low-fat foods", *European Journal of Cardiovascular Nursing*, núm. 55, 2001, pp. 1084-1090.

Nyirjesy, P., Weitz, M. V., Grody, M.H. y Lorber, B., "Over-the-counter and alternative medicines in the treatment of chronic vaginal symptoms", *Obstetrics and Gynecology*, núm. 90, 1997, pp. 50-53.

Oh, G. S., Pae, H.O., Seo, W. G., Kim, N,, Pyun, K.H., Kim, I. K., Shin, M. y Chung, H. T., "Capsazepine, a vanilloid receptor antagonist, inhibits the expression of inducible nitric oxide synthase gene in lipopolysaccharide-stimulated RAW264.7 macrophages through the inactivation of nuclear transcription factor-kappa B", *International Immunopharmacology*, núm. 1 (4), 2001, pp. 777-784.

Ohta, T., Nakatsugi, S., Watanabe, K., Kawamori, T., Ishikawa, E., Morotomi, M., Sugie, S., Toda, T., Sugimura, T. y Wakabayashi, K., "Inhibitory effects of Bifidobacterium-fermented soy milk on 2-amino-1-methyl-6-phenylimidazo[4, 5-b]pyridine-induced rat mammary carcinogenesis, with a partial contribution of its component isoflavones", *Carcinogenesis*, núm. 21 (5), 2000, pp. 937-941.

Onoda, M. y Inano H., "Effect of curcumin on the production of nitric oxide by cultured rat mammary gland", *Nitric Oxide*, núm. 4 (5), 2000, pp. 505-515.

Ostrakhovitch, E. A. y Afanas'ev, I. B., "Oxidative stress in rheumatoid arthritis leukocytes: suppression by rutin and other antioxidants and chelators", *Biochemical Pharmacology*, núm. 62 (6), 2001, pp. 743-746.

Pan, M. H., Lin-Shiau, S. y Lin, J. K., "Comparative studies on the suppression of nitric oxide synthase by curcumin and its hydrogenated metabolites through down- regulation of IkappaB kinase and NFkappaB activation in macrophages", *Bio-chemical Pharmacology*, núm. 160 (11), 2000, pp. 1665-1676.

Park, J. M., Adam, R. M., Peters, C. A., Guthrie, P. D., Sun, Z., Klagsbrun, M. y Freeman, M. R., "AP-1 mediates stretch-induced expression of HB-EGF in bladder smooth muscle cells", *American Journal of Physiology*, núm. 277 (2 Pt I), 1999, pp. C294-C301.

Patel, P. S., Varney, M. L., Dave, B. J. y Singh, R. K., "Regulation of constitutive and induced NFkappaB activation in malignant melanoma cells by capsaicin modulates interleukin-8 production and cell proliferation", *Journal of Interferon & Cytokine Research*, núm. 22 (4), 2002, pp. 427-435.

Petruzzellis, V., Troccoli, I., Candiani, C., Guarisco, R., Lospalluti, M., Belcaro, G. y Dugall, M., "Oxerutins (Venoruton): efficacy in chronic venous insufficiency-a double- blind, ran-domized, controlled study", *Angiology*, núm. 53 (3), 2002, pp. 257-263.

Phan, T. T., See, P., Lee, S. T. y Chan, S.Y., "Protective effects of curcumin against oxidative damage on skin cells in vitro: its implication for wound healing", *Journal of Trauma*, núm. 51 (5), 2001, pp. 927-931.

Plummer, S. M., Holloway, K. A., Manson, M. M., Munks, R. J., Kaptein, A., Farrow, S. y Howells, L., "Inhibition of cyclo-oxygenase 2 expression in colon cells by the chemopre-ventive agent curcumin involves inhibition of NF-kappaB activation via the NIK/IKK sig-nalling complex", *Oncogene*, núm. 18 (44), 1999, pp. 6013-6020.

Pongrojpaw, D. y Chiamchanya, C., "The efficacy of ginger in prevention of postoperative nau-sea and vomiting after outpatient gynecological laparoscopy", *Journal of the Medical Association of Thailand*, núm. 86, 2003, pp. 244-250.

Potter, S. M., "Overview of proposed mechanisms for the hypocholesterolemic effect of soy", *Journal of Nutrition*, núm. 125, 1995, pp. 606S-611S.

Potter, S. M., Bakhit, R. M., Essex-Sorlie, D. L., Weingartner, K. E., Chapman, K. M., Nelson, R. A., Prabhudesai, M., Savage, W. D., Nelson, A. I. y Winter, L. W., "Depression of plas-ma cholesterol in men by consumption of baked products containing soy protein", *American Journal of Clinical Nutrition*, núm. 58, 1993, pp. 501-506.

Prasad, N. S., Raghavendra, R., Lokesh, B. R. y Naidu, K. A., "Spice phenolics inhibit human PMNL 5-lipoxygenase", *Prostaglandins, Leukotrienes, and Essential Fatty Acids*, núm. 70 (6), 2004, pp. 521-528.

Rafter, J. J., "Scientific basis of biomarkers and benefits of functional foods for reduction of dise-ase risk: cancer", *British Journal of Nutrition*, núm. 88 (suppl 2), 2002, pp. S219-S224.

Ramirez-Tortosa, M. C., Mesa, M. D., Aguilera, M. C., Quiles, J. L., Baro, L., Ramirez-Tortosa, C. L., Martinez-Victoria, E. y Gil, A., "Oral administration of a turmeric extract inhibits LDL oxidation and has hypocholesterolemic effects in rabbits, with experimental atherosclerosis", *Atherosclerosis*, núm. 147 (2), 1999, pp. 371-378.

Rao, B. N., "Bioactive phytochemicals in Indian foods and their potential in health promotion and disease prevention", *Asia Pacific Journal of Clinical Nutrition*, núm. 12 (H), 2003, pp. 9-22.

Rao, C., *et al.*, "Antioxidant activity of curcumin and related compounds, Lipid peroxide for-mation in experimental inflammation", *Cancer Research*, núm. 55, 1993, p. 259.

Raubenheimer, P. J., Young, E. A., Andrew, R.y Seckl, J. R, "The role of corticosterone in human hypothalamic-pituitary-adrenal axis feedback", *Clinical Endocrinology*, núm. 65 (I), 2006, pp. 22-26.

Rautava, S. y Isolauri, E., "The development of gut immune responses and gut microbiota: effects of probiotics in prevention and treatment of allergic disease", *Current Issues in Intestinal Microbiology*, núm. 3 (1), 2002, pp. 15-22.

Reid, G. y Bocking, A., "The potential for probiotics to prevent bacterial vaginosis and preterm labor", *American Journal of Obstetrics and Gynecology*, núm. 189 (4), 2003, pp. 1202-1208.

Reid, G., Howard, J. y Gan, B. S., "Can bacterial interference prevent infection?", *Trends in Microbiology*, núm. 9 (9), 2001, pp. 424-428.

Reuter, G., "Probiotics-possibilities and limitations of their application in food, animal feed, and in pharmaceutical preparations for men and animals", *Berliner und Munchener tierarztliche Wochenschrift*, núm. 114 (11-12), 2001, pp. 410-419, edición en alemán.

Rohleder, N., Schommer, N. C., Helihammer, D. H., Engel, R. y Kirschbaum, C., "Sex differences in glucocorticoid sensitivity of proinflammatory cytokine production after psychosocial stress", *Psychosomatic Medicine*, núm. 63 (6), 2001, pp. 966-972.

Rolfe, R. D., "The role of probiotic cultures in the control of gastrointestinal health", *Journal of Nutrition*, núm. 130 (suppl 2), 2000, pp. 396S-402S, arbitrado.

Roos, K., Hakansson, E. G. y Holm, S., "Effect of recolonisation with "interfering" streptococci on recurrences of acute and secretory otitis media in children: randomised placebo controlled trial", *BMJ*, núm. 322, 2001, p. 210.

Saavedra, J. M. y Tschernia, A., "Human studies with probiotics and prebiotics: clinical implications", *British Journal of Nutrition*, núm. 87 (suppl 2), 2002, pp. S241-S246, arbitrado.

Saito, Y., "The antioxidant effects of petroleum ether soluble and insoluble fractions from spices", *Journal of the Japanese Society of Nutrition and Food Science*, núm. 29, 1976, pp. 505-510.

Satoskar, R. R,, Shah, S. J. y Shenoy, S. G., "Evaluation of anti-inflammatory property of curcumin (diferuloyl methane), in patients with postoperative inflammation", *International Journal of Clinical Pharmacology, Therapy, and Toxicology*, núm. 24 (12), 1986, pp. 651-654.

Schiffrin, E. J. y Blum, S., "Interactions between the microbiota and the intestinal mucosa", *European Journal of Clinical Nutrition*, núm. 56 (suppl 3), 2002,pp. S60-S64, arbitrado.

Schultz, M., Scholmerich, J. y Rath, H. C., "Rationale for probiotic and antibiotic treatment strategies in inflammatory bowel diseases", *Digestive Diseases*, núm. 21 (2), 2003, pp. 105-128, arbitrado.

Schulz, K. H. y Gold, S., "Psychoneuroimmunology The relationship between stress, immune system and health", *Bundesgesundheitsblatt, Gesundheitsforschung, Gesundheitsschutz*, núm. 49 (8), 2006, pp. 759-772.

Sephton, S. E., Kraemer, H. C., Neri, E., Stites, D., Weissbecker, I. y Spiegel, D., "Improving methods of assessing natural killer cell cytotoxicity", *International Journal of Methods in Psychiatric Research*, núm. 15 (1), 2006, pp. 12-21.

Setchell, K. D. y Lydeking-Olsen, F., "Dietary phytoestrogens and their effect on bone: evidence from in vitro and in vivo, human observational, and dietary intervention studies", *American Journal of Clinical Nutrition*, núm. 78 (suppl 3), 2003, pp. 593S-609S, arbitrado.

Shah, B. H., Nawaz, Z., Pertani, S. A., Roomi, A., Mahmood, H., Saeed, S. A. y Gilani, A. H., "Inhibitory effect of curcumin, a food spice from turmeric, on platelet-activating factor- and arachidonic acid-mediated platelet aggregation through inhibition of thromboxane formation and Ca2+ signaling", *Biochemical Pharmacology*, núm. 58 (7), 1999, pp. 1167-1172.

Shalev, E., Battino, S., Weiner, E., Colodner, R. y Keness, Y., "Ingestion of yogurt containing *Lactobacillus acidophilus* compared with pasteurized yogurt as prophylaxis for recurrent candidal vaginitis and bacterial vaginosis", *Archives of Family Medicine*, núm. 5 (10), 1996, pp. 593-596.

Sharma, S. C., Mukhtar, H., Sharma, S. K. y Krishna Murt. C. R., "Lipid peroxide formation in experimental inflammation", *Biochemical Pharmacology*, núm. 21, 1972, p. 1210.

Shutler, S. M., Bircher ,G. M., Tredger, J. A., Morgan, L. M., Walker, A. E. y Low, A. G., "The effect of daily baked bean (Phaseolus vulgaris), consumption on the plasma lipid levels of young, normo-cholesterolaemic men", *British Journal of Nutrition* núm. 61, 1989, pp. 257-265.

Simpson, H. C. R., Lousley, S., Geekie, M., Simpson, R. W., Carter, R. D., Hockaday, T. D. R. y Mann, J. I., "A high carbohydrate leguminous fibre diet improves all aspects of diabetic control", *Lancet*, núm. 1 (8210), 1981, pp. 1-5.

Singh, S. y Aggarwal, B. B., "Activation of transcription factor NF-kappa B is suppressed by curcumin (diferuloylmethane)", *Journal of Biological Chemistr*, , núm. 270 (42), 1995, pp. 24995-5000, errata en: *Journal of Biological Chemistry*, núm. 2 70 (50), 1995, p. 30235

— Natarajan, K. y Aggarwal, B. B. "Capsaicin (8-methyl-N-vanillyl-6-nonenamide), is a potent inhibitor of nuclear transcription factor-kappa B activation by diverse agents", *Journal of Immunology*, núm. 157 (10), 1996, pp. 4412-4420.

Smith, B. M. y Whitis, S. E., "Dietary fiber and coronary heart disease", *Critical Reviews in Food Science and Nutrition*, núm. 29, 1990, pp. 95-147.

Sobel, J. D., "Overview of vaginitis", UpToDate Electronic Database (Version 9, 2), 2001.

Soliman, K. F. y Mazzio, E.A., "In vitro attenuation of nitric oxide production in C6 astrocyte cell culture by various dietary compounds", *Proceedings of the Society for Experimental Biology and Medicine*, 8, núm. 21 8 (4), 199pp. 390-397.

Soni, K. B. y Kuttan, R., "Effect of oral curcumin administration on serum peroxides and cholesterol levels in human volunteers", *Indian Journal of Physiology and Pharmacology*, , núm. (36), 1992p. 273, p. 293.

Sreekanth, K. S., Sabu, M. C., Varghese, L., Manesh, C., Kuttan, G. y Kuttan, R., "Antioxidant activity of Smoke Shield in-vitro and in-vivo", *Journal of Pharmacy and Pharmacology*, núm. 55 (6), 2003, pp. 847-853.

Srimal, R. y Dhawan, B., "Pharmacology of diferuloyl methane (curcumin), a non- steroidal anti-inflammatory agent", *Journal ofPharmacy and Pharmacology*, núm. (25), 1973, pp. 447-452.

Srinivas, L., Shalini, V. K. y Shylaja, M., "Turmerin: a water-soluble antioxidant peptide from turmeric *(Curcuma longa)*", *Archives of Biochemistry and Biophysic*, núm. 292 (2), 1992, pp. 617-623.

Srivasta, R. y Srimal, R. C., "Modification of certain inflammation-induced biochemical", *U. S. Indian Journal of Medical Research*, núm. (81), 1985, pp. 215-223.

Srivastava, K. C., "Effect of onion and ginger consumption on platelet thromboxane production in humans", *Prostaglandins, Leukotrienes, and Essential Fatty Acids*, núm. 35, 1989, pp.183-185.

Srivastava, K. C., "Effects of aqueous eracts of onion, garlic and ginger on platelet aggregation and metabolism of arachidonic acid in the blood vascular system in vitro study", *Prostaglandins, Leukotrienes, and Medicine*, núm. 13, 1984, pp. 227-235.

— "Isolation and effects of some ginger components on platelet aggregation and eicosanoid biosynthesis", *Prostaglandins, Leukotrienes, and Medicine*, 6, núm. 25, 198pp. 187-198.

— y Mustafa, T., "Ginger *(Zingiber officinale).*, and rheumatic disorders", *Medical Hypotheses*, núm. 29 (1), 1989,pp. 25-28.

Stavric, B., "Antimutagens and anticarcinogens in foods", *Food and Chemical Toxicology*, núm. 32 (1), 1994, pp. 79-90.

Steele, M.G, "The effect on serum cholesterol levels of substitutrng milk xth a soya ton beverage", *Austrian Journal of Nutrition and Diet*, núm. 49, 1992, pp.24-28.

Steptoe, A. y Brydon, L., "Associations between acute lipid stress responses and fasting lipid levels 3 years later", *Health Psychology*, 3, núm. 24 (6), 200pp. 601-607.

Suekawa, M., Yuasa, K., Isono, M., Sone, H., Ikeya Sakakibara, I., Aburada M. y Hosoya, E. "Pharmacological studies on ginger IV Effect of (6) -shogoal on the arachidonic cascade", *Nippon Yakurigaku Zasshi*, núm. 88 (4), 1986, pp. 263-269, edición en japonés.

Surh, Y. J., "Anti-tumor promoting potential of selected spice ingredients with antioxidative and anti-inflammatory activities: a short review", *Food and Chemical Toxicology*, núm. 40 (8), 2002, pp. 109-197

— Chun, K. S., Cha, H. H., Han, S. S., Keum, Y. S., Park, K. K. y Lee, S. S., "Molecular mechanisms underlying chemopreventive activities of anti-inflammatory phytochemicals: down-regulation of COX-2 and iNOS through suppression of NJF-kappa B activation", *Mutation Research*, núm. 480-81, 2001, pp.243-268, arbitrado.

— Han, S. S., Keum, Y.S., Seo, H. J. y Lee, S. S., "Inhibitory effects of curcumin and capsaicin on phorbol ester-induced activation of eukaryotic transcription factors, NF-kappaB and AP-1", *Biofactors*, núm. 12 (1-4), 2000, pp. 107-112.

Susan, M.y Rao, M. N. A., "Induction of glutathione S-transferase activity by curcumin in mice", *Arzneimittel-Forschung*, núm. 42, 1992, p. 962.

Tannock, G. W., *Normal Microflora*, Chapman & Hall, New York, 1995.

Tjendraputra, E., Tran, V. H., Liu-Brennan, D., Roufogalis, B. D. y Duke, C. C., "Effect of ginger constituents and synthetic analogues on cyclooxygenase-2 enzyme in intact cells", *Bioorganic Chemistry*, , núm. 29 (3), 2001pp. 156-163.

Tosevski, D. L. y Milovancevic, M. P., "Stressful life events and physical health", *Current Opinion in Psychiatry*, núm. 19 (2), 2006, pp. 184-189.

Turmeric for treating health ailments, Invented by Mm Bich Nguyen, College Park, MD, No assignee, U, S, Patent 6,048,533, Issued April 11, 2000. Esta patente (U, S, Patent 5,897,865, issued April 27, 1999), se refiere al uso terapéutico de la especie común cúrcuma (*Curcuma longa*), para el tratamiento de padecimientos de la piel como acné, erupciones, psoriasis, caspa, piel seca, decoloración, irritación y daños ocasionado por el sol.

U. S. Department of Agriculture Nutrient Data Laboratory leído el 13 de agosto, 2006, en http://www, ars, usda, gov/main/site_main, htm?modecode= 12354500.

Udani, J., *Lactobacillus acidophilus* to prevent traveler's diarrhea", *Alternative Medicine Alert*, núm. 2, 1999, pp. 53-55.

Uhlig, I. y Katlus, K. W., "The brain: a psychoneuroimmunological approach", *Cunvnt Opinion in Anaesthesiology*, núm. 18 (2), 2005, pp. 147-150.

Van Kessel, K., Assefi, N., Marrazzo, J. y Eckert, L., "Common complementary and alternative therapies for yeast vaginitis and bacterial vaginosis: a systematic review", *Obstetrical & Gynecological Survey*, núm. 58 (5), 2003, pp. 351-358, arbitrado.

Vanderhoof, V.A., "Probiotics: future directions", *American Journal of Clinical Nutrition*, núm. 73, 2001, pp. 1152S-1155S.

Vitaliano, P. P., Persson, R., Kiyak, A., Saini, H. y Echeverria, D., "Caregiving and gingival symptom reports: psychophysiologic mediators", *Psychosomatic Medicine*, núm. 67 (6), 2005, pp. 930-938.

Walling, A., "Therapeutic modulation of the psychoneuroimmune system by medical acupuncture creates enhanced feelings of well-being", *Journal of the American Academy of Nurse Practitioners*, núm. 18 (4), 2006, pp. 135-143, arbitrado.

Wang, C. C., Chen, L. G., Lee, L. T. y Yang, L. L., "Effects of 6-gingerol, an antioxidant from ginger, on inducing apoptosis in human leukemic HL-60 cells", *In Vivo*, núm. 17 (6), 2003, pp. 641-645.

Weisburger, J. H., "Tea and health: the underlying mechanisms", *Proceedings of the Society for Experimental Biology and Medicine*, núm. 220 (4), 1999, pp. 271-275, arbitrado.

Wood, J. R., *et al.*, "In vitro adherence of *Lactobasilus* species to vaginal epithelial cells", *American Journal of Obstetrics and Gynecology*, núm. 153, 1985, pp. 740-743.

Zeneb, M. B., *et al.*, "Dairy (yogurt), augments fat loss and reduces central adiposity during energy restriction in obese subjects", *FASEB Journal*, núm. 17 (5), 2003, p. A1088.

Zhang, J., Nagasaki, M., Tanaka, Y. y Morikawa, S., "Capsaicin inhibits growth of adult T-cell leukemia cells", *Leukemia Research*, núm. 27 (3), 2003, pp. 275-283.